Mona

GINETTE BUREAU

Mona

ÉDITION DU CLUB QUÉBEC LOISIRS INC.
© Avec l'autorisation des Éditions Libre Expression
Dépôt légal — Bibliothèque nationale du Québec, 1993
ISBN 2-89430-078-6
(publié précédemment sous ISBN Tome 1: 2-89111-297-0
                                Tome 2: 2-89111-227-X)

Après la parution de mon deuxième livre, Je t'aime la vie, *qui faisait suite à* Mona, *un intérêt pour le message d'espoir contenu dans mon premier livre s'est fait sentir. Plusieurs parents désiraient le relire ou en acheter des copies pour leurs grands enfants. Je m'apercevais également, au contact des adolescents à qui je m'adressais dans les écoles secondaires, que les problèmes décrits dans* Mona *sont toujours très actuels.*

Comme je crois que l'amour et l'espoir sont contagieux, je vous présente à nouveau cette histoire vraie, tellement fraîche encore dans ma mémoire de mère.

Tout a commencé en octobre 1970... Le Québec est alors en pleine crise. Monsieur Cross est détenu en otage et moi je me retrouve prisonnière dans ma cuisine avec une enfant qui est condamnée.

André, mon mari, est un Américain que j'ai épousé à New York, après de brèves fréquentations. Comme nous avons, l'un et l'autre, connu beaucoup de couples dont l'amour est mort, étouffé par le mariage, nous nous sommes jurés de nous quitter si jamais nous devions, nous aussi, succomber à l'habitude. Nous voulons être des individus mariés et libres.

Après quelques années passées dans la métropole américaine à nous aimer, sortir et faire des enfants, nous sommes venus nous installer dans mon pays. Par goût et peut-être aussi par vocation. André exerce sa profession d'enseignant dans une ville de l'Estrie.

Nous avons deux enfants; l'aîné, Francis, six ans, est d'un tempérament nerveux et inquiet. Au moindre changement il demande beaucoup d'attention et de compréhension.

Ma fille, Mona, quatre ans et demi, est plus solide. Je l'appelle ma «Pleine de Vie». Ses poupées n'ont d'autre fonction que de décorer sa chambre et elle préfère nettement des jeux plus

9

turbulents. C'est une indépendante qui n'a pas froid aux yeux. Ses joies sont grandes comme l'univers et ses peines aussi. Comme elle ne tient jamais en place et semble toujours prête à partir vers d'autres horizons, je m'en fais rarement à son sujet.

Nous vivons au jour le jour un petit bonheur pas trop compliqué. Parfois, André me donne une soirée de congé. Lorsque je rentre, je le trouve endormi dans un grand fauteuil, un livre sur les genoux et, contre chaque épaule, un enfant sommeillant, le visage sale et heureux. J'éteins la télé, couche les petits l'un après l'autre, regarde la cuisine encombrée et regrette d'être sortie. Le surcroît de travail ne me laissera, le lendemain, aucun moment pour penser à moi. André se contente de peu: ses bouquins, un tableau à admirer et quelques disques qu'il écoute en dégustant ses plats préférés. Il me dit beaucoup de «I love you, my darling» et m'aide rarement à laver la vaisselle. Bien au contraire, je l'entends souvent m'interpeller par la fenêtre:

— Come and play baseball with us. We need a catcher.

Tiraillée entre mon rôle de maîtresse de maison et mon désir de rendre ma famille heureuse, je me joins à eux. Je lui en veux secrètement de réussir à tout faire par plaisir, alors que, moi, je fais tout par devoir.

L'année dernière, j'ai réussi à le convaincre de me laisser recommencer à travailler à temps partiel, à la condition, toutefois, de ne pas être surmenée. Il a horreur des femmes martyres pour qui les tâches domestiques sont un boulet au pied. Avec mes économies, nous nous sommes offert des vacances en Floride pendant trois semaines. Nous sommes partis avec les enfants, un peu comme des vagabonds, en emportant quelques cartes et trois fois rien comme bagages, bien décidés à voir le maximum avec un minimum d'argent.

Tout en lézardant au soleil, je ne m'inquiète pas de nous voir dépenser au-delà de nos possibilités puisque je dois recommencer à travailler dès l'automne. C'est notre septième année de mariage, la plus difficile d'après les prédictions de ma mère. Elle a bien raison. Rien ne va plus. En septembre, je ne trouve pas d'emploi et, fardeau suprême nous devons déménager. Je suis tendue, prisonnière, et mes enfants m'énervent. Le temps file, l'argent manque, je m'inquiète, je maugrée, je me révolte, je suis anxieuse...Un terrain idéal pour la catastrophe.

— Mamie, Mamie...

J'entends la voix de mon enfant qui m'appelle. J'émerge péniblement de mon sommeil. Pourquoi les enfants se réveillent-ils toujours quand les parents sont rentrés tard? Il est à peine trois heures.

— Viens, Mona! Viens voir Mamie.

Elle est brûlante de fièvre, pleure et dit qu'elle a mal. Son bras, il ne faut pas toucher son bras tellement il est douloureux.

— Es-tu tombée?

— Je ne sais pas...

Avec cette enfant qui ne reste pas en place une seule seconde, il est impossible de savoir où et quand elle se blesse.

— As-tu encore joué au ballon avec les plus grands, aujourd'hui?

— Ah! oui, c'est au ballon. Mais ce n'est pas aujourd'hui, c'est l'autre jour. J'ai reçu le ballon sur le bras et ça m'a fait très mal...

— Pourquoi ne le dis-tu pas à Mamie quand tu te fais mal?

André, mon mari, se réveille:

— Laisse-la tranquille, avec tes questions. Tu ne vois pas qu'elle est malade?

— Je le sais qu'elle est malade, cette pauvre petite. Elle m'inquiète beaucoup depuis quelque temps. D'abord des ganglions dans le cou et, maintenant, cette fièvre.

11

— Tu as téléphoné au pédiatre à propos des ganglions, qu'est-ce qu'il t'a dit?

— Il m'a conseillé de lui donner de l'aspirine et d'appliquer des compresses chaudes pour soulager la douleur. Il m'a dit aussi de nous rendre à l'hôpital si son état nous inquiète trop.

Depuis quelques jours, les hôpitaux du Québec sont en grève. On a demandé, à la radio, de ne se présenter qu'en cas d'urgence. L'idée de consulter n'importe quel médecin et surtout d'avoir à attendre dans une salle encombrée ne me plaît pas beaucoup. Néanmoins, après avoir décidé de m'y rendre de bonne heure, je donne un cachet d'aspirine à Mona. Couchée dans les bras de son père, à qui j'aurais bien des choses à dire, elle est maintenant en train de se calmer. Ma petite m'inquiète et j'ai peur. Mais André s'endort déjà... D'ailleurs, je connais sa réponse : « Tu t'inquiètes toujours trop. » Voilà ce qu'il m'aurait répliqué. J'aurais aimé lui dire aussi que nous négligeons nos enfants depuis que nous cherchons une maison, que Mona ne mange pas toujours comme il faut. Mais ça, il le sait. Depuis un certain temps, nous tentons de la corriger de cette mauvaise habitude qu'elle a de ne pas manger lorsque le menu lui déplaît et de grignoter entre les repas. Il me semble que, ces jours derniers, elle aime de moins en moins ce que je lui offre. Demain, j'essaierai de préparer l'un de ses plats préférés. Je lui fais une dernière caresse. Elle est déjà moins brûlante. Je me glisse sous les couvertures en prenant soin, puisqu'elle s'est allongée entre nous, de la couvrir légèrement pour qu'elle n'ait pas trop chaud.

* * *

Le matin venu — c'est le lendemain de l'Action de grâces —, nous attendons notre tour à la salle d'urgence qui est réservée aux enfants pour toute la durée de la grève. Des petites pleurnichent et crient. Mona est beaucoup plus sage que d'habitude. Elle me parle très peu et a l'air abattue. Mais je me sens déjà moins inquiète ; bientôt, on me dira ce qu'elle a et comment la soigner.

Un vieux médecin nous reçoit. Il semble épuisé devant tant d'enfants venus en consultation. Il ne pose à peu près pas de questions et commence son examen. Moi, je regarde son expression. C'est ma manière de déceler la gravité de la situation. Il n'a pas défroncé les sourcils une seule fois depuis que nous sommes entrées dans son cabinet. Il me jette un de ces regards en voyant les bleus que Mona a sur les jambes... et ce gros, là, sur les fesses. Je suis moi-même étonnée en l'apercevant. Je ne l'avais pas vu, d'autant plus que Mona veut toujours s'habiller toute seule. Elle a dû se le faire hier soir ; pourtant la gardienne ne m'en a pas parlé. Je demande à Mona ce qui lui est arrivé. Le médecin a l'air de soupçonner que je la maltraite...

— Comment, madame, vous ne saviez pas qu'elle avait ce bleu ?

Je bafouille quelques explications :

— Moi aussi, je m'en fais parfois sans m'en rendre compte.

Il palpe son ventre, l'examine de la tête aux pieds. Chaque fois qu'il me regarde, j'ai l'impression qu'il va m'accuser de négligence criminelle. Ah! comme je regrette d'être sortie, hier soir.

— Madame...

— Oui, qu'est-ce qu'il y a? Qu'est-ce que c'est?

— Nous gardons votre fille à l'hôpital.

— Mais il y a la grève...

J'ouvre la bouche pour en dire davantage; mais je reste probablement un bon moment sans parler parce que le médecin est déjà parti quand, enfin, j'arrive à prononcer:

— Je croyais que ce serait comme d'habitude: on vous dit de quoi souffre votre enfant, on lui prescrit des médicaments et elle rentre à la maison, presque guérie.

Or, cette fois-ci, on ne me dit rien et je sens qu'il vaut mieux ne pas poser de questions. Pourtant, je ne peux pas rester comme ça. Je dois agir. Mais que faire?

— Viens, Mona, nous allons téléphoner à papa.

Ils viennent déjà la chercher, si tôt. Les événements s'enchaînent beaucoup trop vite. Je n'y comprends rien et j'essaie d'expliquer à mon enfant:

— Ils prendront bien soin de toi, ma chouette. Mamie va rester près de toi. Je viendrai te voir après le dîner avec papa.

C'est plus fort que moi, mes larmes coulent quand je la serre dans mes bras. Elle dit:

— Pourquoi pleures-tu, mamie?

Allons! Je me dois d'être plus raisonnable qu'elle. Elle s'en va comme une grande, la tête droite, découvrant un nouveau monde. Elle veut tout voir dans le corridor et, moi, je reste là à la regarder s'éloigner. J'ai l'impression qu'on vient de m'arracher quelque chose.

Les gens entrent et sortent de la salle d'urgence sans s'apercevoir de ma présence. Les infirmières et les médecins affichent un sourire qui me semble automatique. Ils ont l'habitude, eux! L'atmosphère est de plus en plus irrespirable dans ce vestibule.

Dehors, il fait sombre. L'air frais me tire un peu de ma torpeur. Je marche sans trop savoir où je vais. Si au moins André était avec moi... Je suis seule et cela m'irrite. Non!

j'ai trop de peine pour me fâcher. Il viendra. J'essuie mes larmes pour que les gens ne les voient pas. Pourtant, je voudrais leur dire... leur dire quoi? Leur dire :

— Que c'est idiot, une mère, on se lamente qu'on a trop de travail avec ses petits et, dès qu'on vous les enlève, on se met à pleurer.

— Qu'on déteste le bruit qu'ils font continuellement et qu'on s'ennuie terriblement lorsqu'il n'y a plus que le silence.

— Qu'on veut qu'ils soient grands et petits en même temps.

* * *

André croit toujours que je m'énerve inutilement quand les enfants sont malades, mais, cette fois, il prend la situation très au sérieux et abandonne son cours pour venir nous rejoindre. Maintenant, nous sommes là tous les trois, à attendre le verdict. Un médecin s'avance en prononçant notre nom.

— Monsieur, madame, je voudrais vous voir seuls. Laissez l'enfant dans la salle de jeux.

Jamais encore je n'avais senti le danger d'aussi près et j'ai peur de mes réactions.

— Vous avez d'autres enfants, j'espère? nous demande-t-il abruptement.

Je trouve qu'il va trop vite... et son préambule me paraît durer une éternité. Pourquoi n'en vient-il pas au fait? Décidément, je n'aime pas ce médecin dont toute l'attitude me dit qu'il a des choses terribles à nous annoncer.

— Vous avez un fils.

Et il fait une pause. Sa respiration m'exaspère.

— Votre fille a la leucémie. Vous connaissez?

Le mot éveille en moi le sentiment qu'il s'agit de quelque chose de grave, mais je ne connais personne qui en soit mort. Mon mari, lui, a vu une petite fille de cinq ans en mourir lentement, semaine après semaine. C'est la maladie qu'il a toujours secrètement redoutée. Il a donc deviné avant même que le docteur n'ait parlé et il fait signe que oui. Je le regarde, je regarde le médecin, j'essaie de comprendre.

16

Le médecin reprend :

— Les tests ne sont pas complétés, mais il n'y a à peu près aucun doute; vous comprenez...

Et puis, je l'entends dire :

— Vous devez essayer de vous y habituer dès maintenant. La moyenne de survie n'est malheureusement que de six mois à deux ans.

Assez! Assez! Ne parlez plus! je comprends, j'ai trop bien compris. Je ne veux plus savoir. Je prononce toutes ces paroles qui ne sortent pas de ma bouche.

Le médecin me parle d'une autre mère qu'il a vue reconduire à l'hôpital son enfant qui en était au dernier stade. La maman le savait et était bien résignée. Résignée! Je déteste ce mot. L'image me répugne. Pensez donc! Amener son enfant comme ça, en n'ayant plus de peine ou presque, parce qu'on est prévenu depuis des mois. Qu'est-ce que ça change?

Ils sont en train de discuter du spécialiste qui traitera Mona. Je fais des efforts pour les suivre. Ma fille doit recevoir les meilleurs soins. Nous voulons Boston, un centre spécialisé. Le médecin nous affirme que ce serait beaucoup trop pénible à cause des voyages, de la fatigue, et qu'elle recevra ici le même traitement. Il parle de rémission. La majorité des enfants leucémiques en ont une, puis une autre plus courte, et d'autres, de plus en plus brèves... jusqu'à ce que les médicaments n'agissent plus. J'essaie de penser. Il faut que je tienne le coup. C'est bien à moi que ça arrive. Je plonge ma tête dans mes mains; si seulement mon cœur pouvait battre moins fort, que je me sente un peu mieux.

Le médecin avait un message à livrer; il nous laisse reprendre notre souffle et continue :

— Vous savez, en mourant de cette maladie, au moins ils ne souffrent pas.

Ah! Je le déteste, ce médecin, parce qu'il nous parle de la mort.

— Pendant les rémissions, ces enfants se portent très bien, c'est à s'y méprendre. Ils mènent une vie presque normale. Mais il ne faut pas croire à une guérison, ce serait souffrir inutilement.

Bien oui! Bien oui! Nous avons compris, c'est incurable. Et elle est là qui nous attend, derrière cette porte. J'ai envie à la fois de sortir et de rester. Le médecin nous répète de prendre notre temps.

*   *   *

Deux ans, comme ça semble court, tout à coup. Deux ans, ce ne sont que quelques mois, quelques semaines, quelques jours, quelques instants... Que faire en deux ans? Comme c'est court! Et moi qui hésite avant d'ouvrir cette porte et d'aller la voir. J'essaie mes jambes, voilà, c'est fait, je suis debout. Ce n'est pas si difficile. J'ai l'impression d'avoir été assommée, mais je peux très bien marcher... j'ouvre la porte.

Mona s'avance vers nous, pâle et inquiète. J'aurais voulu avoir un masque pour cacher mon visage, pour qu'elle ne voit pas la grimace de la douleur. Avez-vous remarqué qu'il est presque impossible de dissimuler ses pensées à un enfant? Elle semble chercher notre regard à tous deux. Non! Non! Il ne faut pas penser à la mort, elle le sentirait. Je la serre très fort contre mon cœur. Mon étreinte signifie : Mona, tu peux compter sur Mamie, Mamie sera forte, tu vas voir, je t'aiderai. Je t'aime tant, mon amour.

Mon mari prend sa fille dans ses bras et nous nous promenons dans le corridor parce qu'il faut bouger. Jusqu'à maintenant, je n'étais venue à l'hôpital que pour accoucher. Et lorsque je me promenais dans les couloirs, je me sentais comme une reine; comme si j'avais été la seule au monde à pouvoir accoucher. Mais cette fois, c'est différent; je suis en train de perdre tout mon royaume.

Je vois les autres enfants malades. Une petite fille est brûlée sur tout le corps. Chanceuse! C'est seulement une brûlure. Les employées du poste nous regardent passer. Je me demande s'ils savent. Leur calme me met hors de moi et j'ai envie de leur crier quelque chose, pourtant pas un mot ne sort de ma bouche. J'ai du mal à m'empêcher de claquer des dents. Je n'ose pas toucher mon mari, j'ai peur de sentir son corps trembler; je n'ose même pas rencontrer son regard, nous risquerions de nous effondrer.

Au bout du corridor, il y a un petit comptoir. Nous nous y appuyons et assoyons Mona entre nous. André tient sa fille par la taille avec toute la tendresse d'un père. Nous lui prenons chacun une main. Nous tâchons de réaliser ce qui se passe. Il me semble que Mona est née seulement hier et voici que déjà... c'est impossible... Elle nous regarde l'un après l'autre en jouant avec nos doigts. Tout à coup, comme si elle comprenait bien des choses, elle joint nos mains. Et ce contact nous unit avec autant de force que si nous avions été traversés par le même courant électrique.

Le cœur brisé, nous tentons de la distraire. Je pense à toutes les fois où elle voulait manger entre les repas et où je l'obligeais à attendre jusqu'au souper. Pauvre petite! Comme elle devait se sentir mal! Et son sang qui est devenu une menace terrifiante! je me rappelle ces jours où elle était lasse et maussade et où je lui disais sévèrement:

— Mona, secoue-toi un peu! Fais comme les autres enfants, invente des jeux, amuse-toi! Ne reste pas là à pleurnicher et à ne rien faire.

Elle s'ennuyait beaucoup de son frère qui avait commencé l'école et parfois, l'après-midi, elle préférait dormir au lieu d'aller jouer dehors. Cette attitude, de la part d'une enfant qui aimait tant jouer et courir, aurait dû me surprendre. Comment ai-je pu me montrer aussi aveugle! Quelle sorte de mère ai-je été?

Mona doit être lavée à l'eau froide parce que la fièvre augmente. Nous en profitons pour sortir un peu et lui promettons de revenir bientôt, après avoir mangé. Elle s'en va, confiante, avec la garde-malade et nous gagnons la sortie. Il me semble que je n'y arriverai jamais. Je n'en peux plus de me retenir. Enfin! Nous voilà dans l'auto.

Petit à petit, les cris succèdent aux sanglots. Je crie de haine, de haine envers moi, envers la vie. Je n'ai plus aucun contrôle. Mon mari me prie de reprendre mes sens. Mais aucun mot ne pourrait me tirer de mon désespoir.

La perte de l'espoir, c'est l'enfer. Je l'ai frôlé. Jamais encore, je n'étais descendue aussi bas. Aujourd'hui, j'ai vingt-sept ans et la vie me paraît absurde. Je regarde les belles maisons et je les déteste. Pourquoi de belles maisons? Pourquoi des robes neuves? Et les gens qui vivent pour ça! Je regrette tous les moments que j'ai passés à faire des choses absurdes. Je m'en veux, j'en veux au monde entier.

Mon mari conduit au hasard dans les rues de la ville, puis, comme guidé par l'une de ces intuitions qui nous viennent en de pareils moments, il m'amène chez une de mes amies. C'est avec elle que j'avais dansé, fêté, chanté la vie et l'amour. Sa fille a quatre ans, l'âge de la mienne, et elle est dehors, en train de sauter à la corde comme Mona le faisait si souvent. Allons! Je ne dois pas me donner en spectacle ici! Les enfants des autres ont le droit de vivre, même si la mienne... De nouveau, je dis des choses incohérentes, des bouts de phrases. Des mots finissent par sortir.

— Pourquoi Mona? Qu'est-ce que j'ai fait pour mériter ça, moi? Tu t'imagines? Vivre et accepter le fait que la mort viendra dans un an ou deux... Penses-y! Comment pourrai-je vivre avec elle quotidiennement, et compter les jours?

Ghislaine est prise au dépourvu. Elle prépare le souper pour ne pas rester inactive, m'offre de partager leur repas, écoute mes appels à l'aide, cherche des mots et, finalement, me demande :

— Pourquoi parles-tu de « futur »?

— Parce qu'il est inévitable. Quand elle sera bien, je devrai me répéter : c'est temporaire — n'espère rien — c'est foutu — il n'y a rien à faire. RIEN!

— Qui es-tu pour savoir exactement ce qui se passera dans deux ans?

En entendant ces mots, j'arrête de pleurer. Dans l'espoir de la voir me convaincre, je reviens à la charge :

21

— Ce n'est pas le premier cas de leucémie auquel les médecins ont à faire face. Ils connaissent ça, eux, ils savent bien comment ça se passe.

Ghislaine tient bon et continue de chercher comment m'aider.

— Pourquoi ne vivrais-tu pas aujourd'hui d'abord? Tu sais, si on se mettait tous à penser à ce qui peut nous arriver dans les années à venir...

Elle a trouvé quelque chose, ça se voit sur son visage. Elle continue :

— Tu vois, aujourd'hui, elle est en vie et à l'hôpital. Tu dois aller la voir, la distraire, la rassurer. Demain, tu prendras ce qui viendra. N'essaie pas de vivre ce qui n'est pas encore arrivé.

Ses paroles me calment, mon estomac se décontracte, je respire plus facilement. À bien y penser, ce qu'elle dit est plein de bon sens, ne contient pas de faux espoirs. C'est vrai, qui connaît vraiment l'avenir? Où serai-je, moi, dans deux ans? Pourquoi me faire du mauvais sang dès aujourd'hui? Et ma fille, où trouverai-je la force et le courage d'en prendre soin?

* * *

Bien déterminée à ne vivre qu'une journée à la fois, j'ouvre la porte du service de pédiatrie. Mona s'est endormie sur un divan. Un divan rouge vin, presque violet. Une robe de nuit blanche recouvre son jeune corps. Ses cheveux noirs et bouclés encadrent son visage dont ils accentuent la pâleur. Elle dort... comme dans une tombe. Je vois une tombe, je ne veux pas voir une tombe. J'ai déjà flanché. Où est ma volonté? Et je veux vivre chaque jour, une journée à la fois. Elle respire. Elle est là. Vivre chaque moment. Profiter du moment. Présent.

Mon mari est devenu très nerveux. Il n'en peut plus d'attendre. Il semble qu'on attend toujours quelque chose dans un hôpital. En ce moment, c'est le médecin. Il avait dit qu'il serait là pour s'occuper du transfert de la petite dans un autre hôpital. André se promène, parle un peu avec Mona. Il me dit qu'il s'en fait pour Francis, notre fils, qui doit nous attendre chez l'amie qui l'a gardé à souper. Il répète qu'il déteste les hôpitaux et leur odeur. Finalement, il nous embrasse toutes les deux et s'en va. Je sens que je ne dois pas insister. Mais pourquoi ne me dit-il pas — même s'il est un homme — que ça lui crève le cœur à lui aussi, que, maintenant qu'il me sent un peu plus forte, il peut se laisser aller.

Il ne m'a jamais dit où il était allé pleurer, ce soir-là.

Mon frère qui travaille ici comme infirmier, arrive à point nommé, alors que, la voix tremblante, je me débats avec une petite histoire que je voudrais rendre intéressante.

Devant l'expression de son visage et à la façon dont il regarde Mona, je me rends compte que lui aussi a très bien appris sa leçon sur la leucémie, qu'il a déjà dû voir mourir des enfants atteints de cette maladie. Je suis irritée, sans trop savoir pourquoi. Il fait de son mieux pour camoufler son émotion, mais je connais mon frère. Il est toujours plein d'enthousiasme et il aime remonter le moral de ses patients. Ce soir, toutefois, il en est incapable. Il connaît trop bien la fin tragique qui nous attend. Son expérience lui permet de trouver facilement des mots gentils pour les enfants et il fait des farces avec Mona. Mais son expérience ne lui a pas appris comment on cache à sa sœur un regard où se lit la vision d'un avenir triste à pleurer.

Il devance mes questions :

— Tu sais, ils n'ont pas voulu que je voie son dossier, au poste. C'est trop proche. Ce ne serait pas bon que je sois mis au courant avant vous.

Il ne sait qu'ajouter. Il ne dit que ça. Et l'idée me vient qu'on ne m'a pas tout révélé. Qu'il en sait beaucoup plus long que moi sur cette maladie. L'angoisse m'envahit de nouveau. Mon cœur bat fort, ma figure me brûle, mes résolutions se sont évanouies. Il y a la guerre en moi. Si j'écoute ma raison et la science, je veux crier, et si j'écoute l'amour dans mon cœur, je veux espérer. Je regrette que mon enfant me voie dans cet état. À quoi bon m'en faire à ce point. Je murmure seulement :

— Il y a les rémissions, je devrais avoir au moins cette chance.

Mon frère me trouble et il le sent bien. Pour lui, les leucémiques finissent tous de la même manière, je peux le lire dans ses pensées. Conscient de ce fait, il aura la force, parce qu'il m'aime assez pour ça, d'éviter de me rencontrer durant la longue maladie de ma fille.

Au poste, la tension monte. L'infirmière, à qui j'ai demandé pourquoi le médecin n'arrivait toujours pas, me répond froidement :

— Vous savez, nous avons déjà soigné des cas de leucémie, ici...

Il y a quelque chose qui ne tourne pas rond. Le

24

médecin doit avoir de la difficulté à effectuer le transfert. J'entends des appels téléphoniques, des soupirs agressifs. Je fais la navette entre le poste et Mona. L'heure avance. Tous ces ennuis viennent de ce que le médecin qui nous a annoncé la triste nouvelle est attaché à un autre hôpital; la grève, seule, est responsable de notre rencontre. Il nous a expliqué leur système, parlé du spécialiste qui soignerait notre fille. Il nous a fait très mal, mais il paraît consciencieux; après tout, il ne nous a rien caché. C'est pourquoi nous avons décidé de lui confier Mona. Il sera le pédiatre responsable. Mais on dirait que quelqu'un, quelque part, n'est pas d'accord. Je suis contente que mon mari ne soit pas là. Il aurait voulu accélérer les choses, brusquer les décisions. Il leur aurait dit : « C'est à moi cette enfant, et je ferai ce que je veux. » Moi, je ne voulais rien bousculer, je suis donc restée et, maintenant, je n'ai plus la voiture. Je me demande si nous avons pris la bonne décision. Puis, une fois encore, je retrouve mon calme et je décide de ne plus céder au doute, que les choses vont s'arranger.

Le médecin arrive :

— Tout est prêt, vous pouvez maintenant changer l'enfant d'hôpital.

Il a les traits tirés, semble très fatigué et agacé. Pour ne pas l'importuner davantage et aussi par fierté, je ne lui dis pas qu'André est parti, qu'il n'en pouvait plus de l'attendre, que je n'ai plus de moyen de transport, qu'il m'a laissée seule...

Au même moment, la porte s'ouvre. Mon oncle est là.

— Tu tombes bien, j'avais justement besoin de toi.

Il est content de pouvoir se rendre utile, c'est d'ailleurs la raison de sa visite. Il enveloppe Mona dans une couverture de laine et nous conduit au Centre hospitalier.

* * *

À l'admission, il me faut répondre à une série de questions, sortir mes cartes d'assurance, tout en gardant sur mes genoux Mona qui ne cesse de pleurnicher. Je suis en train de fouiller dans mon sac lorsque la voix de ma mère parvient à mes oreilles. Ma parole! Je dois rêver!

— Ici maman, ici.

Je l'avais appelée dans la journée pour lui dire ce qu'on craignait, sans trop penser à sa réaction. Elle qui déteste conduire la nuit a pourtant roulé soixante-quinze milles, ce soir, pour venir me rejoindre.

Je dépose Mona dans ses bras comme je l'avais fait à la sortie de l'hôpital, après l'accouchement. Mais, cette fois, nous ne tressaillons pas de joie. J'avale ma salive à quelques reprises avant de pouvoir dire bonsoir à ma belle-sœur qui l'accompagne.

L'interne se présente avec sa trousse.

— Ah! non, pas encore un examen.

— Madame, à cause des règlements de l'hôpital, chaque patient doit être examiné au moment de son admission.

Mona me fixe d'un regard abattu par la maladie.

— Monsieur, ma petite a déjà subi plusieurs examens, aujourd'hui, elle a été bien gentille chaque fois, mais, maintenant, elle est très fatiguée. Vous voulez bien abréger l'examen?

J'ai gagné; il ne fait que le strict nécessaire pour son rapport. Je vais pouvoir enfin calmer Mona.

— Viens, mamie va te border dans ton lit.

J'essaie d'oublier ma fatigue et je lui parle du nouvel hôpital, lui explique pourquoi nous l'avons amenée ici, lui montre les autres enfants qui dorment sans leur maman. Je lui parle tout bas, à l'oreille. Je lui dis que je l'aime et que je serai là demain matin.

— Bonne nuit, fais de beaux rêves.

Il me reste encore à répondre à quelques questions sur ses habitudes alimentaires et j'espère qu'ensuite ce sera enfin fini pour aujourd'hui.

Ma mère m'attend patiemment dans le parloir pour me ramener à la maison. Je suis vidée, crevée! Je m'écrase dans un fauteuil. Je n'ai même pas le courage de parler. J'essaie de me souvenir si j'ai mangé quelque chose pendant la journée. Je cherche mon manteau. Ma belle-sœur me dit :

— Tu sais, je suis venue pour te trouver un logement.

Mon Dieu! J'avais oublié que nous devons déménager. Le propriétaire reprend dans deux semaines la maison qu'il nous louait. Tous ces problèmes qui me tombent sur la tête en même temps. C'est à en devenir folle.

Ma mère me demande si je veux rentrer maintenant à la maison. Je déteste rentrer quand il me manque un petit. Mais à quoi bon le dire?

Je retourne regarder Mona par la porte vitrée de sa chambre; elle dort paisiblement. Il vaut mieux que j'aille me reposer, moi aussi. Pendant le trajet, ma mère et ma belle-sœur bavardent ensemble et, de temps en temps, je me sens obligée de répondre à leurs questions. Par réflexe de politesse. Je veux tout arrêter, là! Immédiatement! J'en ai assez! Assez!

Je me laisse bercer par le mouvement de l'auto. J'essaie de penser au bruit du moteur, à la nuit, aux étoiles, à n'importe quoi, pourvu que ce soit à autre chose. L'idée de perdre connaissance me semble un soulagement. Je ne veux plus sentir avec mon corps et mon cœur... cela fait trop mal.

— Ginette, ça va?

Oui, oui.

— Nous arrivons, ce ne sera pas long.

Je prends conscience de ma faiblesse et un grand frisson s'empare de moi. J'ai peur, j'ai très peur de manquer de courage.

J'aperçois notre maison. Il me semble que j'en suis partie depuis très longtemps. J'entre. Un couple d'amis est venu tenir compagnie à mon mari. Tous trois ont préparé un petit goûter. Je vois la porte de la chambre des enfants qui est fermée. J'aime mieux ne pas aller embrasser Francis, à cause du second lit qui est vide. Je prends la tasse de café que l'on me tend. Je mange un peu. J'ai maintenant un peu plus d'énergie pour répondre à leurs questions. Eux aussi aiment Mona et veulent savoir ce qui en est.

Avec ma cigarette et ma tasse de café, je deviens plus sociable. Je leur raconte ce qui s'est passé durant la journée et ce qui est prévu pour demain. On fera une ponction de la moelle, après quoi, seulement, on pourra établir le diagnostic final et décider du traitement.

— Peut-être se sont-ils trompés ? me disent-ils.

C'est également ce que je pense et espère de tout mon cœur. Mais les médecins ne nous auraient jamais annoncé une pareille nouvelle sans être sûrs de leur fait. J'imagine la scène, si jamais ils venaient me dire qu'ils se sont trompés, ce qui reste possible ; après tout, ils ne sont pas infaillibles, ces docteurs.

Je tuerais certainement celui qui me l'a dit, cet après-midi... ou plutôt, non. Je serais si contente que je donnerais une grande fête. Je me laisse aller à mes rêveries pendant que les amis parlent du logement qu'ils nous trouveront. Moi, je n'en veux pas, c'est une maison que je voulais. Je suis fatiguée de traîner nos pénates d'un logement à l'autre. On déménage parce qu'on n'a pas assez d'argent pour payer l'augmentation de loyer, ou parce que le propriétaire veut reprendre sa maison. Et, bon gré mal gré, on doit faire ses paquets et s'en aller. J'en ai assez de cette situation. Je voulais m'installer dans ma maison. Nous en avions trouvé une à notre goût, la semaine dernière, mais le versement initial était élevé. J'en veux à mon beau-père qui a refusé de nous aider. Oh ! et puis, sans doute en est-il mieux ainsi. Car je ne pourrai plus travailler de temps en temps comme je le faisais jusqu'ici pour aider à boucler le budget. Désormais, je me consacrerai à ma fille et à ma famille. Ils ont bien raison, je dois nous trouver un logement, et sans perdre de temps. Une déception de plus... c'est une bien petite déception comparée à toute cette journée que je viens de vivre.

Nous demeurons depuis quatre ans dans une petite ville. Les gens y ont une façon bien à eux d'exprimer leur sympathie. Quand ils t'aiment, tout est mis en branle pour trouver ce que tu cherches ou pour obtenir les renseignements dont tu as besoin. Mais il y a aussi un inconvénient. Les gens te regardent vivre, t'épient, essaient de connaître tes pensées, de deviner les motifs de tes actes, et, qu'on le veuille ou non, tout se sait à la vitesse d'une primeur. Les gens se font du théâtre avec les drames des autres. Dans une soirée, on se raconte tout en détail et celle qui en connaît davantage est enviée. Même si je n'ai encore jamais participé au jeu de mes concitoyens, ce soir je vais en connaître les bienfaits et les méfaits.

Autour de la table, nos amis me parlent d'un logement qu'ils croient idéal pour nous. C'est incroyable, ils ont déjà commencé à s'informer. Ils me décrivent le logement, me le font même désirer.

— Tu aurais bien de la chance si tu l'obtenais, affirment-ils.

Si bien que je leur promets d'aller le voir de bonne heure, demain. Ils connaissent la propriétaire et lui parleront en notre faveur. Ils nous quittent et nous répètent que nous pouvons compter sur leur aide.

— Merci d'avoir gardé notre fils, leur disons-nous ensemble.

En refermant la porte derrière eux, je me sens terriblement lasse à l'idée de tout ce qui m'attend demain. J'ai envie d'être seule et de me reposer. Je prépare les lits pour ma mère et ma belle-sœur pendant qu'elles desservent la table. Je me sens à bout de forces et j'ai froid et chaud en même temps.

Mon lit est là, qui m'attend. J'ai hâte de dormir, de ne

plus penser. Ca y est, j'éteins la dernière lampe. Je m'allonge, mes muscles se relâchent. Quel soulagement!

* * *

À peine ai-je fermé les yeux que le téléphone sonne... Ah non! Je ne répondrai pas! Je ne ferai pas un pas de plus aujourd'hui! Mais l'idée que cet appel puisse venir de l'hôpital me fait bondir de mon lit. Avant même que le troisième coup n'ait sonné, j'ai déjà décroché.

— Bonsoir! Je m'excuse d'appeler à cette heure... Mais c'est vrai, ce qui vous arrive?

Seigneur! Ils ne sont tout de même pas déjà au courant! Le médecin nous avait conseillé de ne pas dire de quoi souffre notre fille, mais cette recommandation semble désormais inutile. Elle parle. Elle raconte comment elle a su qu'il devait se passer quelque chose de grave quand mon mari a subitement quitté son travail. Et on raconte qu'il s'est rendu à l'hôpital parce que sa fille est malade.

— Est-ce vrai? j'étais inquiète, dit-elle.

Au nom de l'amitié, elle veut en savoir davantage et ça, à onze heures du soir parce que, bien sûr, demain je ne serai pas là. Très gentiment elle me demande de me torturer encore une fois en repassant les terribles moments de cette journée. Ça n'a pas de sens. Au diable, la gentillesse. Ce besoin qu'ont les gens d'être les premiers à savoir, les premiers à raconter un accident. Je lui en veux tout à coup, j'aimerais raccrocher. Mon cœur s'emplit d'une haine que j'apaise en pensant à mes bonnes manières. Je me dis qu'on ne vit pas seul dans ce monde, que ce doit être parce qu'elle veut partager ma peine. Par faiblesse, parce que je suis incapable d'inventer un mensonge rapidement, parce que je suis trop troublée pour voir clair en moi, parce que je crains que mon agressivité ne soit causée par ma peine et non par cet appel importun, je cède... Une fois de plus, je raconte ma journée. Je comble son désir de savoir.

Mais j'ai les mains moites et je tremble de tout mon corps. Je m'assieds, me relève, mon cœur fait de drôles de bonds. Elle pose des questions, veut toujours plus de détails. Les précisions que je lui fournis sur ma douleur me donnent l'impression de l'entretenir et de l'amplifier comme un feu qu'on attise. Et, pour comble, il me faut, en plus, écouter toute sa pitié qui me tombe dessus :

— Pauvre toi! Comme si tu avais besoin de ça! Mon Dieu, quel drame ce doit être pour toi!

Quand les gens me plaignent, j'ai tendance à m'apitoyer sur mon sort. La pitié m'enlève toutes mes forces, me détruit complètement. Elle me tient entre ses mains et fait de moi ce qu'elle veut. En me rendant compte de ce qui nous arrive, je suis remplie d'effroi, épouvantée par ma propre histoire. Allons! Il faut l'arrêter, celle-là, sinon elle va m'avoir. Je rassemble ce qui me reste de force et décide de mettre fin à cette conversation qui ne me fait que du mal. D'une voix tremblante qui se veut autoritaire, je lui dis :

— Écoute, nous ne voulons pas que ça se sache pour que les gens ne la couvrent pas de pitié (peut-être va-t-elle enfin comprendre) et, surtout, nous ne voulons pas que notre fils l'apprenne.

Je sais qu'elle en parlera, mais en prenant garde que je n'en sache rien.

Si j'avais été une enfant, j'aurais crié, sauté, donné des coups de pied dans les meubles. Je suis furieuse, sans trop comprendre pourquoi. Dans ma tête règne la confusion la plus totale. Contre qui me fâcher? Dieu? le docteur? cette amie? ou mon mari? qui ne sait pas trop comment réagir devant mes exclamations. Et puis j'ai trop mal. Je me jette sur mon lit où, exténuée, je m'endors finalement en entendant ces paroles : Pauvre toi! N'oubliez pas, Madame, pas d'espoir. Ce serait souffrir inutilement. Quel drame!

* * *

Dès que j'ouvre les yeux, je ressens comme un coup de couteau au cœur. Les images de la veille me reviennent à la vitesse de l'éclair. Et si ce n'était qu'un cauchemar? Ces choses-là n'arrivent que dans les films ou chez les voisins, pas chez nous ni à moi. La réalité me semble de plus en plus brutale et les palpitations de mon cœur résonnent dans mes oreilles. Poussée par tout ce que j'aurai à faire durant la journée, je me lève et me dirige vers la salle de bain avec une seule idée en tête : ne pas avoir l'air misérable. Il faut à tout prix que je n'aie pas l'air pitoyable! Allons, ma vieille, ramasse tes os et fais-toi belle!

Je suis effrayée en me voyant dans le miroir. J'ai les yeux rouges et bouffis, le teint terne. On dirait que j'ai reçu une bonne raclée et je ne sais pas comment en faire disparaître les traces. J'essaie quand même : des cubes de glace sous les yeux pour diminuer les poches, un peu de maquillage pour redonner des couleurs et de la vie à mon visage. Au moment où je vais recommencer pour la troisième fois la petite ligne noire sous les yeux que les larmes effacent à mesure que je la dessine, j'entends du bruit dans la chambre de mon fils.

Mon Dieu! S'il fallait qu'il me voie ainsi. Il voudra savoir pourquoi je pleure. Je recommence mon maquillage, bien déterminée, cette fois, à en finir. Et quand Francis, qui a six ans, vient m'embrasser, je me promets de ne jamais lui faire sentir à quel point la situation est désespérée.

* * *

En me rendant visiter le seul logement qui soit à la fois adéquat et disponible en ce moment dans ma petite ville, je fais le vide dans ma tête pour me préparer à aborder la dame qui nous le louera. On m'a dit bien des choses à son sujet. Elle a élevé sa famille seule, son mari n'était bon à rien et elle l'a mis à la porte. À force de travail et d'économies, elle a réussi à acheter deux immeubles d'habitation. Elle est impitoyable quand il s'agit d'argent, surtout du sien. Si elle t'aime, m'a-t-on dit, il n'y aura aucun problème. Elle a la réputation de ne reculer devant rien pour arriver à ses fins. Je frappe à sa porte, un peu craintive, et je conçois nettement l'importance de bien jouer mes cartes si je veux avoir un toit pour accueillir ma fille à sa sortie de l'hôpital.

Aidée par les suggestions de ma belle-sœur, je décide de l'emplacement des meubles, je suspends mentalement les rideaux et, en quelques minutes, nous avons ainsi aménagé chacune des pièces.

— Allons, ça ira.

Il me reste maintenant à convaincre la propriétaire, qui habite le logement, d'accepter de le quitter avant la fin du mois pour que je puisse disposer de quelques jours pour emménager.

Je décide d'utiliser l'histoire de ma petite fille malade pour la persuader. Tout en parlant, je perçois la tristesse de ce que je suis en train de vivre et réalise l'ampleur du travail qui m'attend. Il me faudra me partager en quatre pour pouvoir, en même temps, être à l'hôpital, emballer nos affaires et préparer ce logement. À force de vouloir convaincre la dame, je finis par pleurer et ceux qui m'accompagnent s'essuient les yeux.

Je me reproche de m'être laissé emporter par mon histoire. J'ai dépassé mes objectifs. La propriétaire consent à effectuer certaines réparations et me console en me racontant l'histoire d'un petit garçon malade. Je l'écoute distraitement, mais je me souviens que l'histoire se termine bien et que le petit garçon guérit à cause des bons soins reçus d'une garde-malade qui croyait en sa guérison.

La propriétaire me donne ce conseil :

— Surveillez bien la façon dont elle sera traitée. C'est important.

Sans trop comprendre ce qu'elle veut dire, je la quitte, soulagée et satisfaite de l'entente que nous avons conclue.

— Je vais acheter un petit cadeau pour Mona, me dit ma mère.

— C'est ça, et moi, j'irai préparer tout ce dont elle aura besoin à l'hôpital.

* * *

J'entre dans la chambre des enfants où je me retrouve seule. Elle est sans vie, malgré toutes les affaires de Mona et de son frère : les souliers, près de la garde-robe, le pyjama jeté sur le lit, hier matin, à coté de la poupée favorite, et le casse-tête, dans un coin de la chambre. Combien de fois lui ai-je répété de ne pas laisser son casse-tête par terre, mais de le remettre dans sa boîte? Pourquoi dire des choses comme ça à un enfant? À quoi bon? Et si l'enfant part? Qu'arrive-t-il quand l'enfant s'en va? Je ramasse le petit casse-tête avec tendresse. J'ai envie de jeter par terre le contenu des étagères, mais je me contrôle et remets tout en place. Je trouve le sac où Mona range son cahier de solfège. Deux fois par semaine, je la conduisais pour quinze minutes chez un professeur de piano. Qui ne fait pas de beaux rêves pour ses enfants? Prendra-t-elle encore des leçons de piano? De grosses larmes tachent la page du cahier de solfège que je feuillette. Une sueur froide coule dans mon dos. Il n'est que dix heures du matin et ça fait déjà trois fois que je pleure. J'ai toute une journée à vivre, où vais-je en trouver la force? Soutenue par la pensée que Mona m'attend, je mets quelques vêtements dans la valise' et je pars.

* * *

André, ma mère et moi avançons avec appréhension dans le corridor qui mène à la chambre de Mona. Le médecin nous aperçoit et nous rejoint. C'est avec un grand sourire qu'il nous dit bonjour.

Il a l'air en grande forme et débordant d'entrain. On voit bien qu'il ne s'agit pas de son enfant! Tout en nous conduisant vers la salle où se trouve Mona, il nous explique les tests qu'ils lui ont faits ce matin :

— La moelle a été siphonnée à l'os de la hanche. Rassurez-vous, ça ne fait pas mal, nous l'avons endormie légèrement avec quelques gouttes de sirop. Vous pourrez la voir dès que le laboratoire nous aura avisés que la ponction est suffisamment claire pour l'analyse.

Il entre dans la salle. Nous n'avons pas fini d'assimiler ses explications qu'il est déjà de retour.

— Venez. Mona est réveillée et veut vous voir.

Mona est allongée sur une petite table blanche, dans une pièce qui sent le désinfectant et est remplie d'accessoires stérilisés. Elle nous sourit. Toute fière, elle nous montre la pièce de vingt-cinq sous que lui a donnée le médecin. Elle nous laisse voir l'endroit où ils ont fait la ponction. Je l'embrasse et on nous fait signe que nous pouvons l'emmener.

Mona nous accompagne dans la salle réservée aux visiteurs. Elle marche avec difficulté. Elle nous dit qu'elle a les jambes molles et cette sensation l'amuse.

Nous nous serrons autour d'elle pour voir sa réaction

devant le cadeau que lui offre ma mère. Pour l'instant, c'est la fête et on oublie tout le reste. Elle veut se mettre tout de suite à colorier. Elle a le bras droit en écharpe. Nous voulons tous l'aider. Elle réussit à tenir son crayon de la main gauche et sourit de ses résultats. Elle semble si bien disposée à s'amuser que j'ai l'impression que ce ne sera peut-être pas... si grave. Le médecin nous dit en passant, d'un ton presque léger :

— Je vous reverrai plus tard, avec les résultats de la ponction.

Il se penche et parle à la petite. Il a gagné son cœur et sa confiance, ce qui me fait plaisir.

Sa dernière phrase résonne dans l'air. Silencieux, nous nous faisons des chimères avec le mot « résultat ».

* * *

André et moi passons la journée à nous promener d'une fenêtre à l'autre, d'un corridor à l'autre, avec ou sans la petite dans nos bras. Nous nous faisons le moins encombrants possible pour ne pas déranger le fonctionnement de la pédiatrie. Nous quittons Mona pour les repas et la sieste. Nous tentons de comprendre ce qui nous arrive et nos rêves sont tristes ; nous sommes intensément conscients de l'amour qui nous unit à notre fille.

Pour soulager notre misère, nous regardons celle des autres. Nous sommes presque des habitués de la pédiatrie dont nous connaissons maintenant la plupart des cas. Les parents s'informent mutuellement des raisons de l'hospitalisation de tel ou tel enfant, demandent de ses nouvelles.

Nous avons rencontré la maman de petits jumeaux de deux mois. L'un des deux se meurt et elle vient de temps en temps lui donner quelques gouttes d'amour avec son biberon.

D'autres parents, plus âgés, ont une fille de neuf ans, leur seule enfant, qui est dans le coma à la suite d'une chute de bicyclette. Tout le monde s'entend pour souligner à quel point certains accidents en apparence bénins peuvent avoir des conséquences d'une gravité disproportionnée. Elle n'est pas en danger de mort, mais sortira-t-elle du coma? Et si elle se réveille, sera-t-elle comme avant? Ses parents ont passé la journée avec nous et, le soir même, nous célébrons ensemble les premiers cris de leur fille. Les médecins disent qu'elle est désormais hors de danger.

Lorsqu'on nous interroge sur la maladie de notre fille, nous répondons que nous ne savons pas au juste, qu'il n'y a encore rien de sûr. Nous attendons les résultats. Et les gens sont déçus de cette absence de précisions qui les empêche de se faire une idée de la gravité du cas.

Au fond de notre cœur, nous savons que le médecin va nous annoncer quelque grave malheur. Nous l'avons attendu trop longtemps. Je me dis que cette attente qu'il nous a imposée est un truc du métier, qu'il veut nous faire accepter la nouvelle à petites doses. Je vais voir au poste. Comment se fait-il qu'il ne soit pas encore là? Il est déjà quatre heures. André s'agite comme un lion en cage. Quand la petite est avec nous, nous devenons doux comme des agneaux. Nous sommes en train de regarder le soleil se coucher en formulant toutes sortes d'hypothèses, lorsque le médecin entre et nous présente à une collègue. Elle est venue faire notre connaissance parce que c'est elle qui verra au bien-être de toute la famille, à titre de spécialiste en médecine générale.

Arrêtez de m'expliquer le fonctionnement de la clinique familiale et donnez-nous les résultats des examens, bon Dieu! Je regarde avidement son visage, je veux deviner ses idées, lire entre les lignes. Je tiendrai le coup, cette fois, je suis déjà passée par là, hier. J'en aurai la force. Je me le répète. J'en aurai la force. Si les résultats étaient bons, il aurait commencé par ça. J'étouffe la petite voix qui veut croire à une nouvelle quand même moins grave. Ça y est, il attaque le sujet:

— Les derniers examens l'ont confirmé, votre fille est leucémique.

Je maudis le sale truc qu'il a employé. Hier, il nous a dit que ce n'était pas tout à fait certain, pour nous laisser un peu d'espoir et, maintenant, il nous l'enlève complètement, d'un seul coup. Mes joues brûlent, comme lorsqu'on a arraché trop brusquement un pansement d'une plaie fraîche.

Je veux me ressaisir vite, plus vite qu'hier. Parce qu'aujourd'hui je dois lui parler. Ça ne peut pas être aussi fatal qu'il le dit. Il parle du traitement qu'elle suivra.

J'essaie par différents moyens de lui faire avouer qu'il y a tout de même quelques chances de survie...

— Moi, je n'en connais pas, dit-il. Tous ceux que j'ai connus en sont... ils sont décédés.

Ma mère, voyant le mal qu'il nous fait, prend la parole :

— Voyons! Ils ne peuvent pas vraiment savoir combien de temps elle vivra.

Le médecin reprend :

— Je vous mets en garde contre les gens qui tenteront de vous faire croire qu'elle est guérie lorsqu'elle sera en rémission.

Je me risque à intervenir :

— N'y a-t-il aucun espoir?

Il me montre un grand cercle avec ses mains et l'ombre d'un minuscule espoir qu'il fait avec la pointe d'un crayon, en ajoutant bien vite qu'il ne faut pas compter là-dessus.

— Il vaut mieux vous habituer à cette idée, pour ne pas souffrir comme ça à chaque rechute.

— Comment vivre ainsi avec la certitude de la mort, et vous, vous osez parler de rémission et d'un retour à la vie normale.

— Il vous faudra des mois pour vous y habituer.

Tout cela sonne faux à mes oreilles. Mais, si je dois admettre qu'il sait sûrement de quoi il parle, j'ai tout de même l'impression que cela ne lui déplaît pas de nous faire souffrir. Ils sont tous pareils, les médecins : ils aiment à en rajouter pour pouvoir ensuite nous réconforter. Et, simultanément, j'ai très peur qu'il ne me dise pas tout, afin d'amortir un peu le choc. Et s'il voulait nous épargner? Peut-être est-il en train de nous dire qu'elle mourra très bientôt et que je ne veuille tout simplement pas l'entendre? Comme une folle, je passe d'un extrême à l'autre, guidée par ses gestes, l'intonation de sa voix, l'expression de ses yeux.

Je réussis à me calmer suffisamment pour pouvoir écouter attentivement la leçon de biologie. Mon mari demande de la documentation sur la maladie. Le médecin paraît surpris, mais, devant notre intérêt, il trace sur une feuille les schémas d'une formule sanguine normale et de celle de Mona. Il veut être sûr que nous comprenons bien la gravité de la situation :

— Vous voyez, les plaquettes doivent se maintenir à une moyenne de deux cent mille, et Mona n'en a que deux mille. C'est pourquoi son bras lui faisait si mal. Elle s'est cognée, et le sang s'est répandu entre les muscles et l'os. Ce sont les plaquettes qui font coaguler le sang.

Et je vois ce sang qui ne coagule pas, et qui coule, qui coule... Pourvu que ma raison ne m'abandonne pas.

Je réitère au médecin mon intention de prendre soin de notre fille moi-même. Nous ne voulons l'hospitaliser que pour le strict minimum nécessaire. Nous sommes tous bien d'accord sur ce point. Le médecin me donne son numéro de téléphone chez lui et me répète à plusieurs reprises de me sentir parfaitement à l'aise et de ne pas hésiter à communiquer avec lui chaque fois que j'en sentirai le besoin.

Il parle de rémission. Ça réussit dans quatre-vingt-dix pour cent des cas. Il semble certain que notre fille en aura une. J'en suis soulagée. Il parle des médicaments et de leurs effets :

— Nous réussissons à détruire quatre-vingt-dix-neuf virgule quatre-vingt-dix-neuf pour cent des mauvaises cellules, mais nous ne connaissons aucun traitement qui puisse les détruire complètement. Ça recommence toujours.

Il a fallu qu'il me dise cette phrase : « ça recommence toujours », juste au moment où j'allais enfin me sentir un peu apaisée.

Et il nous lance en partant :

— Ça devrait aller...

C'est ça ! Il ose dire : « ça devrait aller » et partir comme ça, la conscience en paix. Il pense que je vais gober tout ce qu'il vient de me dire. À partir de maintenant, madame, finis les beaux rêves. C'est comme ça que vous devrez vivre. Attendez la mort, elle est là, tout près, ne la sentez-vous pas ? Il faut que vous la sentiez ! Vous voyez, il n'y a pas d'autre issue. Pourquoi vous faire souffrir davantage? DAVANTAGE! Est-ce possible?

Non! NON! Je ne pleurerai pas, pas cette fois. Ils vont bien voir... Je vais leur montrer. Finis, les pleurs!

J'ai le visage défait, mais je me mords les lèvres...

— Viens, nous partons, me dit André.

Chancelants, nous partons tous les deux pour un long voyage.

Un voyage où tout est prévu.

La destination : la mort.

Les péripéties : les saignements et les complications.

Les embûches : les amis ou ennemis (appelez-les comme vous voulez) qui veulent nous aider à mieux mourir.

Toutes les histoires de ce genre finissent par la mort, il n'y a pas d'autre issue, vous vous souvenez?

* * *

Il s'agit donc d'ajouter à mes tâches quotidiennes la visite à l'hôpital, cet endroit où on fait tout pour vous garder en vie avec la certitude que vous allez mourir. Les lieux sont propres et le personnel est gentil, surtout dans un cas comme celui de Mona, où l'on sait que ça ne traînera pas trop longtemps. Voyons! Ce doit être ma peine qui me fait parler comme cela. Les gardes-malades sont bonnes et s'attachent à ces petits êtres. On ne peut leur reprocher qu'une seule chose : c'est de trop bien connaître la fin de l'histoire. C'est pourquoi elles ont des attentions spéciales qui allègent la peine des enfants et convainquent les parents de l'incurabilité du cas.

Pour Mona, tout est permis. On nous a remis un laissez-passer, la « carte rouge ». Nous nous sommes jurés de nous consacrer totalement à notre fille. André fait quotidiennement quinze milles en voiture pour passer une heure avec Mona. L'après-midi, c'est à mon tour. Je dépose mon mari à l'école où il enseigne de une heure à sept. J'ai tout juste le temps de jouer à quelques jeux avec Mona avant de devoir rentrer à la maison pour recevoir Francis que ramène l'autobus scolaire. Quand il m'arrive d'être en retard, il se rend tristement chez la voisine. Rien n'est épargné pour Mona. Il faut à tout prix qu'elle se sente aimée et protégée.

J'essaie en vain d'équilibrer mon amour entre mon enfant malade et Francis qui se fait garder plus souvent qu'à son tour. J'ai beau me dire que ce n'est que temporaire, que je ramènerai bientôt Mona à la maison et que, alors, son frère ne manquera de rien, je ne réussis pas à étouffer ma culpabilité et les yeux de mon fils s'emplissent de tristesse.

Le médecin de Mona m'a bien prévenu de ne pas négliger Francis pour elle :

— C'est à lui que vous devriez faire attention car, lui, il restera...

Et comme chaque fois qu'il me parle de la mort de ma fille, mon cœur se pince et saigne. Ne me permettra-t-il jamais d'oublier, ne serait-ce qu'un instant ? Je fais ce que je peux, et de mon mieux. Je ne nuis pas au fonctionnement de l'hôpital. Je me rends le plus utile possible. Jamais je ne laisse la petite quand elle pleure. Je ne comprends pas qu'on puisse me reprocher de profiter avec ma fille des heures qui passent.

Le soir, nous faisons une partie de cartes ou nous jouons au « Trouble ». Nous la préparons pour le coucher, tout comme nous le faisions à la maison, et terminons la soirée avec une histoire.

* * *

Ma foi, je suis assez fière de mon comportement. Je tiens bien le coup, non? Vivre vingt-quatre heures à la fois. Je me le répète tout le temps pour ne pas l'oublier. À quoi bon penser à demain? En outre, je suis bien trop occupée pour me laisser arrêter par ma douleur et panser ma plaie. Il faut préparer le déménagement et je m'efforce d'être davantage présente pour mon fils, et pas seulement physiquement. Il pose de plus en plus de questions au sujet de sa sœur, son inquiétude augmente. Pour le rassurer, nous demandons la permission de l'amener jouer avec elle un dimanche après-midi. Nous promettons de garder les enfants dans une petite salle à l'écart, et je trouve qu'on nous y autorise un peu trop facilement.

La famille est au complet. Nous avons du mal à retenir nos larmes en voyant nos rejetons se saluer. « Allo! » Ça n'en finit plus. Les deux enfants ne savent pas trop comment se montrer qu'ils se sont ennuyés l'un de l'autre et s'embrassent gauchement. Après les émois des premières minutes, ils se mettent à jouer et à se taquiner comme au bon vieux temps. Il faut parfois interrompre leurs ébats parce que Francis est turbulent et que je m'inquiète pour Mona qui se fatigue vite.

Nous en avons pris l'habitude; maintenant, l'hôpital fait partie de notre routine. C'est machinalement que l'un de nous presse le bouton du cinquième, dans l'ascenseur. On tourne à droite, automatiquement, vers la pédiatrie. Même l'odeur caractéristique des hôpitaux ne nous incommode plus. Un samedi après-midi, en ouvrant la porte du service, nous sommes accueillis par les cris et les pleurs de Mona. C'est bien notre fille, nous ne pouvons pas nous tromper, jamais. Le cœur serré, battant à grands coups, nous nous dirigeons vers sa chambre et nous arrêtons net sur le pas de la porte. La petite est allongée, le visage couvert de larmes ; une bouteille est suspendue à un poteau au-dessus de sa tête et un long tube rouge apporte le sang d'un autre à ses veines.

Angoissés, nous demandons des explications. Presque en même temps, nous disons :

— Depuis combien de temps pleure-t-elle comme ça ?

Il vaut mieux dire cela que crier notre surprise. Nous avions oublié. Ou plutôt nous ne croyions pas vraiment qu'elle en aurait besoin. Une garde-malade est assise près de son lit et la surveille. Elle répond :

— Si on ne venait pas tout le temps la déranger, ça irait peut-être mieux.

André est fâché. On a laissé pleurer sa fille. Bouleversé, il se rend au poste, parle à l'interne.

— Pourquoi ne nous avez-vous pas téléphoné ? Je vous avais dit que nous étions disponibles et de nous avertir s'il se passait quelque chose.

Le médecin tente d'expliquer qu'on ne peut pas téléphoner à chaque petit changement. Mais André n'entend rien ; pour lui, ce n'est pas un « petit changement », c'est très important, au contraire, sa fille de quatre ans reçoit du sang. C'est dur de s'habituer à voir un enfant recevoir des transfusions. Pour nous, elle devient tout à coup beaucoup plus malade. En parents angoissés, nous avons des questions plein la tête et cherchons des réponses.

La pédiatre arrive, examine les appareils et regarde l'enfant attentivement. Je chuchote :

— Qu'est-ce qui se passe ? Son état a-t-il empiré ?

— Elle avait besoin de sang.

Et elle ajoute froidement, d'un ton professionnel :

— Essayez de l'empêcher de se gratter le nez, sinon elle pourrait saigner, ce qu'il faut éviter.

Ah ! Je déteste tout ce personnel entraîné à ne rien

sentir et à n'exprimer aucun sentiment. Ma petite m'appelle. Je tente de me ressaisir. Je me rappelle les effets des médicaments. Le médecin nous avait prévenus :

— Nous détruisons les mauvaises cellules tout autant que les bonnes, dans le sang.

Il faut donc remplacer le sang. Il y a tellement de choses dont nous devons nous souvenir. Calmés, nous retournons auprès de notre enfant. Mona cesse de pleurer et nous dit qu'elle nous réclame depuis le matin. Durant toute la journée, nous redoublons d'attention. Et moi, je me répète : Vis vingt-quatre heures à la fois, ne devance pas le temps. Tiens bon, pour ta petite. Tu lui dois bien ça. Ton enfant ne doit pas sentir que tu es triste. Il faut que tu sois convaincue de ce que tu lui racontes ; sinon, elle devinera ton angoisse.

Alors, je dis à Mona :

— Tu vois, ma chouette, on te donne du sang aujourd'hui parce que tu en as besoin. Demain, tu te sentiras beaucoup mieux.

Mona se plaint d'avoir de drôles de sensations dans le ventre et que ça la pique partout, surtout dans le nez. Après avoir demandé s'il y a quelque chose à faire et reçu une réponse négative, je décide que, si je veux être bonne pour ma fille en ce moment, je dois me montrer sévère.

— Mona, cesse de gratter ton nez, tu as compris ce qu'a dit le médecin.

J'oublie le long tube rouge, j'oublie que je voudrais être là, à sa place, à souffrir pour elle, et je lui raconte son histoire favorite en pensant très fort aux mots que je prononce : « Ils s'embrassèrent et ils vécurent heureux et longtemps. »

La transfusion dure toute la journée et, le soir venu, un prêtre, ami de la famille, en voyant la petite fille à moitié endormie à côté du sac de sang, bénit discrètement cette âme. Mon Dieu ! Qu'est-ce qu'il fait là ? Et des images se succèdent dans ma tête. Des religieuses. Un mourant allongé, les os presque visibles tant il est décharné, avec, sur son visage, une paix béate parce qu'il a eu le bonheur de mourir béni par un prêtre.

48

Je suis ébranlée et je sens mon courage diminuer. Les images et les soupirs de tristesse parviennent à mon esprit. Les jours suivants sont moins beaux. Je cajole mon enfant, ma mère fait de même, tous nous l'entourons beaucoup trop. En moins de temps qu'il n'en faut pour le dire, Mona se démoralise et refuse de manger. Je cherche désespérément à réagir.

Mon désir est si fort que le hasard s'en mêle et me fait rencontrer le spécialiste des maladies du sang, à la pédiatrie; son fils est hospitalisé. Ce médecin a fortuitement été témoin d'une scène où la grand-maman, étouffée par le chagrin, tenait sa petite-fille contre elle à la manière d'un nouveau-né qui refuse le sein. Mona ne veut pas souper et sa grand-mère la caresse. Que faire de plus à un enfant qui va partir? À mes questions, il répond :

— Madame, il n'y a aucune raison pour que Mona soit moins active et plus abattue. Je suis allé voir son dossier et, depuis la transfusion, son hémoglobine est bonne. Il ne faut pas trop la couver, vous savez.

Je comprends que j'ai manqué à ma parole. Le sang et la pitié m'ont fait lâcher prise et j'ai communiqué ma tristesse à mon enfant. Je gâche ainsi des journées précieuses.

Ça va changer! Je me le promets.

Et les gens qui viendront la visiter s'en rendront sûrement compte. S'ils laissent échapper des « pauvre petite », cela ne m'atteindra pas. Je ne les croirai pas. Parce que, si je les crois, je deviendrai déprimée et ma fille le sentira. Par amour, par tendresse, je jouerai les dures.

* * *

Un après-midi, perdue entre mes boîtes qui s'empilent, prêtes pour le déménagement, et les statistiques médicales qui me torturent, je suis en train de peser le pour et le contre de cette façon de voir les choses lorsqu'on frappe à la porte. En femme polie, j'oublie que je suis occupée et reçois cette cousine qui, de bon cœur, m'offre une tourtière :

— Tu ne dois pas avoir envie de te préparer à manger dans une situation pareille.

Je connais très bien ma situation et n'aime pas qu'on me la rappelle. J'offre tout de même la tasse de café attendue et des biscuits aux enfants de la visiteuse. Aussi bien, du coup, leur donner la boîte de jouets. C'est ce qu'on fait, d'habitude. Les deux petits garçons de trois et quatre ans s'en donnent à cœur joie et éparpillent tout ce que leurs petites mains peuvent attraper.

Pendant que ses enfants s'amusent, la visiteuse en profite pour aborder la vraie raison de sa visite. Elle a fait sa propre enquête sur la leucémie. Une amie, technicienne de laboratoire, l'a renseignée sur le sujet, puis, avec l'aide de madame Unetelle qui a connu un cas semblable, elle a tiré ses conclusions. Et, avec les meilleures intentions du monde, elle m'en fait part, tout bonnement :

— Si tu savais comme j'ai eu de la peine quand j'ai appris la nouvelle. J'ai eu du mal à terminer ma journée, c'est pas possible, je... je...

Je me sens mal à l'aise et ne sais que dire. Ce n'est

certainement pas à moi de consoler la visiteuse. Et elle dit qu'elle a fait le calcul et que si Mona survit encore deux ans, ses propres enfants seront très marqués par la mort d'une de leurs petites amies.

— Tu vois, ils auront cinq et six ans. Ça comprend, des enfants, à cet âge-là.

Je remue mon café, incapable de prononcer un seul mot. Je ne veux pas la regarder. Je dois avoir mal compris. S'agirait-il d'épargner ses enfants à elle? Elle poursuit :

— Ils t'ont présenté ça sous un beau jour, deux ans. Souvent, les enfants leucémiques ne se rendent pas jusque-là...

Prise au dépourvu, je bafouille quelques mots. Je ne suis pas préparée à tant! Jamais je ne m'étais imaginée qu'on pourrait me dire une chose pareille en pleine face. J'émerge à peine du désespoir, et voilà qu'elle me repousse au fond.

Pour masquer l'émotion qui s'est emparée de moi, je me mets à parler. Il faut parler, parler, ne serait-ce que pour la faire taire. C'est ça, je raconterai mes projets. Mes projets, ma bouée de sauvetage.

— Je dois changer le lit de Mona. Dans la nouvelle chambre d'enfants, le sien n'ira plus du tout. Je veux essayer un nouvel aménagement avec de petits lits sans tête, regarde, je les installerai comme ça.

Et je lui indique des mains ce que j'ai l'intention de faire. Mais elle veut me tirer de mon rêve de chambre d'enfants :

— Tu n'es pas raisonnable, tu ne devrais pas acheter un lit neuf pour Mona. Ça n'en vaut pas la peine. Garde ton argent, tu en auras besoin.

Je suis assommée et ne réagis plus. Je ne ferais même pas ça à mon chien. S'il était malade, je lui achèterais quand même de la nourriture pour la semaine à venir. Le prix des tombes passe devant mes yeux. La cousine parle d'avoir le sens des réalités. De voir les choses bien en face. Et elle finit par me dire :

— Moi, en tout cas, je prie pour que ça ne soit pas trop long, pour qu'elle passe au plus tôt...

Complètement démolie, je réussis, en me relevant, à lui dire tout d'un trait de se mêler de ses affaires, de prier pour ses intentions à elle, de me laisser tranquille avec ses prières, de... de... et puis je ne me souviens plus du reste. Je me montre sûrement polie, tout de même, parce qu'elle ne s'en va qu'une fois son café terminé, sans remarquer les ravages qu'elle a causés. Après tout, je n'ai pas pleuré et personne ne sait que je n'en suis plus capable.

En proie à un violent tumulte intérieur, je me mets à arpenter la cuisine, puis le salon. Je bute contre les boîtes sur le parquet. Je vais d'une fenêtre à l'autre, du téléphone à la salle de bain. De la haine à la peur. De la chambre d'enfants au salon mortuaire.

Dans mon émoi, j'aperçois l'autobus de mon fils qui revient de l'école et, comme chaque fois qu'un de mes enfants est présent, je me ressaisis et je redeviens maîtresse de moi-même pour lui épargner l'angoisse des adultes.

— Bonjour, mon grand garçon. Ça s'est bien passé, aujourd'hui ?

— Allo, mamie !

Je lui prépare sa collation préférée. Je prends ensuite l'annuaire téléphonique et cherche dans les « Pages jaunes », sous la rubrique « Meubles ». Je compose le numéro.

— 845-0113.

— Monsieur,

— Oui, madame...

— C'est pour un lit.

Le soir, dans notre chambre, je raconte à mon mari tout ce qui gronde en moi. Il me voit m'enflammer en parlant et opte pour un terrain neutre. Je crie presque :

— Qu'est-ce que je lui ai fait, hein ? Oser me dire qu'elle prie pour que Mona meure au plus tôt. Attends qu'elle m'annonce que sa mère n'est pas bien. Je lui dirai : Pauvre toi ! J'espère qu'elle ne traînera pas trop longtemps. C'est fatigant, à la longue, de soigner des malades.

Je parle sans attendre de réponse. Ce n'est que lorsque je reprends mon souffle qu'André peut enfin placer un mot :

— Arrête ça ! Ne prends donc pas ses paroles tellement au sérieux.

Mais je continue aussitôt :

— On dirait qu'elle veut que je la tue au plus vite pour épargner de la peine à ses chers petits.

— Tu sais très bien que tu exagères.

— Et, en plus, elle vient me dire de ne pas acheter le lit de Mona. De garder l'argent pour ach...

— Pour elle, l'argent a beaucoup de valeur. Elle veut sûrement t'aider.

— C'est ça, dis comme elle!

Et sur ces derniers mots qui remplacent mes larmes, nous nous endormons sans nous être compris.

*   *   *

L'interne, à qui mon mari avait fait des reproches parce qu'il avait négligé de nous avertir au moment de la première transfusion, se reprend aujourd'hui, avec une pointe d'ironie, me semble-t-il. Il nous annonce par téléphone que Mona va changer de chambre. Le traitement détruit les globules blancs, ceux qui combattent les infections. Alors, pour qu'elle soit moins exposée aux microbes et aux virus, on va l'installer dans une chambre où les autres enfants n'auront pas accès.

On a trouvé une compagne pour Mona : une petite fille de six ans, hospitalisée à cause de fréquents saignements de nez. Elle est arrivée presque exsangue à l'hôpital. Elle est très délicate et a de grands yeux tristes. Ses parents habitent assez loin et font un long trajet pour venir la voir deux ou trois fois par semaine.

Danielle et Mona sont devenues de bonnes amies et, le soir, nous avons une partenaire de plus pour partager nos jeux. Les deux petits bouts de femme se servent de l'Intercom pour commander des « popcicles » et leurs jus préférés. Elles s'encouragent mutuellement à prendre leurs médicaments, ont une télévision pour elles seules et se confient leurs petits secrets. Cette chambre sent encore plus le désinfectant que les autres, mais, par contre, l'atmosphère y est beaucoup plus chaleureuse. Mais Danielle sourit rarement et ne rit jamais.

Mona sort de sa chambre une fois par jour et va au téléphone public. Elle monte sur le siège, dépose une pièce de dix sous et réussit à faire le numéro en composant attentivement les chiffres que son papa a écrits sur un papier et qu'elle compare à ceux du cadran. Quelques secondes plus tard, la sonnerie retentit dans la cuisine familiale. Sa petite voix nous raconte ce qu'elle a fait avec Danielle pendant la matinée. Elle parle à papa, à maman, au petit frère et termine toujours par une série de baisers. Pour la nième fois, elle nous demande :

— Quelle heure v'viendrez m'voir ?

Et nous lui promettons que, lorsque la petite aiguille sera à sept et la grande vers le haut de sa montre, nous serons là.

Une garde-malade a vu Mona qui revenait vers sa chambre :

— Qu'est-ce que tu fais là, en dehors de ta chambre ?

Et, devant le sourire heureux de l'enfant, elle ferme les yeux, sans se formaliser pour les quelques microbes rencontrés dans le couloir.

* * *

Danielle a saigné du nez pendant toute la journée.
Mona dit :

— Ma tante (sa garde-malade) ne veut plus faire des
couettes avec mes cheveux.

— Pourquoi?

— Sais pas, il faut pas, plus.

Nous avons oublié notre fille exubérante qui sautille
sur son lit pour bavarder avec les parents de Danielle. Ils
sont là, assis à son chevet. La petite est couchée avec de la
ouate dans le nez; seuls ses grands yeux demeurent animés.
Sa mère a l'air épuisée. Elle a quatre autres enfants et tant
à faire. Son mari travaille à l'extérieur de la ville où ils
habitent et doit voyager matin et soir. Pauvre Danielle!
Ses parents racontent leur vie lourde de fatigue, lourde
d'efforts. Triste. Elle est une charge de plus...

Pour ne pas me laisser attrister, je n'écoute qu'à moitié l'histoire de Danielle. Cependant, afin de me donner
bonne conscience, je me promets de continuer d'être bonne
pour ce petit être frêle et de lui faire les caresses permises
entre deux étrangères, tout en respectant la gêne d'une
petite fille qui n'a pas l'habitude de se laisser aller.

La mère de Danielle parle et moi, je revois les soirs où,
en partant, je disais à son enfant :

— Bonsoir, bonne nuit, fais de beaux rêves, toi aussi,
Danielle.

Et je me permettais, après avoir embrassé et serré ma
fille dans mes bras, de passer doucement ma main sur le

front de la petite, presque réticente. La mère de Danielle, qui termine son histoire, réveille mon attention en disant :

— Vous savez, les médecins ont cru que Danielle avait la même chose que la vôtre... mais, maintenant, ils ne sont plus certains.

Ce n'est pas vrai ! Mona n'est pas aussi malade que la chétive petite Danielle !

Je refuse cette comparaison, elle me fait trop mal.

Deux mois plus tard, j'apprends sans grande surprise que la petite Danielle est morte.

Les détails que je ne voulais pas entendre résonnent dans mes oreilles. Sa pauvre mère s'en prend aux médecins. Que peut-on faire de plus quand on est déchiré ? Elle dit qu'ils ont laissé son enfant sortir trop tôt de l'hôpital. Que celle-ci a attrapé un virus dans leur petite ville. Que ce n'est pas de sa faute si la petite est morte. Elle a tout tenté pour la sauver, mais la fièvre a eu raison de Danielle. À l'hôpital, on lui avait fait une trachéotomie.

Telle est la dimension de sa douleur. On ne peut pas raviver une douleur éternellement.

Elle se calme presque trop vite et, d'un ton résigné, accuse l'hérédité.

— Vous savez, il y a eu un cas semblable du côté de mon mari ; c'est le sang qui n'a pas assez de plaquettes.

Si ça avait été mon tour ! Pourquoi est-ce elle, aujourd'hui ?

Je lutte avec acharnement pour ne pas me laisser entraîner par son chagrin.

Plus tard, je demande à Mona :

— Tu te souviens de Danielle ?

Puis j'en parle au passé :

— Elle était gentille, hein ?

Mona fait signe que oui... et ses yeux sont remplis de souvenirs encore vivants. Je n'aurai plus jamais le courage de revenir sur ce sujet.

* * *

Le téléphone sonne.

— J'entends le téléphone et je ne le trouve pas.

— Là, sous le linge.

— Allo !

— Hi ! It's me, Elida.

C'est la femme de Roger, le frère de mon mari. Ils habitent New York. Quand elle a appris la maladie de sa petite nièce, elle a entrepris des recherches dans les centres spécialisés. Elle me parle positivement de rémission, de traitements semblables à celui que reçoit Mona, de toutes les recherches faites pour sauver les enfants atteints de cette maladie, des progrès accomplis depuis des années. Sa voix est encourageante et ses paroles contiennent une incitation à ne pas renoncer à lutter.

— If you need anything, please, call us. We would like to help.

— Thank you, thank you so much.

Grâce à elle, j'ai repris confiance. Je recoiffe mes cheveux en broussaille et me remets à emballer, le cœur plus léger. Je pense à tous ces gens qui nous ont offert leur aide, à mon amie qui nettoie notre futur logement, à mes parents qui ont acheté le tapis du salon. Ce sera votre cadeau de Noël, nous ont-ils dit. Je suis gênée d'en recevoir autant et je me demande quand il me sera possible de leur manifester concrètement ma reconnaissance. Puis je remercie le ciel de m'avoir donné une si bonne santé. J'ai beau courir du matin au soir, je tiens bon. Mon énergie se partage entre les visites à l'hôpital, les deux logements et mon fils.

Cependant, mon mari m'agace. Il se sent négligé. On l'oublie trop, dans cette histoire. Ce n'est pourtant pas le moment de faire des ennuis. Il n'a qu'à faire comme moi et s'occuper des choses urgentes pour commencer. Ça presse et je bouscule sa sensibilité. Malgré lui, il devient taciturne. Il n'aime pas être à la merci des autres, il est trop fier pour ça. Il veut être le pourvoyeur de sa famille et on le devance. Il aurait voulu acheter des pantoufles à Mona, mais une tante s'en est chargée. Il aurait aimé offrir à sa femme la maison dont elle rêvait, mais il n'a pas assez d'argent. Il ne peut pas lui payer une femme de ménage et tout le monde vient donner un coup de main. Il en est maussade, frustré par une incapacité devenue trop évidente.

Je m'apaise en admirant ses qualités de père. C'est lui qui amène les enfants dans les bois, au bord des ruisseaux. Il leur montre la nature : les poissons, les nids d'oiseaux, les fourmis à l'œuvre, les fleurs sauvages. Et son fils peut toujours compter sur lui pour écouter ses aventures d'élève de première année.

C'est aussi lui qui a réussi à faire prendre à Mona les pilules qu'elle refusait. N'en pouvant plus, ayant essayé tous les moyens que son métier lui a appris, l'infirmière se voyait forcée de recourir à l'autorité. Mais André lui a dit :

— Laissez, je m'en occupe.

À l'écart des autres, dans la salle de bain, il explique à Mona comment on peut avaler sans goûter, en mettant la pilule bien au fond de la langue. Elle ne pleure plus et l'écoute. Pour son papa, elle essaiera. En sortant, il dit à la garde-malade qui attend le résultat de son intervention :

— À partir de maintenant, Mona avalera ses pilules sans pleurer.

Mona regarde son père qui annonce cela avec fierté et certitude. Et elle ne le décevra pas.

Mais nous déménageons, et ce n'est pas d'un mari sensible et sentimental dont j'ai besoin, mais d'un homme fort. Hier, sans m'en parler, il a accepté de sortir Mona de l'hôpital, le jour même du déménagement. La belle affaire !

Il n'a pu refuser quand le médecin lui a joyeusement annoncé :

— Mercredi, vous pourrez l'emmener chez vous.

Et en pensant à sa petite qui a si hâte de sortir, il a acquiescé. Il sait que sa femme se débrouillera. Il a promis d'être au poste à trois heures pour ramener Mona à la maison. Je lui en veux d'avoir fait tous ces arrangements sans me consulter. Jamais l'appartement ne sera prêt à temps pour la recevoir.

* * *

Il est sept heures du matin et je cours d'une pièce à l'autre ; j'emballe tout ce qui reste après une dernière nuit dans un logis et j'avale quelques bouchées de mon déjeuner avant que le camion ne vienne chercher les meubles. Francis part pour l'école à huit heures et demie, ce qui me laisse encore une demi-heure pour ranger la vaisselle qui traîne.

André me demande :

— Où dois-je mettre ça ?

— Trouve-le toi-même !

Il me regarde bien en face et dit :

— Calme-toi...

Je m'apaise un peu, mais moins qu'il ne l'aurait voulu. Je crains, tout comme lui d'ailleurs, de perdre toute efficacité en me calmant trop. André veut tellement se montrer impassible qu'il ne fait rien de bon. Il me demande quoi faire, à tout bout de champ. Je ne sais plus où donner de la tête et lui réponds avec un flegme teinté d'ironie. Enfin, l'aide arrive : ma mère et ma voisine. Je leur dis :

— Il doit aller chercher Mona à trois heures.

Ma mère s'objecte :

— Fais retarder sa sortie, ça n'a pas de bon sens, nous n'aurons jamais fini.

— Il n'y a rien à faire, j'ai essayé. Il dit que les médecins doivent le rencontrer à cette heure-là pour lui expliquer comment administrer les médicaments. De plus, Mona serait trop déçue. Alors, nous devons être suffisamment installés pour pouvoir la recevoir vers l'heure du souper.

J'enchaîne ensuite avec le programme de la journée.

— Nous commencerons par la chambre des enfants, les armoires et les garde-robes. Après, nous passerons au garde-manger. Les hommes, eux, s'occuperont des gros meubles et installeront le poêle, le réfrigérateur et la machine à laver.

Et la course contre la montre commence.

J'en oublie, dans mon énervement, que ma petite fille est malade. Une seule chose compte; il faut avoir fini pour le souper. Cette idée ne me quitte pas de toute la matinée et nous ne nous arrêtons que pour le dîner. Une amie nous reçoit. Je ne suis pas gênée et mange uniquement pour avoir la force de continuer, sans y prendre plaisir. J'ai mal au dos de m'être trop penchée. J'ai lavé les tiroirs et les tablettes et, tout en buvant mon café, je regarde mes mains rugueuses. Il est déjà une heure et il faut s'y remettre. Je prends une profonde respiration et, malgré cette sensation de lourdeur sur les épaules, je m'attaque de nouveau à la tâche.

Me voilà courbée sur une boîte de draps, les cheveux dans la figure. André a un tourne-vis à la main. Je devine à quoi il pense. Il n'aime pas mon air misérable. Eh bien! qu'il ne s'en fasse pas; il n'a pas l'air très brillant avec son tourne-vis. Son stylo lui va beaucoup mieux. En rangeant le drap, je crois entendre les mots qu'il ne prononce pas. Il n'approuve pas mon allure de femme de ménage. Ce n'est tout de même pas ma faute si les choses se déroulent de cette façon. Et Monsieur voudrait, malgré tout, que j'aie l'air d'être en vacances? Non! Je ne ferai pas semblant. J'en ai plein le dos et je ne m'en cache pas. Il ne peut supporter de me voir ainsi? Tant pis! Il va falloir qu'il sorte un peu de ses livres et qu'il regarde la vie en face. Quelqu'un doit faire cet ouvrage et, en ce moment, c'est moi, sa femme, celle qu'il a choisie pour partager sa vie, qui dois m'en charger. Incapable! Il se sent incapable. Et il doit s'y prendre par trois fois pour monter le lit de la petite. Il se trompe continuellement de morceau. J'ai remarqué ses erreurs, mais je n'ose pas le montrer. Je lui dis seulement :

— Tu ne pars pas chercher Mona avant d'avoir fini d'installer sa chambre.

Il me fait pitié et, en même temps, je lui en veux. Quelqu'un crie :

— Où veux-tu que nous mettions cette table ?

Et, forcée par les déménageurs, je continue. Ranger, épousseter, accrocher les rideaux. Je prends même le temps d'évaluer si le coup d'œil est agréable. À trois heures, épuisée, je voudrais bien me laisser tomber dans un fauteuil, mais ils sont tous encombrés. Il n'y a rien d'autre à faire que de continuer à déplacer les meubles, installer la cuisine, débarrasser les chaises, porter dans le bureau d'André les boîtes qu'on n'aura pas le temps de vider et refermer la porte sur le fouillis. Il est déjà parti. Bientôt, il sera de retour avec ma petite fille.

J'aurais voulu me préparer mentalement, me reposer quelques instants. Mais la maison n'est pas prête. Je me demande avec anxiété comment Mona réagira devant la nouvelle demeure. Elle est partie pour l'hôpital, il y a un peu plus de deux semaines, et elle revient dans une nouvelle maison, sans avoir pu faire ses adieux à l'ancienne.

Je passe, par téléphone, une commande à l'épicerie. Je ralentis. Tourne en rond. Francis, qui est revenu de l'école, ajoute à ma nervosité. Il faut préparer le souper et j'ai envie de vomir. Je cherche mes ustensiles et ne trouve rien. D'un ton irrité, je demande à ma mère :

— Mais où as-tu mis les casseroles ?

Ma bonne mère a travaillé fort et rangé les armoires de son mieux pour que j'aie moins de boîtes à vider. Elle sait que j'aurai suffisamment à faire avec mon enfant malade. C'est pourquoi elle a rangé le plus de choses possible, sans se demander si elles sont bien à la bonne place. Elle me répond, d'une voix pleine de compassion devant mon irritation :

— Tu réorganiseras tes armoires à ton goût plus tard, quand tu seras moins pressée.

Tous ceux qui nous ont aidés sont affalés sur les chaises, témoins des mauvais moments des autres. Au moins deux d'entre eux resteront pour le souper. Je dois trouver la force de préparer le repas. À peine ai-je commencé qu'André est là, avec ma petite Mona dans ses bras. Elle est si pâle que j'en ai froid dans le dos. J'ai l'impression qu'elle va beaucoup plus mal qu'au moment de son hospitalisation. Ça fait deux jours que je n'ai pas eu le temps d'aller la voir et je suis frappée par sa mauvaise mine.

— Bonjour, ma grande.

Je l'embrasse et la déshabille en remarquant ses petites mains si blanches. Elle est troublée par tous ces regards fixés sur elle. J'aurais préféré l'accueillir dans le calme de notre petite famille. Mona reste près de son père. Il lui a montré sa nouvelle chambre. Maintenant, elle veut s'asseoir sur ses genoux. Je m'affaire à préparer le souper en l'observant du coin de l'œil. Elle ne sourit pas comme avant. On dirait qu'elle se sent épiée. S'il n'y avait pas tous ces gens qui la regardent, aussi! À quoi pensent-ils tous? Je sais! Ils essaient de deviner combien de temps il lui reste à vivre!

C'est vrai que Mona a l'air très affaiblie. Elle marche avec difficulté, comme si son corps était trop lourd pour ses jambes. Elle est servie la première et mange à peine.

Le souper est terminé; la conversation est forcée. Je n'aime pas mes pensées et mon estomac est contracté. Comme je voudrais pouvoir être seule avec mon enfant. Mais je ne sais pas comment demander à quelqu'un que j'aime de s'en aller. Je m'exerce intérieurement : Maman, t'as assez aidé, pars... Non! ça ne se dit pas. Alors, je décide de débarrasser la table, malgré cette douleur qui irradie dans tout mon corps. Je me dépêche parce que j'ai hâte d'être seule avec ma petite, parce que j'ai hâte de m'asseoir pour de bon, parce que j'ai peur.

J'ai peur d'être seule. J'embrasse ma mère. Je veux qu'elle parte et je le regrette. Son étreinte me fait mal. Je voudrais dire... dire... mais il vaut mieux pas. Mon mari n'aime pas les adieux larmoyants et les enfants nous regardent d'un air craintif. Alors, je ferme la porte derrière ma mère, et je sens un gros poids me peser sur le cœur. J'ai travaillé fort durant toutes ces semaines, mais maintenant c'est le comble, l'insurmontable! Je devrais trouver au fond de moi assez de vie pour l'insuffler à cette nouvelle demeure, la distribuer à ma petite famille. Et je me sens si vide, j'ai envie de me sauver, je changerais de place avec n'importe qui.

Pourquoi est-ce à moi d'assumer une responsabilité aussi lourde? Pourquoi est-ce à moi de mettre de la vie? Pourquoi n'est-ce pas à lui?

Il est en train d'installer la télé. Je sens que, malgré tout, c'est ma mission à moi. Donner la vie. Mettre de la vie entre ces quatre murs dont je ne voulais pas, avec une enfant malade, un mari tendu et un fils inquiet. Où prendre cette vie? Cette sève indispensable?

Tous m'attendent. Tous comptent sur moi. J'entends des « Maman » par ci, des « Maman » par là.

« J'arrive. »

Laissez-moi le temps de franchir cette étape.

C'est déjà l'heure de mettre les enfants au lit. J'ai l'intention d'observer le même horaire qu'à l'hôpital, ce sera plus facile pour Mona. Je fais attention aux besoins des petits, mais j'ignore ceux d'André. Je ne peux pas commencer à lui parler, j'en ai beaucoup trop long à dire et je suis si lasse.

J'embrasse les enfants en prenant soin de murmurer à l'oreille de Francis que je l'aime bien, même si je m'occupe davantage de Mona. Ce soir, je m'endors à la fois très près et très loin de mon mari. Les mots se bousculent dans ma gorge : Aide-moi! J'ai besoin de toi! Je sais que tu as besoin d'aide, toi aussi! Tu ne comprends rien! Comme tu es têtu! Je t'en veux! Je croyais que c'était l'amour qui nous unissait. Et puis, je ne sais plus... je suis si fatiguée, il faut dormir. Je dors déjà avant même d'avoir pu trouver par quelle phrase amorcer... le rapprochement.

* * *

Je m'efforce de devenir une bonne garde-malade. Mona a ses médicaments à heure fixe, je lui donne son bain et l'entoure de soins. J'ai beaucoup de difficulté à apprendre à vivre avec ma fille. Elle a tellement changé. Je m'encourage en me disant qu'elle a sûrement besoin de se réadapter après son séjour à l'hôpital. Mona ne sait jamais quoi faire. Elle reste assise longtemps, sans bouger. Et, entre le moment des pilules et ceux des repas soigneusement préparés pour qu'ils soient complets en vitamines et en protéines, je joue avec elle; mais rien ne l'intéresse vraiment. Et si je réussis à capter son attention, elle veut toujours gagner. Il m'est impossible, malgré toute ma bonne volonté, de perdre sans arrêt. Mona devient très irritable. Elle crie souvent :

— J'ai mal aux jambes! Ouille! Ouille!

Je cours chercher l'« Absorbine » pour la frotter. Parce que, quand Mona veut être frictionnée, c'est tout de suite. Les massages la soulagent, alors je la masse. Si elle refuse de s'habiller après le bain du matin, je lui remets un pyjama. Ainsi vêtue, elle a vraiment l'air malade. Et elle reste là, assise dans la grande chaise, à regarder dehors.

Cela fait à peine quelques jours que Mona est rentrée et, déjà, je n'en peux plus. Mon enfant n'est pas bien du tout. J'appelle le médecin. J'ai l'air tellement angoissée qu'il me dit de l'amener à l'hôpital où il lui fait une prise de sang. Je me rends vite compte qu'il m'a laissée venir parce que j'étais trop inquiète. Je m'en veux pour cette piqûre que Mona a dû subir inutilement. Le médecin revient avec les résultats.

— Plaquettes : deux mille.

— Mais il n'y en a pas ! Ce devrait être deux cent mille, n'est-ce pas ?

Il fait signe que oui :

— On ne peut rien faire, aujourd'hui. Le traitement est dans trois jours. Il faut être patiente et attendre qu'il fasse effet.

La petite est fatiguée et maussade. Pour lui faire plaisir, le médecin veut lui acheter des friandises et nous nous rendons tous les trois à la petite boutique de l'hôpital. Mona ne sait pas quoi choisir. Voyant que le médecin est pressé, je la pousse à se décider.

— Tiens ! Prends cela !

— Non, c'est ça que je veux.

Et elle montre on ne sait trop quoi.

Après plusieurs suggestions toujours refusées, je choisis quelque chose en pensant que ça fera son affaire. Mais Mona, de plus en plus irritée par la situation, se jette par terre et pique une crise comme elle n'en avait encore jamais fait. Je n'y comprends rien ! Elle avait si bon caractère. En essayant de la calmer, je passe de la peur à la colère, vite remplacée par la tendresse. Je vais sûrement me mettre à pleurer, moi aussi, si elle ne s'arrête pas. Je l'emporte hors de la boutique. Elle se tord dans mes bras. Toute essoufflée, je me plains au médecin :

— Je ne reconnais plus le caractère de mon enfant...

Pour me donner du courage, il me répond :

— C'est sûrement l'effet de tous ces médicaments qu'elle avale.

Ça fait trois semaines qu'on la traite et, jusqu'à présent, les effets sont demeurés négatifs, ai-je pensé sans oser le lui dire, de peur qu'il ne trouve plus d'arguments pour m'inciter à espérer. Il ajoute, comme pour partager mon désarroi :

— N'hésitez pas à m'appeler chez moi aussi souvent que vous en sentirez le besoin.

Je rentre à la maison, un peu calmée par la disponibilité du médecin et bien décidée à faire preuve de patience. C'est ce qui me manque, la patience. Avec mes enfants, avec mon mari, avec la vie. Je suis trop gourmande avec la vie. Je veux trop de tout, et que tout m'arrive en même temps. Il faut savoir attendre. J'apprendrai.

*   *   *

Le grand Roger, le frère d'André, s'est disputé avec sa femme et il arrive directement de New York. Il a conduit toute la journée, n'a pas dormi la nuit précédente.

— Salut! Où est Elida?

— Je ne l'ai pas amenée.

— Voyons! Qu'est-ce qui vous arrive, les nouveaux mariés?

Et il répond péniblement, en un mauvais français que sa mère (qui avait épousé un Américain) lui a enseigné par fierté pour ses origines canadiennes :

— Elle sait pas que j'suis ici et j'veux pas lui dire. Si tu lui dis, j'veux pas qu'elle sache que je l'sais.

— Écoute, ne me complique pas tant la vie. Tu veux ou tu ne veux pas que je l'avertisse que tu es ici?

— Non, j'veux pas.

Et comme j'ai assez de mes problèmes sans m'en faire pour ceux des autres, je me contente de le recevoir comme il faut, c'est-à-dire de lui offrir à boire et à manger. André et le grand Roger s'attaquent aux bouteilles. Ils décident même d'aller en ville pour boire plus à leur aise pendant que je resterai à la maison afin de prendre soin des enfants. Qui a jamais entendu parler d'une belle-sœur qui va prendre un verre avec son beau-frère pendant que le mari garde les petits? Ces choses-là ne se font pas. Bah! Je resterai et je préparerai le souper.

— C'est ça, allez jaser tous les deux...

André devine qu'il vaut mieux ne pas m'embrasser. Ils

ne me disent même pas où ils ont l'intention d'aller et, se sentant coupables, ils se sauvent presque. J'essuie du revers de la main une larme qu'a fait naître le sentiment d'une injustice, puis je m'affaire à préparer le repas. Ma petite me regarde et j'essaie de mettre un peu d'amour dans mes gestes. Malgré ça, j'écrase les pommes de terre pour la purée, avec une rage tempérée par la tendresse.

Bien entendu, ils rentrent en retard, gais comme des pinsons. Ils échangent des banalités en ricanant comme des idiots qui se comprennent à demi-mot.

— Une autre bière, Roger?

— Why not?

Ils se racontent des souvenirs qui les ont déjà fait rire à maintes reprises, mais ça n'a pas d'importance, il font comme si c'était la première fois. Et, tout à coup, comme s'ils voulaient se parler vraiment, André dit :

— Regarde, comme elles sont blanches...

Il montre les petites mains de sa fille, au bord de la table. Les deux frères se contentent d'échanger un regard. Regard que j'ai juste le temps d'apercevoir en apportant leurs assiettes. Alors, je les dépose avec un peu plus de douceur.

* * *

Ce soir, je trouve assez de fraternité dans mon cœur pour ouvrir notre porte aux amis qui viennent nous rendre visite. Ils apportent de la bière. Ma petite malade est couchée et dort. Je peux maintenant m'offrir un verre et tâcher de rire avec les autres.

Je veux fêter, moi aussi. Attendez-moi, que fêtez-vous, au juste?

On rit de Roger qui a amené son chien se promener au Canada, au lieu de sa femme.

— Il s'obstine moins fort, dit-il en riant...

Je ne trouve pas cela drôle et je cherche en moi une toute petite raison de me réjouir. N'en trouvant pas, je veux au moins faire bonne figure et je lève mon verre discrètement, comme il est de mise en pareille circonstance. Je réussis à engourdir mon mal pendant quelques secondes et à mieux supporter les visages qui rient autour de la table. Cela vaut mieux que des visages qui pleurent, non? Et je souris de leurs sottises. Ce n'est pas de leur faute si j'ai de la peine. J'ai toujours aimé le plaisir et j'ai envie de me laisser aller. J'arrive même à rire de bon cœur.

Mona se réveille. Tout le monde se rend auprès d'elle.

— Pauvre petite, disent-ils en chœur.

Instantanément, les visages de nos invités s'attristent. Ils avaient oublié pendant un bref moment et j'avais moi-même essayé. Du coup, ils refusent le goûter que je leur offre :

— Allons, restez, je vais vous préparer un petit quelque chose.

Ils étaient venus nous apporter un peu de gaieté et ils repartent, leur caisse de bière vide à la main, sans la moindre parcelle de joie dans le cœur. Mona dans mes bras, je les remercie de leur visite en me demandant ce qui a bien pu les faire changer d'humeur aussi vite. Je regarde mon enfant. Son visage est légèrement bouffi, comme quand on vient de se réveiller. Oh! peut-être un peu plus. Elle veut aller faire pipi.

— C'est ça, vous reviendrez!

Sous la lumière crue de la salle de bain, je vois mieux le visage de Mona. Je ne l'avais pas remarqué, je la vois tous les jours, mais elle est vraiment plus enflée. Je baisse le petit pyjama d'une seule pièce qu'on lui met pour ne pas la serrer avec une bande élastique qui pourrait meurtrir sa chair. Au moment de l'asseoir sur le cabinet, je remarque à quel point son ventre est gros, ce soir. Je l'examine plus attentivement : c'est à croire que je ne l'avais jamais vue auparavant. Je lève ses petits bras, la fais tourner sur elle-même en retenant mon souffle chaque fois que je la vois sous un nouvel angle. Mon enfant est en train de se déformer. Elle a un gros corps, une grosse figure, une sorte de bosse qui se forme sur la nuque, avec de petits membres, et elle est d'une pâleur à faire hurler. L'enfant fait pipi, et moi, j'ai le cœur qui se brise. Mes genoux tremblent. Mona cherche mes yeux et je dois me calmer. Tranquillement, parce que j'ai envie de courir, je la ramène à son lit.

— Bonne nuit, mon amour.

Très vite, je sors de sa chambre. Suis-je la seule à l'avoir vue ainsi? Suis-je la première? Non, je suis la dernière.

André me dit :

— Je l'avais remarqué.

— Tu ne me l'as pas dit.

— À quoi bon, je savais que tu le verrais.

Une mère défend toujours la beauté de son enfant. Moi aussi!

— Elle était belle, elle avait tendance à être grassette, mais maintenant...

Les sanglots m'étranglent. Il faut que je sache ce qui se

72

passe. Tout de suite.

— Je téléphone au médecin.

— Non, ne le dérange pas. Qu'est-ce qu'une nuit peut changer?

— Qu'est-ce qu'une nuit peut changer?

Je répète sa phrase, puis je finis, à contrecœur, par accepter son raisonnement si froid. Et je vais m'enfermer dans ma chambre et dans mon cœur. André, lui, exprime sa peine en écrivant un long poème dans lequel Mona est menacée par la mort.

— Docteur, Mona est tout enflée...

— C'est la cortisone qui fait ça. Dès qu'elle cessera d'en prendre, elle désenflera.

— Merci!

— Nous vous verrons jeudi, pour le traitement de cette semaine.

— C'est ça, à jeudi.

C'est là tout ce que je voulais savoir. Si je dois vivre avec une enfant qui a de grosses joues et un gros ventre, eh bien! je vivrai. Ce n'est pas si grave que ça. On vit avec des images déformées et ça n'a jamais tué personne.

Je veux du temps. S'il se vendait, j'en achèterais. Par tranches de vingt-quatre heures. J'ai tellement de choses à apprendre. Pour effacer la laideur créée par la maladie je pourrais entreprendre de décorer notre demeure. C'est ça! Ce matin, je me sens mieux. Hier soir, j'ai fini par piquer une bonne crise de larmes. C'est ma belle-mère qui m'en a fourni l'occasion.

Ainsi qu'il fallait s'y attendre, elle a découvert que « son » Roger est chez nous et elle a déversé ses reproches sur sa bru. Comme c'est moi qui ai répondu au téléphone, je n'ai pas pu y échapper.

— À quoi as-tu pensé de ne pas téléphoner? Tu ne peux t'imaginer toute l'angoisse de cette pauvre petite femme. Elle le cherche depuis quarante-huit heures... Un petit coup de téléphone, ça ne fait pas de mal...

Ça fait assez longtemps que j'encaisse de tous côtés, alors je n'allais pas, en plus, subir les reproches de ma belle-mère. J'aurais voulu lui crier :

— Ce soir, ta petite-fille se déforme, qu'est-ce que tu en fais de cela? Et puis, je déteste tes deux fils. Ils se font servir et c'est à cause de toi qu'ils sont comme ça...

Belle-maman tenait à ce que je fasse quelque chose pour les nouveaux mariés, à ce que je ne sois pas insensible à leurs petites disputes. Sans mot dire, j'ai passé le récepteur à Roger.

Dans ma chambre, dans mon oreiller, j'ai crié. Ce sont tous des dévoreurs de vie. Et moi, je suis trop faible pour me défendre. On ne devrait pas se laisser dire des choses qu'on ne veut pas entendre. Je suis une cible trop facile. Je me déteste. Pourquoi diable ne sais-je pas me battre? J'en veux à ma mère qui me défendait de me battre. Non! Il fallait être une bonne petite fille. Être surtout bonne et respectueuse pour ses parents. C'était quoi, la bonté! Hein, maman?

J'ai laissé ma pensée m'entraîner vers mon enfance. Qu'avais-je bien pu faire pour mériter tout ce qui m'arrive à présent? Je me suis sentie au bord de la dépression. Ce doit être ça, une dépression. On sent que tout va craquer, se défaire, éclater en mille morceaux. J'ai eu soudain très peur pour ma santé. Alors, je me suis mise à respirer plus lentement pour mieux contrôler mon corps affolé. Mes sanglots me faisaient mal à l'estomac. Je ne devais pas perdre pied. Il était inutile de me démolir. Qui prendrait soin de Mona si je me rendais malade? En pensant à ma fille, j'ai réussi à desserrer la boule que j'avais dans la gorge et à défaire le nœud dans mon cœur.

Je voulais un foyer pour ma petite fille, un foyer heureux. Je ne sais plus trop ce que c'est, un foyer heureux. Mais je garderai ma barque à flot pendant la tempête, j'en serai capable.

* * *

En arrosant mon coléus sur le point de se dessécher, je revois en pensée toutes ces images et je me jure de tenir le coup. J'avais négligé mes plantes; à l'avenir, je m'en occuperai. Je les place près de la fenêtre qui est plus ensoleillée. Il fait rarement soleil au mois de novembre, mais, au moins, elles pourront en capter les moindres rayons. Il me vient ensuite une idée lumineuse. Un petit chien pourrait m'aider à mettre de la vie dans cette maison.

Mona et moi allons choisir un tout jeune chiot. Elle le tient comme un poupon, enveloppé dans une couverture. Il devient son compagnon de jeu, son confident. Elle déverse son affection sur ce petit animal et le chien le lui rend bien. Malgré sa jeunesse turbulente, il accepte de se faire bercer des heures durant, de devenir le malade quand Mona décide qu'elle est médecin, et l'élève lorsqu'elle se transforme en maîtresse d'école. Quand elle est trop malade pour jouer, il reste à ses côtés, en attendant patiemment que sa petite maîtresse se rétablisse.

Pour prolonger la vie de ma fille, on lui injecte, une fois par semaine, une substance très puissante dans les veines. Mona refuse ce « poison » de toute sa petite volonté, elle ne veut pas de piqûre.

Tout est mis en œuvre pour atténuer cette épreuve. On nous fait rarement attendre. Dès notre arrivée, c'est le médecin favori de Mona qui nous reçoit. On a fait appel à une infirmière dotée d'une patience d'ange et qui est extraordinairement habile pour donner des injections aux jeunes enfants. Tout doucement, sans se lasser, elle explique encore et encore à Mona ce qu'elle s'apprête à faire. Mais l'enfant crie à la seule vue de l'aiguille vissée sur la seringue.

— Tu vois, je vais te piquer juste une fois.

Ah! Je préférerais recevoir cent piqûres plutôt que de voir mon enfant s'en faire donner une seule. L'infirmière dit :

— Tu es chanceuse, ma tante va tout faire avec la même injection. Je vais faire ta prise de sang et installer un soluté en attendant les résultats. On n'aura qu'à piquer le tube pour te donner ton médicament. Allez, donne ta main à ma tante, je vois une belle veine juste là, sur le dessus...

Mais dès qu'elle s'approche, Mona se remet à crier. Elle est couverte de sueur. J'essaie de la calmer et, pour la centième fois, lui répète :

— Donne ta main, ma petite Mona, c'est pour te guérir...

Et j'entends les paroles du médecin : « Pas de guérison connue. »

Je m'éloigne à cause de mon manque de conviction. La garde-malade m'affirme :

— Soyez sans crainte, j'attendrai qu'elle me donne sa main d'elle-même.

Je sors pour refaire mes forces. Ma fille doit recevoir ce traitement pendant plusieurs semaines. Je ne pense pas pouvoir assister à ce qui m'apparaît comme une scène de torture. J'ai fait confiance à l'équipe de médecins qui a décidé du traitement; maintenant, je dois faire confiance à ce liquide extrêmement fort qu'on injecte dans les veines de ma fille. Je m'imagine le médicament faisant la guerre à toutes les mauvaises cellules qu'il rencontre sur son passage.

Mes doutes dissipés, je reviens dans la salle où Mona, le visage en larmes, me suppliant du regard de la tirer de là, est presque à bout de forces. D'un ton sans réplique, je lui dis :

— Mona, c'est assez! Donne ta main, qu'on en finisse. Regarde, j'ai apporté une petite marionnette. Nous jouerons pendant que tu auras ton soluté.

Voilà, c'est fait, l'aiguille s'enfonce dans la petite main, on retire du sang pour l'analyse.

— Tu vois, ce n'est pas si grave, tu es bien gentille, ma grande.

Les deux infirmières partent, soulagées. L'enfant laisse échapper quelques derniers sanglots que je fais semblant de ne pas entendre et j'invente une histoire de marionnettes. Le médecin arrive avec ses petites fioles pour l'injection. Il dit :

— J'irai chercher les résultats au labo pour épargner du temps.

— Tant mieux, comme vous voyez, ma marionnette est fatiguée et ne sait plus quoi raconter à Mona.

L'enfant, les yeux à demi-fermés, regarde la marionnette à plat ventre, le cou cassé comme une pendue. Elle sourit. C'est la plus belle récompense qu'elle puisse m'offrir. J'en oublie toute ma fatigue.

Les résultats sont toujours mauvais. Tout en mélangeant ses liquides, le médecin m'explique qu'il ne fera une autre transfusion sanguine que si l'hémoglobine descend à six. Elle est maintenant à sept virgule cinq, alors que la normale est à douze. Il lave la veine après l'injection en remettant le soluté pendant quelques minutes. Il donne une grosse bise à Mona et lui offre une pièce de vingt-cinq sous. Elle accepte de rentrer immédiatement à la maison ; elle est trop épuisée pour vouloir dépenser sa pièce.

Mona m'écoute raconter à son père ce qui s'est passé à l'hôpital. Je conclus :

— Ça n'a pas de bon sens de la laisser s'épuiser comme cela, à chaque fois.

La petite nous regarde l'un après l'autre. Qu'a-t-elle fait de mal pour que nous nous inquiétions tant à son sujet ? Elle croit que ses parents se liguent contre elle. Non, elle sait que c'est pour son bien. André lui dit :

— Viens t'asseoir ici.

Elle grimpe sur ses genoux, contente de le voir redevenir tendre.

— Montre-moi ta piqûre.

Elle lui montre le petit trou.

Et il explique à la petite fille de quatre ans que si elle croit bien fort qu'une toute petite piqûre comme celle-là ne fait pas mal, elle ne sentira rien.

— C'est vrai, Mona, rien. Tu ne sentiras rien si tu y crois.

Et juste avant la prochaine injection, il répétera à Mona la leçon sur la puissance de son esprit, qu'il appelle : « la force de ta petite tête ».

— N'oublie pas, lui dit-il, il faut que tu penses bien fort que ça ne fait pas mal.

Imaginez, une petite fille de quatre ans! Elle croit dur comme fer en ce que dit son papa. S'il l'affirme, c'est que c'est vrai!

Et pour lui, elle le fera.

Quand l'infirmière arrive pour l'injection, Mona ferme les yeux et pense très fort à ce que papa lui a dit. Elle sort, triomphante. Ça n'a pas fait mal et elle n'a pas pleuré. Son papa sera si content. Offrons-nous une récompense à la cafétéria de l'hôpital.

— Qu'est-ce que tu veux manger, Mona?

— Un « hot-dog ».

— Mais ça te fait enfler encore plus et ce n'est pas bon pour toi. Veux-tu autre chose?

Elle vient de fournir un grand effort et, maladroitement, je lui en demande déjà un autre. Son regard exprime une grande déception et son visage se contracte si vite qu'immédiatement je dis à la serveuse :

— Deux hot-dogs, s'il-vous-plaît.

* * *

Les quatre murs de ma maison se resserrent sur moi de plus en plus. Avant, j'avais l'habitude de travailler à temps partiel et de rencontrer des gens. Maintenant, j'étouffe chez moi, avec ma petite malade. Je voudrais sentir la vie quelque part. Mon mari devrait pouvoir comprendre ça. Je partirai avec la petite. J'irai voir ma famille. Le médecin est d'accord, ça ne peut pas nuire à Mona. Je songe à un moyen de faire accepter mon projet à André. Une amie recevra Francis après l'école et le gardera à souper.

— Laisse-moi y aller, j'en ai besoin.

Il ne comprend rien à mes besoins. Et je fais de mon mieux pour ignorer ses remarques. Il s'inquiète pour notre fils. Mais, dans mon cœur de femme, je l'accuse de s'inquiéter pour lui-même. Je me suis préparée pour ce voyage et je passerai outre à sa déception. J'irai à cent milles d'ici chercher un peu de joie et de vie.

Tout le monde est là pour le dîner, même celui de mes frères qui est marié. Il y a un menu spécial : tous les plats favoris de Mona. Les grands-parents nous ont accueillis à bras ouverts et ça nous a fait chaud au cœur.

Autour de la table, on s'entretient de choses et d'autres. Surtout de choses et d'autres. On taquine Mona comme autrefois. Mais Mona n'est plus comme autrefois. Je vois clairement à quel point elle a changé sur les visages de ceux qui la regardent. Je regrette tout à coup d'avoir montré mon malheur à mes jeunes frères, et je suis touchée par leurs efforts pour se montrer gais.

Il y a un cas de leucémie dans la ville même où demeurent mes parents. Bien entendu, ils ont organisé une rencontre entre l'autre mère et moi. Et, comme si nous nous connaissions depuis toujours, nous nous racontons nos peines issues du même malheur.

Ça fait déjà trois ans que sa fille est atteinte. Ça n'a pas été drôle. En plus de la maladie de la petite, la mère a dû supporter la dépression nerveuse de son mari qui n'a pas pu vivre cette terrible épreuve sans flancher. Son enfant est en rémission depuis trois ans. Je l'écoute attentivement et tâche de comprendre pourquoi « son enfant à elle » a survécu trois ans. Si elle en a été capable, pourquoi pas la mienne ? Et je rêve de quelques mois de plus. Je demande :

— Elle n'a jamais été malade depuis ?

— Non, elle reçoit son traitement et c'est tout. Une petite grippe de temps à autre.

Les yeux brillants, elle me dit combien elle et son mari sont fous de leur fille et me raconte joyeusement des anecdotes sur sa petite, ses mots d'enfants, sa gentillesse.

Cette femme, qui mesure cinq pieds et sept pouces, possède une énergie qui transparaît dans ses paroles. C'est elle qui a eu du courage pour deux. Elle a su tout cacher à ses deux autres enfants. Elle a su se cacher pour pleurer. Si elle apprenait la mort d'un leucémique, elle redoublait d'efforts. Elle secouait son mari :

— Viens, sortons ce soir.

Et ils ne restaient pas là à trembler, parce que ce pourrait bien être leur tour la prochaine fois.

Nous avons comparé les traitements. Déjà, ils ont évolué. Qui sait, les chercheurs en trouveront peut-être de nouveaux. Cette idée me fait revivre. La dame me confie cependant combien elle craint le moment de l'adolescence. C'est là que réside le danger.

— Si elle doit mourir, dit-elle, je préfère qu'elle meure jeune pour qu'elle n'en soit pas trop consciente.

Comme j'aurais voulu ne pas entendre cette dernière phrase. Pour en diminuer l'importance, je m'accroche à l'idée d'une rémission de trois ans. Imaginez ! Si j'avais ça, moi aussi. Je les possède presque, je vois ma fille qui a trois ans de plus à vivre au soleil, trois ans au moins, et après, les grands savants auront fait des découvertes extraordinaires. Je me sens un peu folle et je n'ose pas dire à la bonne dame de ne pas s'inquiéter de l'adolescence et de croquer à belles dents dans chaque jour qui passe.

Quelques jours plus tard, dans le bureau du médecin, mon rêve volera en éclats :

— Écoutez, madame, chaque cas est bien différent. C'est très rare, des rémissions de trois ans. C'est le seul cas connu dans la région.

* * *

Avant de quitter ma famille, pendant que je ressens encore l'effet des paroles encourageantes de la dame, je me rends chez une tante que j'aime tout particulièrement. Il y a autre chose qui me préoccupe. Ma tante devine vite le sujet que je veux aborder : la femme et sa condition.

— Pourquoi est-ce la femme qui doit rester à la maison avec les enfants malades ? Qui en a décidé ainsi ?

Je trouve la charge beaucoup trop lourde pour mes épaules. J'envie mon mari qui part le matin et peut penser à autre chose quand il donne ses cours. Moi, par contre, je suis coincée par les circonstances entre nos quatre murs. Bien sûr, j'aime Mona, mais tout cet amour maternel empiète démesurément sur ma liberté. Le foyer familial, c'est de l'histoire ancienne. Il faut inventer une sorte de nouveau foyer. Pourquoi moi ? Je suis fatiguée d'inventer continuellement.

— Pourquoi la femme ? Hein ? Ma tante, dis-moi...

— Dans une maison, ma fille, c'est la femme qui donne le ton. Elle y met la vie.

— Pas seule.

— Non, mais si elle lâche, plus rien ne se tient...

— Allons donc ! Tu en mets beaucoup trop sur le dos de la femme.

— Tu en connais, des maisons où il fait bon vivre et où la femme a abandonné ?

— Non ! T'as raison, je n'en connais pas.

— C'est comme ça. Sois courageuse.

Je l'ai quittée, remplie de bonne volonté, prête à redonner une certaine ambiance à mon foyer et bien décidée à m'y sentir heureuse. Il ne suffit pas de tourner un bouton pour connaître le bonheur. Je trouverai un moyen. Pendant le trajet du retour, je prends plaisir à rappeler à Mona tous les bons moments de cette journée.

— T'es chanceuse d'avoir de bons grands-parents.

— Mamie, j'ai faim.

— Pas déjà! T'es comme une femme enceinte. Ne me dis pas ce que tu veux, je le sais.

— C'est quoi, Mamie, une femme enceinte?

— Une maman qui attend un bébé; parfois, elles s'accrochent à certains caprices, les femmes enceintes. Seulement celles qui veulent compenser... Ah, tu ne comprendras pas...

Nous avons trouvé un petit restaurant de campagne. Le fils de la maison sert au comptoir avec sa mère. Il dévisage Mona et finit par dire :

— Mais elle est bien blême, cette enfant. Elle va sûrement être malade.

Mona guette ma réaction.

— Viens, nous allons manger dans l'auto.

Je fuis ce garçon trop spontané et je regarde ma fille. Il n'a dit que la vérité. Mon cœur s'alourdit. Le soleil se couche. Je conduis l'Oldsmobile; le ciel de novembre porte de grandes rayures mauves et les villageois ont installé leurs cimetières beaucoup trop près des grandes routes.

Je veux pourtant conserver un peu de joie dans mon cœur pour le retour à la maison. Mon voyage n'aura pas été inutile, mon mari sera content, je serai plus gaie.

Et je pense à mon père qui me disait, avant mon mariage :

— Si tu te maries, ma fille, sois gaie dans ta maison.

C'est facile quand tout va bien, mais comment fait-on quand tout va mal, hein, papa? J'aurais voulu cacher ma tête contre son épaule comme lorsque j'étais petite. Il savait si bien me protéger contre toutes mes peurs.

* * *

Ce matin, il a neigé un peu et, dehors, tout est blanc. Je me lève contente. Comme d'habitude, la première chose que je fais, c'est de courir voir Mona. La petite repose encore.

— T'as bien dormi?

Je remarque qu'il y a des cheveux sur son oreiller. Mais j'ai si hâte de lui montrer la neige que je ne m'y arrête pas. Après avoir admiré la nouvelle blancheur de l'extérieur, nous nous attablons pour un bon déjeuner. Mona porte sa robe de chambre jaune. Ses cheveux sont très noirs et, en lui servant son œuf, je les vois qui s'étalent par centaines sur la robe de chambre jaune.

— Mamie, tu ne manges pas ton déjeuner?

Je regarde ma montre. Il est trop tard pour attraper le médecin chez lui et trop tôt pour le rejoindre à l'hôpital. Je prends mon café. Je regarde les cheveux de Mona. Je les brosserai tout à l'heure, peut-être est-ce comme après une anesthésie, on perd plus facilement ses cheveux. Ce doit être les médicaments. Ils sont si forts. Je laisse Mona prendre le temps de bien déjeuner. Je vais d'abord lui faire sa toilette et, après, je la peignerai.

Je n'ai plus que ses petits pieds à essuyer. Voilà, c'est fait. Je prends la brosse et, dès le premier coup, une grosse plaque de cheveux se détache. Ce n'est probablement que sur le dessus. Je prends donc le peigne pour le passer très légèrement sur le côté de la tête. Il se noircit de cheveux. Je murmure entre mes dents : Pas ça! Pas ça!

C'est bien assez qu'elle soit blême, enflée et grosse. Pas les cheveux. Je les caresse, ils étaient si beaux. J'aurais voulu les recoller sur la tête de mon enfant. Mona me demande :

— Qu'est-ce qu'ils ont, mes cheveux?

— Ce doit être tes pilules qui font ça, ma fille.

Puis je me souviens de cette dame qui m'avait conseillé, au début, de photographier Mona :

— Elle changera beaucoup votre fille, ce serait bien de la photographier.

C'était ça qu'elle voulait dire. Mais, bien entendu, je n'avais pas cru en cette prophète de malheur. Maintenant, je suis forcée de me rendre à l'évidence. Ma fille deviendra méconnaissable. Pour cacher mon visage, je m'affaire à ramasser les cheveux tombés par terre. Je prends beaucoup de temps, le temps de chasser de mon regard la stupeur et l'effroi. Puis je jette ces cheveux à la poubelle. Et encore des cheveux, tous à la poubelle. Ils ne servent que d'ornement, après tout, non?

La mère de la petite fille qui est en rémission depuis trois ans pourra sûrement m'aider; je l'appelle :

— La vôtre a-t-elle perdu ses cheveux comme cela?

— Bien non, elle avait les cheveux longs et je n'ai même pas eu besoin de les couper. J'ai entendu dire que ce n'est qu'en dernier... qu'ils perdent leurs cheveux.

Qu'est-ce qu'elle raconte, celle-là? En dernier! Qu'est-ce qu'elle en sait? Je suis fâchée de l'avoir appelée et je retourne ma haine contre moi-même. Pourquoi faut-il que je veuille toujours tout savoir, et tout de suite en plus? Je résiste mieux à l'envie de téléphoner au médecin et de le faire demander par l'Intercom. Pour me faire dire quoi? Le rendez-vous est pour demain. Je ne le dérangerai pas aujourd'hui pour des cheveux. Je m'arme de patience et j'attends. Durant toute la journée, j'attends et je ramasse des cheveux. J'en trouve partout où Mona passe. Au moment des repas, je redouble d'attention pour que personne n'en ait dans son assiette.

Je voudrais pouvoir en parler à quelqu'un, mais je sais que personne ne peut supporter à ma place ce que je suis en train de vivre. On s'exclamerait, on crierait, on me plaindrait et je perdrais inutilement mes forces.

Puis, dans la journée, je plonge au fond de moi-même. Et je me rends compte que ce qui me fait si mal, c'est que je ne pourrai plus camoufler mon malheur. Tout le monde le verra. J'ai alors une idée. Mon enfant aura des cheveux artificiels ; une perruque.

Le lendemain, je demande au médecin :

— Est-ce que Mona peut perdre tous ses cheveux ?

Il fait gravement signe que oui. J'imagine mon enfant sans un cheveu sur le crâne et je voudrais crier, mais Mona est assise sur mes genoux. Au lieu de ça, je lui parle calmement de la perruque. Il dit :

— C'est une très bonne idée. Ne tardez pas trop.

Alors, je prends l'argent réservé pour l'huile à chauffage et je me mets en quête d'une perruque pour une enfant de quatre ans. Puisque je vais devoir dépenser de l'argent, aussi bien changer ça en une sortie agréable. J'essaie des perruques de toutes les couleurs et Mona sourit de voir sa mère tour à tour blonde, rousse, cheveux courts, cheveux longs. Mais impossible d'en trouver une à sa taille. Peu convaincues de notre sérieux, les vendeuses ne font guère d'efforts pour nous aider. Finalement, quelqu'un que j'ai mis dans le secret nous donne le nom d'une dame qui ajuste les perruques.

Je la bouscule, la pauvre dame : ce doit être prêt très vite. Elle promet d'avoir fini dans deux jours.

— Mona, tiens bien tes cheveux sur ta tête pendant encore deux jours. Tu veux ?

L'enfant sourit et s'emballe à l'idée de porter une perruque comme une grande.

*   *   *

Aujourd'hui, c'est l'Halloween.

— Viens, Mona! Toi aussi, tu feras la tournée, d'accord?

Si je tiens à ce que Mona participe à la fête, ce n'est pas parce que c'est probablement sa dernière. Je veux plutôt profiter de l'occasion pour la divertir.

Mona est ravie de mettre son petit masque et d'aller frapper aux portes des voisins, pendant que je reste à l'écart, prête à la prendre dans mes bras aussitôt qu'elle n'en pourra plus de marcher. Elle a si mal aux jambes.

— Francis, va chez les Tremblay avec elle, tu veux bien? Attends-la, tu vas trop vite!

Je suis heureuse, mes enfants sourient. Il n'y a que les regards tristes des gens qui abîment notre joie. Ils n'en reviennent pas de voir comme Mona a changé. Mais je les remercie très vite et refuse toute conversation inutile.

* * *

Cela fait cinq semaines que le traitement est commencé et la vie continue avec un petit chien et une enfant presque chauve maintenant. Mais qui a une perruque pour les jours de sortie afin d'épargner aux autres la vue de son petit crâne dénudé.

Parce que, souvent, la tristesse qu'on lit sur le visage de ceux qui nous regardent amplifie notre douleur.

Je travaille fort pour arranger la perruque afin qu'elle ressemble le plus possible à une chevelure naturelle. Il s'agit de préserver une image. C'est pourquoi, quand nous allons à l'hôpital, je mets à Mona sa petite perruque et du rouge sur ses joues trop blanches. Elle me promet chaque fois de ne pas l'enlever même quand elle aura très chaud. Promesse qu'elle ne tient jamais. Dès notre arrivée à la cafétéria — parce que nous nous offrons toujours un petit goûter après l'injection hebdomadaire, histoire de nous récompenser un peu — , la chaleur l'accable et elle arrache sa perruque comme si c'était un chapeau. Le « trompe-l'œil » atterrit sur une chaise.

Il ne me reste plus qu'à sourire de mon échec en matière de camouflage. J'entends autour de nous des « Oh ! » remplis de tristesse.

— Regarde la petite fille.

Embarrassée, je fixe les deux ou trois poils qui restent sur le crâne de ma fille. Pour se faire pardonner, Mona me dit :

— Mamie, j'ai chaud...bon !

* * *

C'est samedi, nous sommes en train de dîner. Mona est irritable, mais elle l'est si souvent maintenant. Elle refuse de manger, se replie sur elle-même et me regarde la supplier d'avaler quelque chose. Son père en a assez de ces scènes continuelles et décide de faire un peu preuve d'autorité. Il lui ordonne sèchement :

— Mona, c'est assez, mange un peu.

L'enfant pleure doucement, tristement. Cela me déchire le cœur. Je me retiens d'intervenir en pensant qu'André fait cela pour le bien de sa fille. Je veux me tranquilliser ! Oui, mais Mona semble avoir du mal à respirer. Ce sont sûrement des chimères de mère protectrice. André insiste :

— Allez, cesse de pleurnicher...

Blessée, Mona se lève et va se coucher pour pleurer, comme une grande. Elle fait un drôle de bruit en reprenant son souffle. Elle râle de plus en plus fort. Nous nous regardons, épouvantés par ce bruit. Énervés, nous essayons de la calmer.

— Voyons, Mona, qu'est-ce que tu as ?

— Nous ne voulions pas te gronder.

— Calme-toi.

Dans notre angoisse, nous crions presque.

Le râle augmente d'intensité. La petite est effrayée par ce bruit qui provient de son corps. Je m'étais préparée à un moment semblable. Je sais par cœur le numéro que je dois composer, mais ma main tremble.

Enfin! Le médecin attaché à l'urgence répond. Il entend la respiration rauque de l'enfant qui, quand elle s'énerve trop, ressemble à un jappement. Il diagnostique :

— Probablement un faux croup.

Je repousse ma panique, j'oublie mon cœur qui me défonce la poitrine pour mieux dire les choses importantes :

— C'est une leucémique (ça me fait mal de prononcer ce mot), elle suit un traitement. S'il-vous-plaît, avertissez son médecin.

Je demande une ambulance. Par prudence, quelqu'un a conseillé de l'oxygène. Je veux à tout prix conserver mon sang-froid, rester alerte, penser lucidement. Que faut-il faire, maintenant? Ah oui! une gardienne pour Francis. Je cherche une couverture pour envelopper Mona. André me regarde agir, se pose une foule de questions et ne répond à aucune. Il dit :

— Dois-je prendre l'auto?

Irritée, je réponds :

— J'ai besoin de toi, laisse faire l'auto.

— Qui nous ramènera à la maison?

— Quelqu'un! N'importe qui!

Les quelques minutes d'attente pour l'ambulance me paraissent une éternité. Je me demande ce qu'est le faux croup. Je l'ignore et ne veux pas m'énerver inutilement. Ça n'améliorera pas l'état de Mona. Et je réussis à me contenir jusqu'à ce que l'ambulance soit là.

— Vous avez l'oxygène?

— Non!

Il a oublié! Je jure silencieusement et l'ambulancier fait demi-tour avec ses passagers pour aller en chercher. Mona respire un peu mieux avec l'oxygène. Je fais de même, plus lentement. Je me demande si je tiendrai longtemps le coup; les paroles du médecin me reviennent en mémoire :

— Acceptez l'idée que c'est incurable et qu'elle mourra, ce sera moins douloureux... sinon, à chaque nouvelle crise, vous vous épuiserez beaucoup trop...

Je sais aussi que les leucémiques sont emportés parce

qu'ils ne peuvent pas combattre les maladies qu'ils attrapent. Mona me sort de mes pensées macabres. Elle a de nouveau du mal à respirer. Elle repousse l'oxygène, tend le cou et cherche de l'air. Nous sommes à mi-chemin de l'hôpital et la circulation est terriblement lente. L'ambulancier déclenche la sirène. On nous laisse passer. Nous, les parents, enfonçons involontairement l'accélérateur imaginaire, sous nos pieds. Il y a quelque chose qui ne va vraiment pas. Mona repousse toujours l'oxygène et se débat. Une idée lumineuse me vient !

— Ce doit être trop sec. Arrêtez le chauffage.

C'était ça qui n'allait pas. Les vitres de l'ambulance sont embuées et Mona respire mieux. Elle reprend de l'oxygène de temps en temps. Je prie.

Je n'étais encore jamais montée dans une ambulance, c'est mon baptême. Les croque-morts me répugnent. J'ai hâte de sortir de cette boîte sur quatre roues. Je regarde mon mari qui tient tendrement sa fille dans ses bras. Lui fixe avec soulagement l'hôpital qui se dessine dans le loin. Ses épaules se décontractent et ses yeux se ferment le temps d'un soupir.

* * *

Le médecin a deviné notre panique et s'efforce de parler d'une façon détendue. Il apaise nos cœurs angoissés et ponctue ses explications de : « Elle s'en tirera » et de « Il n'y aura pas de problèmes sérieux... »

Il explique que le faux croup semble beaucoup plus redoutable qu'il ne l'est en réalité. Il explique si bien que nous avons l'impression que Mona respire déjà mieux. Eh oui, calmée et rassurée, avec une serviette humide sous le nez, elle fait de moins en moins de bruit à chaque respiration. On l'installe sous une tente à oxygène, saturée d'humidité, et on lui fixe au bras un soluté pour lui donner des antibiotiques toutes les quatres heures sans avoir à lui refaire une piqûre.

Je tiens sa main par une petite ouverture. Elle s'est apaisée et, moi aussi, j'ai moins peur. Mais mon cœur est rempli de regrets. Pourquoi ai-je insisté pour qu'elle mange? Faut-il donc ne jamais insister? Devrai-je la laisser faire ce qu'elle veut et quand elle le veut? Peut-être est-ce la faute du petit chien? Son poil ressemble à du duvet. Une allergie? Je ne sais plus ce qui est bien, je ne sais plus ce qui est mal. La tristesse me ronge. Je me laisse aller à écouter la respiration difficile de ma fille et, inconsciemment, je m'efforce d'aspirer plus profondément. Je me sens terriblement épuisée. Est-ce avant ou après le repas que c'est arrivé? La peur m'use un peu plus. Mes yeux sont cernés et mon dos douloureux ne veut pas se redresser. J'ai un goût amer dans la bouche, l'estomac noué. Je ressens vivement

les ravages causés par la peur. Ils m'auront par la peur.
C'est ça! J'aurai tellement peur à chaque nouvelle crise
que, finalement, je démissionnerai et leur dirai :

— C'est ça, prenez-la, je n'en peux plus. Vous avez
gagné, j'abandonne.

Alors je cesserai la lutte et, dans mon cœur, je préparerai les funérailles de mon enfant.

Cette image me donne un coup de fouet.

— Jamais! J'ai plus de cœur au ventre que ça!

D'un bond, je me relève; je me secoue. J'ignore si j'ai
dit cette dernière phrase à haute voix, mais les derniers
mots résonnent encore à mes oreilles. Il faut manger, faire
quelque chose.

Je me dirige vers André. Le nez contre la vitre, dans
cette odeur de désinfectant qu'il déteste, il a le regard
perdu vers les montagnes aux couleurs de l'automne. Il
n'est pas rasé et porte ses vieux jeans du samedi. Moi, j'ai
la tête que j'ai toujours au sortir du lit. Bref, je n'aurais
jamais voulu qu'on nous voit dans un tel état!

Il vaut mieux sourire de notre accoutrement et aller à
la cafétéria avaler une nourriture préparée à l'avance et
servie à la chaîne.

Nous marchons côte à côte, nous nous battons pour la
même cause, mais chacun de nous ignore l'arme de l'autre.

Mona, sous la tente, est à peine visible. Elle mange
une crème glacée et accepte mieux sa petite maison. Nous
la laisserons maintenant. Nous irons refaire nos forces. Je
me sens soulagée. Tout a été mis en œuvre pour guérir
notre enfant et elle est entre bonnes mains. Je pourrai enfin
me reposer. Mona sent que je me prépare à la quitter. Elle
veut retarder le moment de la séparation et demande la
bassine. On ouvre la tente. Elle s'accroche à nous et pleure.
Elle se remet à japper et on doit refermer la tente aussitôt
pour en conserver l'humidité. Je lui envoie des baisers de la
main, le cœur déchiré.

— Bonne nuit, ma chérie, nous serons là de bonne
heure, demain.

Je me sauve avant de me mettre à pleurer, moi aussi.
D'ailleurs, André me tire par la manche.

— Allez, laisse-là. Francis est en bas avec les amis qui sont venus nous chercher.

Je me doute bien de ce qu'il veut vraiment dire : il n'y a pas que Mona qui ait droit à ton amour. Les autres aussi en veulent. Ces gens sont payés pour lui manifester de l'amour à ta place. Fais-leur confiance et prends congé quelques jours. Et il répète :

— Vite, laisse-la.

Quand le médecin me conseille d'en profiter pour me reposer, je me défends :

— Est-ce que vous croyez que je la surprotège?

Mais il répond ce que je voulais entendre :

— Non, c'est qu'elle n'est pas en danger...

Alors je le crois. Pour la première fois depuis des semaines, je vais me coucher sans ma fille. Sa chambre est en face de la nôtre et les deux portes restaient continuellement ouvertes pour que moi, sa mère toujours en alerte, je puisse déceler immédiatement le moindre bruit anormal.

Tous les soirs, j'entrais dans notre chambre, épuisée moralement et physiquement. Je dormais uniquement parce qu'il le fallait. Une partie de moi-même restait toujours à l'écoute de l'enfant malade. Je concentrais tout mon amour sur Mona. Les autres attendraient.

Ma vie de femme et d'épouse était à un point mort. Je ne me voyais nullement faire l'amour avec, tout près de nous, ma petite fille dont on avait prédit la mort pour dans quelques mois. Je ne sais pas pourquoi, mais la mort et l'amour ne se mélangeaient pas dans mon cœur.

Ce soir, je dormirai pour moi. Je les oublierai tous. Après, plus tard, je les prendrai un à un et je les comblerai.

* * *

Francis est triste et me fait des scènes avant de partir pour l'école. Chaque matin, il invente un nouveau prétexte pour rester avec moi.

— J'ai mal au ventre, mamie.

Je le cajole, le persuade, l'encourage. Il me déclare avec candeur :

— Mamie, j'aimerais te couper le cou pour pouvoir te mettre la tête dans mon sac d'école. Quand je m'ennuie, je pourrais te prendre et t'embrasser.

Je me jure de l'aimer toujours.

Son professeur m'avertit :

— En classe, ça va bien, mais, aux récréations, il est souvent seul.

Alors, ce matin, je me lèverai pour mon fils. Nous déjeunons tous les deux, papa dort encore. Francis a sa maman pour lui tout seul. Il a changé et je ne l'avais pas vu. Il sait lire maintenant. Il veut me le montrer, puisque je semble si bien disposée à son égard. J'admire tous ces mots que mon grand garçon de six ans est capable de lire. Je suis déçue d'avoir raté cette étape de son évolution. Ces dernières semaines, il s'exerçait à lire, le soir, avec la gardienne.

— T'as fait tout cet apprentissage sans l'aide de mamie.

— Tu trouves que je lis bien ?

Je passe tendrement ma main dans ses cheveux et dis :

— Nous t'emmènerons dîner au restaurant avec grand-papa et grand-maman, t'es content ?

Bien sûr qu'il est content. Mais je gâche sa joie en lui annonçant trop vite qu'il va se faire garder.

— Nous sortirons cet après-midi, ton père et moi.

— Où allez-vous? Je veux y aller!

— Non, nous sortons seuls.

Nous le laissons chez des parents, en pleurs, incapable de comprendre pourquoi nous ne voulons pas de lui avec nous.

*　*　*

À l'hôpital, nous retrouvons Mona en compagnie de son médecin. Les médicaments semblent avoir contrôlé l'attaque de faux croup. Le médecin se montre très satisfait de sa réaction aux remèdes et de sa façon de combattre. Il nous dit qu'il profitera de son hospitalisation pour lui donner son injection hebdomadaire et lui faire une transfusion sanguine. Il s'est dérangé un dimanche pour tout ça, afin d'épargner à notre petite famille un voyage à l'hôpital et une journée d'attente.

Il est là, comme un bon père, un pied sur la chaise, l'air détendu; il nous répète :

— Profitez-en tous les deux, sortez donc! Elle va bien, vous le voyez.

Mona le regarde avec confiance. Nous ne restons que quelques minutes. Nous irons n'importe où. Voir le moins stupide des films à l'affiche. Je me sens presque poussée à sortir, et je me dis que ce médecin a sans doute raison, il faut oublier un peu.

C'est un film de guerre, extrêmement violent. Les scènes d'atrocité atténuent un peu mon amour de la vie et j'oublie. Des soldats violent des filles et je lâche la main d'André. Le deuxième film a pour but de faire rire les spectateurs et c'est de bonne humeur que nous retournons au chevet de Mona.

Son visage a repris des couleurs. Nous savons que c'est à cause du sang d'un autre, mais le résultat nous fait plaisir quand même. Mona est gaie. Son père fait le clown avec mon chapeau de fourrure qu'il se met de travers. Mona rit aux éclats, si bien qu'il recommence avec sa perruque. Le rire de la petite est merveilleux à entendre. Ce soir-là, nous rentrons à la maison presque heureux. Nous commentons les films. Parlons de la bonté du médecin. Et du rire de Mona.

— T'as entendu comme elle riait de bon cœur.

Je suis contente. En m'invitant au cinéma, André a eu un geste envers moi. Je sais, en mon for intérieur, que c'est le médecin qui lui a suggéré de m'emmener quelque part. J'ai cru entendre : « Vous devriez sortir votre femme. » Mais quand même, il me tend la main. Il fait un effort pour être gai. Ce soir, dans l'auto, il y a une certaine paix. Demain, je reprendrai mon rôle de garde-malade. J'aurai eu deux jours de congé. Le répit n'aura pas été assez long pour nous permettre de nous comprendre, de nous communiquer nos craintes et ces douleurs que nous n'osons pas nous avouer. Mais nous avons réussi à mieux nous accepter dans notre malheur.

* * *

Le sang d'un autre ne permet que quelques jours de vie. Il en faut davantage pour continuer la lutte quotidienne. Je cherche, mais ne trouve pas. Je ne vais pas très bien. Mes vêtements sont devenus trop grands. Et ce gros ganglion que j'ai dans le cou. Il m'inquiète. Je le montre au médecin de Mona lors d'une visite hebdomadaire.

Tout en le tâtant, il se rend bien compte de la tension accumulée à l'intérieur de cette gorge de femme. Comme s'il lisait dans mes pensées, il sourit et me taquine :

— Ce doit être un gros cancer.

Je déteste ce mot. Il éveille en moi des images monstrueuses. J'essaie d'en rire. Je ris jaune. Puis il ajoute :

— C'est le stress qui cause ce mal de gorge. Prenez un petit verre de temps en temps, avant les repas, par exemple. Essayez de vous détendre, de moins fumer. Pas plus de dix cigarettes par jour.

Au début de la maladie de Mona, j'avais eu envie de faire quelque chose d'héroïque pour la guérison de mon enfant, comme d'arrêter de fumer, justement. Mais j'ai trouvé que ça faisait beaucoup trop désespéré. Alors, maintenant, je fumerai moins parce que je veux conserver ma santé pour pouvoir prendre soin de Mona.

Je continue à refuser d'avoir l'air d'une désespérée.

Quant à l'alcool, j'en prends désormais pour dénouer les muscles de mon ventre. Lorsque je m'assieds à table, après avoir donné les médicaments et m'être appliquée à préparer un bon repas, je vois les yeux inquiets de mon fils et le regard éteint de ma fille. Alors, je deviens comme eux : sans le moindre appétit. Je me relève et me verse un verre de vin. J'en avale deux ou trois gorgées et je sens la chaleur m'envahir. Je me rassieds.

André me regarde.

— Qu'est-ce que tu fais là?

— Tu le vois! Ça m'aide à avaler et à digérer. T'en veux?

— Non, merci. Je dois retourner à l'école immédiatement après le dîner.

Le soir, la vaisselle faite, quand ma gorge brûle et me fait mal, je prends la bouteille de gin, me gargarise avec le liquide pur pour me soulager et en avale une bonne gorgée pour m'aider à dormir. Il le faut. Que pourrais-je faire d'autre pour tenir le coup?

Je ne réussis, en effet, qu'à tenir le coup. Mona pâlit et Francis s'accroche de plus en plus à moi. Mon mari m'échappe. Il compense en s'engageant dans de nombreuses activités à l'école où il enseigne. Il y a des soirs où je n'attends son arrivée que pour lui demander :

— La trouves-tu plus blême? A-t-elle besoin de sang? Tu sais, je suis toujours avec elle et j'ai peur de ne pas voir à temps.

— Écoute, tu ne penses qu'à ça.

Je fais demi-tour. «Tu ne penses qu'à ça!». À quoi veut-il que je pense? Bon Dieu! Et, n'en pouvant plus, je lui lance :

— Garde un peu, je sors.

Je marche dans le froid de l'hiver qui commence. Le gel m'attaque à l'intérieur et à l'extérieur. Je vais chez des amis. Il faut que je marche. Allez! Un pas, puis un autre. Respire un peu plus fort. Ça va te faire du bien. Il faut que je bouge, que je m'essouffle, pour pouvoir continuer. Je m'ordonne : Avance!

Puis, après un effort soutenu pendant deux coins de rue, je m'écrase dans un fauteuil et écoute mes amis raconter ce qui se passe en ville. Je n'y prends aucun intérêt et, parfois, je les interromps au milieu d'une phrase, sans égard pour ce bavardage qui ne vise qu'à me distraire :

— Je n'en peux plus! Elle est plus blême qu'avant. Elle tousse, maintenant.

Ils m'écoutent, m'encouragent.

— C'est peut-être parce que tu es continuellement avec elle.

Et l'homme me parle d'une petite cousine des « États », dont les jours étaient comptés : une maladie du sang, elle aussi. « Et puis, tu sais, elle s'est mariée, l'année dernière. » Il va de soi que personne ne fait allusion à tous ceux qui en sont morts. Plus tard, quand je suis un peu réconfortée, ils me renvoient chez moi. Je couche les enfants et crie après mon Dieu :

— Pourquoi me fais-tu ça? Que veux-tu que j'apprenne? Qu'est-ce que j'ai bien pu faire pour que ça me tombe sur la tête?

Pour la centième fois, je repense à la grossesse de Mona, à mon accouchement. Ai-je pris des médicaments? Je me souviens de sa conception comme si c'était hier. Nous avions planifié sa naissance, elle n'avait pas été accidentelle. Il y avait bien eu quelques difficultés, mais l'arrivée de cette petite fille nous avait comblés de bonheur.

Des deux enfants, c'était la plus pétillante. Elle débordait de vitalité. Je l'appelais « ma pleine de vie ». Après cet épisode de la naissance, je revois chacune de ses maladies d'enfant, la façon dont je l'ai soignée. Ai-je bien fait tout ce qu'il fallait faire?

Depuis le début, le même remords pèse sur mon cœur. Parce que j'ai eu envie de retourner au travail, envie d'un peu de liberté, j'ai fait garder les enfants. Pour soulager ma conscience, je me répétais que tous les enfants du monde se font garder. Je voulais de l'argent, des choses, beaucoup de choses. Les enfants avaient été un peu bousculés, mais mon mari avait su rééquilibrer la situation.

C'est bien fini, maintenant, la quête aux choses. J'ai été frappée en pleine figure. Désormais, je ne vivrai que pour ce qui est vraiment important!

— Mona tousse beaucoup, m'annonce André.

Ça me fait mal quand Mona tousse, il n'avait pas besoin de me le dire.

Après être allée voir mon enfant malade, je reviens à l'idée de Dieu. En mon for intérieur, je ne lui en veux pas. Il est bon et, quand j'étais bonne, je me sentais proche de lui. Mon Dieu, c'était le bien. Je le remerciais souvent de m'avoir donné la vie. Et je résiste à la tentation de me jeter par terre et d'implorer le ciel.

*   *   *

Un matin, alors que la journée a mal commencé, l'idée me vient d'aller voir une amie qui a des enfants. C'est ça, je traiterai Mona comme les autres petits. Mais Mona n'est pas comme eux; on sait qu'elle est condamnée. Comment vit-on quand on sait qu'on va mourir? Mais on va TOUS mourir.

Mon amie, qui trouve que Mona a très mauvaise mine, me demande :

— Va-t-elle l'avoir, sa rémission?

Je veux croire qu'il y aura une rémission, au moins une. Il ne faut pas m'enlever cette conviction. Rémission : remettre la mort à plus tard.

Devant mon silence, elle insiste :

— Pourquoi ne l'amènes-tu pas voir un guérisseur? Moi, en tout cas, j'essaierais.

Je me révolte contre cette idée. Un guérisseur! Il ne manquait plus que ça! Pourquoi ne pas faire confiance à la médecine qui cherche depuis des siècles? Qu'est-ce qu'un guérisseur pourrait faire de plus? Tout de même, j'examine de plus près leurs façons de procéder et je m'aperçois qu'ils vendent des images de guérison. C'est ça! Des images de guérison, qu'ils font voir comme sur un écran imaginaire à leurs patients. Il y a des fois où ça fonctionne et d'autres où les gens en meurent. Pourquoi? Je n'en sais rien. Mais je ne confierai pas ma fille à l'un d'eux.

* * *

103

Dès que j'en ai la force, je lis de la documentation sur la maladie de Mona. Avec une curiosité presque masochiste, je m'attarde sur les pages qui en décrivent l'évolution et où l'on explique que ces enfants sont souvent emportés par d'autres affections parce qu'ils n'ont plus de système de défense. Ça fait mal, lire !

Il s'agit bien de mon enfant à moi. Mais je veux tellement comprendre. Je veux être logique.

Cette documentation, fournie par le médecin, précise comment avertir les parents : « Le médecin a le devoir de ne pas donner de faux espoirs aux malheureux parents. » Pour ça, il ne m'a pas ratée. C'est là-dedans qu'il a appris sa leçon. Déçue, je referme le document polycopié. Je me prends la tête à deux mains. Je veux comprendre et que ce soit logique.

La médecine dit :

— On administre des médicaments et on prolonge la vie du malade.

Oui, mais il meurt quand même.

C'est un peu comme lorsqu'on mange une pomme en sachant qu'on va se rendre malade; on l'est à tout coup.

Et le Dieu de mon enfance disait :

— Je décide de la vie et de la mort.

Les guérisseurs, eux, offrent des images de guérison.

* * *

104

André entre. Il revient du monde extérieur, où l'on vit.

— Hé! Tu sais j'ai rencontré des gens intéressants. Ils sont de Trois-Rivières. C'est un couple comme nous, une Québécoise mariée à un Américain. Lui, il ne parle presque pas français.

Je l'écoute distraitement. J'ai autre chose en tête. Et, soudain, j'entends :

— J'aimerais les inviter à souper pour samedi soir. Tu veux bien?

Immédiatement, je me rebiffe :

— Qu'est-ce qu'on va leur dire, quand ils vont voir la petite?

Je me vois en train de présenter ma famille... Et toutes ces questions auxquelles il faudra répondre. Pourquoi est-elle enflée? Pourquoi n'a-t-elle plus de cheveux? Pourquoi ne joue-t-elle pas? Pourquoi est-elle si blanche?

Il a pensé à tout ça :

— Nous fixerons le souper à une heure plus tardive. Vers huit heures, disons. Nous prendrons quelques cocktails avant de passer à table. Les enfants dormiront à ce moment-là.

Je me mords les lèvres. Je le trouve déraisonnable de me demander une telle chose. Comme si je n'avais pas déjà assez à faire sans ça. Mais je ne trouve rien à lui opposer comme refus et il attend une réponse.

— D'accord.

Et, un peu inquiète, j'ajoute :

— Attends, parle-moi d'elle.

Il dit en souriant :

— Elle est bien gentille. Elle enseigne l'anglais. Elle est blonde et jolie...

Je l'interromps :

— J'm'en doute bien qu'elle est jolie !

Non mais, il n'a vraiment pas de cœur ! Il me pousse comme une machine. Vas-y ! Au bout ! Et moi, je suis assez bête pour me laisser faire. Je regrette d'avoir dit oui. Il ne pense qu'à lui. Jusqu'à présent, je lui faisais confiance, je croyais que c'était un homme juste. Mais, cette fois, il se trompe sûrement. Ce n'est pas une chose à faire, recevoir des amis, se divertir.

Je me prépare pour ce dîner. Malgré tout, je veux qu'il soit réussi. Mona ne me laisse pas un instant de répit.

— Je veux aller patiner, mamie.

Je sais très bien que c'est un caprice et qu'elle se fatiguera vite ; elle pleurnichera et je devrai la ramener dans mes bras.

— Je n'ai pas le temps.

Mais je me reprends presque aussitôt. Vivre pour ce qui est important. Oui ! Mais tout est important... Bon, certainement pas le ménage. Et je lance mon torchon dans un coin.

— Viens, nous allons aller patiner. Mais pas long-temps. Et, surtout, tu ne pleureras pas quand je te dirai qu'il est temps de rentrer.

Mona est surprise de ne pas mener tout le monde par le bout du nez, aujourd'hui. Moi, je pense à ces inconnus qui viendront dîner ce soir. Installé à sa table de travail, André prépare ses cours de la semaine prochaine. Il ne se préoccupe de rien, se décharge de tout sur moi. À un moment donné, il va chercher une note dans son veston, dans notre chambre. En passant, il me prend dans ses bras sans que j'aie pu prévoir son geste. Il dit :

— Je t'aime, tu sais.

Je n'y comprends plus rien. Il m'aime. C'est ça, aimer, c'est se le dire. Je le regarde dans les yeux, cherchant à

106

m'accrocher à quelque vérité. Je sens mon cœur se gonfler. J'ai peur de me mettre à pleurer. Et, comme chaque fois que je ne semble pas comprendre, il se met à parler en anglais :

— Well, do you know? I do love you.

— Oh! I don't know anything any more.

Et je sors avec Mona qui m'attend à la porte, un bonnet de laine rouge sur la tête, emmitouflée dans son manteau. Elle a presque l'air... normal. Du moins pour moi, sa mère.

— Il te va bien, ce chapeau, Mona.

* * *

Comme si Mona avait compris, elle ne se réveille qu'une seule fois pendant le souper, pour aller aux toilettes. André explique très brièvement :

— Elle a la leucémie. Elle suit un traitement et c'est à cause des médicaments qu'elle a perdu ses cheveux.

Il dit cela comme on dit : j'ai mal aux dents, je prends des antibiotiques; c'est pourquoi j'ai la joue enflée. Et puis, plus rien. Il retourne à sa dissertation sur la façon d'enseigner l'anglais comme langue seconde au Québec.

Nos invités ont d'abord le souffle coupé par le mot « leucémie », mais, devant sa façon d'escamoter le sujet, ils continuent de bavarder comme si de rien n'était.

Je n'écoute plus. Je ne sais pas si je devrais l'admirer ou le détester de pouvoir parler si légèrement de la maladie de notre fille. Je m'imagine ce qui ce serait passé si on avait parlé de la petite malade avec une abondance de détails et en y mettant beaucoup de tragique. Je vois les visages s'attrister, les cœurs se mettre à battre plus vite et les hommes retenir leurs larmes pour que les femmes ne pleurent pas plus fort qu'elles ne le font déjà. Je me demande ce que je veux... Rire ou pleurer ?

J'offre de la salade à nos convives en pensant : Il n'a pas menti. Il a dit ce qui est en omettant simplement les détails désagréables, ceux qui auraient pu l'empêcher d'atteindre son but : passer une bonne soirée.

Il me verse du vin.

— Merci.

108

Je regarde son sourire confiant. L'autre femme est jolie et semble intéressée par ses propos, mais, heureusement, elle est amoureuse de son Dick. Ça se voit et mon inquiétude s'en trouve apaisée.

Nous nous couchons. Comme d'habitude, je suis à la fois épuisée et un peu perdue. Je m'inquiète en pensant à demain. Dormir au moins quelques heures. Peut-être devrons-nous nous rendre encore à l'hôpital. Je suis toujours sur le qui-vive, prête à réagir en cas d'urgence. J'attends, je guette même cette éventualité. J'ai rangé la vaisselle, vidé les cendriers.

Il me regarde tendrement, mais n'insiste pas en me voyant si absorbée par tout ce que j'aurai à faire demain. J'ai laissé passé l'occasion !

* * *

Mona s'agite et dit, du plus fort qu'elle peut :

— Mamie, c'est pour toi, le téléphone.

— Chérie, tu ne devrais pas répondre au téléphone. Les gens ne t'entendent pas avec ta voix qui ne veut plus parler fort.

C'est ma mère et elle a oublié ce qu'elle voulait me dire. Elle ne peut que s'exclamer :

— Mais, qu'est-ce que c'est ça ? Elle a perdu la voix ?

Eh ! oui ! Elle a perdu la voix. Bien sûr, je sais que c'est important, la voix. Ça fait terriblement malade, une petite voix éteinte. Qu'est-ce que vous voulez, Mona perd tout. Ses cheveux, sa voix, sa beauté, sa silhouette. J'explique :

— Un petit ulcère se forme sur ses cordes vocales.

La grand-mère appelait pour me parler de la neuvaine à saint Joseph qu'elle a commencée. Elle a le cœur tellement brisé par cette petite voix qui chuchotait : « Attends, grand-maman, attends, grand-maman », qu'elle ne peut m'encourager. Si ! Elle le peut :

— Je viendrai samedi. J'ai une médaille pour Mona.

Devant mon peu d'enthousiasme, elle n'insiste pas. Puis, elle me demande :

— T'as reçu le livre que je t'ai envoyé ?

Pour m'aider à tenir le coup, elle m'avait adressé par la poste « Les Miracles de la pensée », de Joseph Murphy. C'est un livre plein de pensées positives, accompagnées d'anecdotes.

— Oui, je l'ai reçu. Tu sais, ça n'empêche pas les

malheurs, mais, pendant que je réfléchis à ces pensées, j'oublie que j'ai mal.

Maman se sent encouragée. Au moins, elle le lit, pense-t-elle. Cela lui donne assez d'audace pour me confier sa recette personnelle :

— Tu sais, je prie pour Mona tous les soirs. Je me l'imagine comme avant, lorsqu'elle allait bien. Je la vois rayonnante de santé.

Elle est seule à parler ; s'en rendant compte, elle abrège son monologue :

— Essaie, toi aussi. Je sais, c'est difficile pour toi. Tu la vois tous les jours, si malade...

Je raccroche en me demandant si ma mère a bien toute sa tête. Que pouvait-elle vraiment vouloir me dire ? Je connais son intérêt pour le yoga et le spirituel en général. Ses paroles ne m'ont pas étonnée et j'y réfléchis longuement : Vois-la en bonne santé ! Imagine-la guérie. Voir, comment VOIR ?

* * *

Le lendemain, je dois aller à l'urgence avec Mona pour une injection d'antibiotiques.

Dans la même salle que nous, il y a une petite fille, une retardée mentale, qui doit avoir environ six ans. Ses yeux ressemblent à ceux d'un poisson, à fleur de tête, sans couleur précise et sans vie. Elle a un gros corps, informe, et de petits membres courts aux fines extrémités. Sa maman la regarde tendrement et l'appelle : « Mon petit trésor ».

Je me dis que la pauvre dame ne voit pas très clair et que c'est magnifique.

Les médecins s'affairent autour de la petite retardée. L'enfant comprend mal ce qu'on attend d'elle et sa maman le lui répète avec beaucoup d'amour et des sons bizarres, dans un langage commun à toutes les deux. Puis la petite finit par accepter le thermomètre dans sa bouche aux lèvres pendantes.

Je les regarde lutter pour garder cette enfant en vie. Quelqu'un croit en la vie de cet être. Je me retourne vers Mona dont le regard, au moins, brille d'intelligence. Émue, j'en remercie le ciel. Moi aussi, je continuerai de lutter. J'ignore pour le moment quelles seront les armes que j'emploierai, mais je les essaierai toutes s'il le faut. Je me le jure.

* * *

Mona a retrouvé sa voix pour quelques jours.

Dans mon livre, « Les Miracles de la pensée », j'ai lu, ce matin, pendant la lessive, que :

« Si tu veux quelque chose et t'attends au contraire, tu ne l'auras jamais. »

Et l'auteur donne plusieurs exemples de ce qu'il avance, exemples dont je commence à entrevoir la signification.

Je songe à toutes ces fois dans ma vie où j'ai voulu quelque chose et où, plus souvent qu'autrement, je l'ai effectivement obtenu parce que je m'étais imaginée victorieuse.

Je me revois lorsque j'ai postulé mon premier emploi. Personne n'était plus convaincu que moi de ses capacités à assumer les responsabilités inhérentes à la fonction. Impressionné par tant de confiance, le patron m'avait engagée. Il va de soi que je n'aurais jamais eu le poste si j'avais eu l'air battue d'avance.

Je lève les yeux de mon livre. Mona vient de prendre sa cortisone. Elle est assise, le doigt tendu vers une lampe allumée. J'espère que la chaleur dégagée par l'ampoule fera éclater l'abcès qui a commencé à se former. Chez Mona, la moindre égratignure s'infecte aussitôt. Son doigt lui élance et elle se plaint de temps en temps.

— Mamie, si tu savais comme ça fait mal...

— Mets-le sous la lampe, ma chouette, le docteur a dit que ça le fera mûrir plus vite.

Comme je me crois toujours responsable des infec-

113

tions de ma fille, j'ajoute de l'eau de javel à la lessive pour mieux stériliser tout ce que Mona pourrait toucher. Je devrai désinfecter davantage. Moralement, je traîne les pieds.

Devant l'attention dont sa sœur est l'objet, Francis veut aussi avoir sa part. Il veut savoir si on l'aime autant que Mona et il tombe malade.

Son organisme refuse de combattre la pneumonie qu'il a attrapée. La fièvre monte à 104°. Au médecin à qui je téléphone presque quotidiennement, je dis, cette fois :

— Ce n'est pas pour Mona que je vous appelle. Mon fils est très malade. Il ne mange pas, il a beaucoup de fièvre et je suis très inquiète. Je ne peux pas me rendre à l'hôpital.

Et le médecin vient seulement pour Francis qui, du coup, semble à moitié guéri. Tout le monde l'entoure de soins, même Mona qui, dans ses bons moments, lui apporte des jus.

C'est incroyable, tous ces malheurs qui me frappent depuis deux mois. J'en arrive à croire qu'on m'a jeté un mauvais sort. Je fais la navette entre les deux lits. Je ne m'appartiens plus, les enfants décident de tout. Je prépare des repas auxquels ils ne touchent pas et à peine ai-je fini de tout ranger qu'il y en a un qui réclame quelque chose, croyant pouvoir manger un peu. Aussitôt, je cours à la cuisine.

Le médecin a insisté pour que Francis boive beaucoup :

— Donnez-lui n'importe quoi, il faut qu'il avale des liquides en quantité.

Francis demande. Mona, elle, ordonne. Ils sont les maîtres de la maison. Si l'un veut un baiser, je me précipite aussi vers l'autre pour ne pas faire de jaloux. Une histoire à l'un, et, tout de suite après, j'enchaîne avec la préférée du second. Francis se lamente beaucoup plus que Mona. Il se plaint d'avoir mal au ventre, mal au cœur, mal à la tête et il crie souvent qu'il aimerait mieux mourir. Je le supplie de ne pas dire ça.

— Voyons, mon grand, tu dois avoir une petite mission à accomplir, toi aussi.

Je ne crois plus qu'à moitié en ce que je raconte. La mission sur la terre. Je suis si fatiguée. L'inquiétude me ronge. Francis n'a rien avalé depuis quatre jours et, le soir, la fièvre monte de façon alarmante. Le médecin vient et donne des antibiotiques à Mona afin de la protéger du mieux possible contre ce vilain virus. Il repart en me disant :

— Bon courage, madame.

— Vous savez, j'essaie de désinfecter le plus possible.

Dans un haussement d'épaules, il répond :

— Ça ne changera pas grand-chose...

Essayer, il faut au moins essayer, me dis-je en refermant la porte derrière lui.

Il y a une force qui me pousse à continuer. Je la sens en moi. Je désinfecte toute la maison. J'ai des produits en aérosol contre les microbes, j'ajoute de l'eau de javel à tout ce que je lave, je mets du camphre sous les oreillers des enfants. Je veux tant les sauver.

Avec tout ça, on a oublié le chien qui en devient pitoyable. Un soir, il se met à tousser et fait des efforts pour vomir. Je suis furieuse. Lui aussi? Ah non! Il peut bien crever, celui-là. Il y a tout de même une limite. J'en ai déjà assez comme ça avec les enfants. Mais Mona pleure et veut qu'on soigne le chiot.

— Écoute, je n'ai pas d'argent pour aller chez le vétérinaire.

— Mamie, prends l'argent de ma tirelire.

— Le mien aussi, implore Francis.

Comme une voleuse, j'éventre leurs petits cochons. Je réussis à récupérer dix dollars et fais venir la gardienne. Kiki est enveloppé dans une couverture.

Le diagnostic : pneumonie et bronchite.

Le lendemain, le chien prend ses antibiotiques en même temps que les enfants. La farce! La farce dans toute son absurdité!

Je me sens manipulée par quelque mauvais esprit. Qui m'envoie tous ces malheurs? Serait-ce que je les ATTIRE?

*   *   *

115

Maman vient nous faire une visite éclair. Elle apporte une médaille de saint Joseph pour Mona. Nerveusement, elle répète qu'elle connaît un garçon que ce saint a guéri de la leucémie. À mi-voix, elle essaye de me convaincre de la laisser faire.

— Ça ne peut certainement pas nuire.

Elle insiste :

— Il faut frapper le subconscient de l'enfant avec quelque chose de tangible. Laisse-moi essayer.

Perplexe, je lui réponds :

— Je n'aime pas créer une dépendance, surtout pas vis-à-vis de fétiches.

— Oh ! je t'en prie, je ne veux que lui parler. L'objet est nécessaire pour qu'elle comprenne plus facilement.

Bon, je fermerai les yeux, je la laisserai se livrer à son petit manège. Après tout, pourquoi pas ? Quel mal peuvent faire une petite médaille et une invocation ?

La grand-mère entre dans la chambre. Mona repose dans une demi-obscurité. Dans un demi-sommeil.

— Si ça ne te fait rien, je vais fermer la porte, lui chuchote ma mère.

Plus à l'aise dans le noir, elle raconte à Mona une histoire où le héros, convaincu qu'il va guérir, recouvre effectivement la santé. On ne voit briller que le regard convaincu de la grand-mère et la médaille. Mona la regarde attentivement ; elle vient directement de l'Oratoire, juste pour elle, dit grand-maman. Elle la dépose sur le ventre de l'enfant qui veut croire.

— Bon saint Joseph, guérissez Mona.

La petite est très impressionnée. Elle promet de répéter ce rituel tous les soirs : déposer la médaille sur son ventre et dire l'invocation. Bientôt, elle s'endort, confiante, avec saint Joseph sous son oreiller, à côté du camphre auquel on attribue le pouvoir de détruire les microbes.

Maman ne reste pas longtemps. Elle invente un prétexte. Moi, je sais que la vue de la petite malade qui devient de plus en plus méconnaissable lui fait mal.

De plus, elle étouffe dans cette maison où règne la maladie, avec sa pauvre fille qui se débat au milieu de tout ça. Son gendre est dans son bureau et elle ne sait plus que penser de lui. Il semble n'avoir aucune réaction, paraît gelé par les événements. Serait-il paralysé par une sorte de torpeur? A-t-il les yeux bien ouverts? Incapable de nous aider, elle se sauve en nous confiant à Dieu.

Francis insiste pour avoir une médaille, lui aussi, et, peu après, il en reçoit une identique par la poste.

Les soirs suivants, en voyant que mes enfants sont si heureux avec leurs médailles, je fais une petite prière avec eux. D'ailleurs, je le faisais toujours avant la maladie de Mona. Ils inventaient eux-mêmes une formule dans laquelle ils remerciaient le ciel pour les bonnes choses de la journée et demandaient à l'ange gardien de rester à nos côtés et de nous protéger. J'ai toujours aimé l'idée d'un ange bon et beau qui nous aiderait à choisir entre le bien et le mal. Cela a un côté rassurant, et puis, qui peut affirmer qu'il n'en existe pas? Les bons esprits. Les mauvais esprits. Le bien — le mal. La santé — la maladie. La vie — la mort.

Mona veut avoir sa médaille sur son ventre. J'hésite.

— Grand-maman l'a dit.

— Raconte-moi ce que grand-maman t'a dit.

Après avoir écouté son récit et devant cette foi naïve, je ne peux plus résister :

— Voilà, pense bien fort à ce que tu dis.

— Bon saint Joseph, donne une bonne santé à Mona.

Je recommence avec Francis, mais en y mettant peut-être un peu moins d'insistance.

* * *

Mon frère cadet me téléphone.

— Où es-tu?

— Je suis à Sherbrooke, pour affaires.

— Mais viens, tu n'es qu'à quelques milles d'ici.

Il ne peut pas, il est trop occupé. Je n'écoute pas ses excuses. Je sais que lui aussi préfère ne rien voir. Tant pis, je vais le mettre au courant malgré lui. À sa question : « Comment ça va? » je réponds :

— Ah? Tu ne sais pas? Mona ne parle plus, de nouveau. Elle chuchote, tu n'as pas idée comme c'est fatigant. Je dois continuellement tendre l'oreille pour comprendre ce qu'elle veut. Elle se fâche si ses ordres ne sont pas exécutés sur-le-champ.

Pourquoi veux-je lui raconter tous mes malheurs? Je l'aime bien, pourtant, mon petit frère. Il ne me laisse pas continuer :

— Il ne faut pas que tu lâches...

Ça me fait du bien d'entendre ces paroles. Ce sont celles que je prononçais moi-même, autrefois. Quand j'étais forte et débordais de confiance. Pour entendre quelques échos de ma propre jeunesse, de ma fougue d'antan, je continue.

— Tu sais, l'autre aussi est malade. En plus, il passe son temps à me dire qu'il aimerait mieux mourir.

— Chrisse, arrête-moi ça !

J'esquisse un sourire. Je trouve drôle de l'entendre sacrer au lieu de me dire tous les mots qu'il veut taire. Il est si jeune et plein de bonne volonté. Avant de me quitter, il me répète, les dents serrées :

— Lâche pas, p'tite sœur.

Je n'ai pas eu le temps de raccrocher que mon fils recommence une fois de plus à se lamenter.

— Mamie, j'ai mal partout, je voudrais mourir.

Je l'empoigne par les deux bras :

— Toi, si t'arrêtes pas de dire ces mots-là, je ne sais pas ce que je te fais. J'en ai assez d'entendre des paroles comme celles-là. T'as compris ?

Voyant que l'enfant est saisi, j'enchaîne :

— Va te coucher tout nu dans ton lit, comme le médecin l'a dit. Ça fera baisser ta fièvre. Tu ne bois pas assez, non plus. Je le sais, ça te donne mal au cœur, mais essaie ! Essaie encore ! Tiens, du « Seven-Up », tu aimes cela, d'habitude.

Je le secoue presque. Il obéit.

* * *

Dans une situation comme celle-ci, tout le monde veut aider. On a peur, mais on veut quand même. Alors, le téléphone s'avère le seul moyen qui permette de tendre la main sans avoir à se retrouver en face des malheureux.

Une tante, croyant faire son devoir, m'appelle pour me manifester sa sympathie. Elle a vécu à peu près la même chose que moi. L'année dernière, un cancer a emporté son mari.

J'avais entendu parler de la dignité dont elle avait fait preuve jusqu'à la fin. Ma trop bonne tante parle de sérénité en face de la mort. Elle n'en finit plus de me dire comme elle comprend bien ma situation de pauvre petite femme prise avec un enfant qui va mourir.

D'un ton plein de résignation, elle m'exhorte à céder :

— Accepte, ma fille, ne te révolte surtout pas. C'est la meilleure façon, je t'assure.

Vous savez, son mari a été très bien soigné. Et toute la parenté est accourue pour le voir lorsqu'on a appris qu'il se mourait. En épouse dévouée, elle l'a soulagé de son mieux. Et surtout, elle a gardé sa sérénité et son calme. Il est décédé, comme prévu.

Elle me donne un avant-goût de la mort. Et elle a la preuve de ce qu'elle avance : son mari est bien mort.

Je suis anéantie et ne peux que répondre, comme une petite fille bien élevée :

— Oui, ma tante, je comprends.

— Ça fait moins mal comme cela, tu vas voir.

Tu vas voir, tu vas voir... Elle avait vu, elle? Je me laisse tomber sur le tapis, entre deux fauteuils pour me cacher un peu. Les coudes appuyés sur les genoux, la tête entre les mains, je pleure.

Ai-je eu tort pendant tout ce temps où j'ai lutté? J'aime me battre. J'ai ça dans le sang. Et ce n'est pas le fait d'y renoncer qui supprimera la douleur devant la mort.

Les enfants me regardent. Depuis combien de temps?

— Pourquoi pleures-tu, Mamie?

Je ne peux pas leur dire que cet appel voulait me faire accepter la mort de l'un d'eux. On ne dit pas ça à de petits enfants. On les fait rêver avec de belles histoires, sinon ils ne voudraient jamais grandir. Je les serre tous les deux dans mes bras et leur promets de ne plus pleurer. Pour camoufler ma faiblesse passagère, je dis :

— Vous savez, mamie est bien fatiguée. Vous devriez m'aider, voulez-vous?

Et, ensemble, nous ramassons les jouets.

Puis ma tristesse se transforme. En rage. Contre moi-même. Je m'en veux... Ainsi, on n'a qu'à me téléphoner et à me dire des mots... des mots... et je me conforme à ce qu'on attend de moi, étant donné les circonstances : je m'attriste et cède au découragement. Tout est noir devant moi. Je ne sais plus où je vais. Pourquoi me laisser aller à gauche et à droite, en haut et en bas, ballottée au gré des attitudes que les autres veulent m'imposer? Quel est mon but à moi? Quel est mon rêve? Le mien, pas celui des autres. Je m'empourpre, je me sens vivante.

J'installe les enfants devant la télé et coupe court à la querelle habituelle.

— Non, non, pas de dispute au sujet de l'émission.

Et, sans le moindre sentiment de culpabilité, je donne la préférence à Francis.

— Demain, je verrai à qui faire plaisir.

* * *

121

Assise dans mon fauteuil, les jambes repliées sous moi, je me sens terriblement divisée. Mes forces se perdent quelque part, entre le pôle de l'espoir et celui du désespoir. Bien sûr, j'ai appris à vivre vingt-quatre heures à la fois. Jamais je ne pense à plus tard. Je me serais sûrement enlevé la vie si je m'étais arrêtée à imaginer ce que sera l'an prochain. Et depuis, je ne rêve plus. Je ne me laisse jamais alle à penser aux années à venir, en les parant de toutes sortes de bonheurs. Non, je refuse le rêve. J'ai bien trop peur que mon imagination ne me conduise au cimetière, après la Cérémonie des Anges. Jamais je ne pense à plus tard.

Cette mort qui rôde empoisonne ma façon de vivre, d'aimer mes enfants et mon mari. Elle est bien là, on nous l'a confirmé, données scientifiques à l'appui.

J'ai appris à repousser avec force les images tristes, mais je ne sais pas par quoi les remplacer. Comment trouver un antidote, un contrepoison, sans tomber dans l'illogisme ?

Il faut être fou pour penser qu'une médaille peut nous guérir. Il faut être fou pour penser que demain va être meilleur alors qu'on sait qu'on va vieillir et que la mort nous attend au bout du chemin. Il faut être fou pour penser que la vie est belle quand elle n'est qu'une guerre entre le bien et le mal, la maladie et la santé, la haine et l'amour.

Oui, c'est illogique de croire en l'amour.

Un mariage sur deux se termine par un divorce ou une séparation. Néanmoins, en dépit des statistiques, j'avais rêvé de l'amour. Sans penser qu'il serait temporaire. J'avais dit oui à l'amour. Puis, j'ai vécu comme s'il devait durer toujours. J'ai fait comme si... C'était pourtant illogique.

Malgré ça, je m'étais préparée, dans mon cœur, à une réussite et non à un échec. J'avais cru en l'amour et même quand tout semblait perdu j'y croyais encore.

Le renouveau, la vie, il faut y croire. Même si c'est insensé.

Soudain, tout s'éclaire devant moi. Mon rêve. Il s'était presque effacé. J'avais laissé les événements effacer mon rêve.

Je passe en revue les armes qu'on m'a suggérées :

— Les guérisseurs qui vendent des images de guérison.

— N'attends pas de faveur si tu es convaincue que tu n'en recevras pas.

— Vois-la en bonne santé, imagine-la comme avant.

— Les médailles aident à croire.

— Dieu donne la vie et la retire.

Qui m'a donné Dieu?

Pense à autre chose, me disait mon mari.

Le médecin soigne ton enfant, il fait son travail : aucun espoir. Toi, fais-tu le tien? Que dois-tu faire, toi?

Le soleil est presque éteint au fond de ton cœur et tu veux que ton enfant vive.

Le veux-tu? Ou ne le veux-tu pas?

* * *

Je réfléchis à mon rêve durant toute la journée. Je voudrais le définir à nouveau. Quel était mon but? Qu'est-ce qui me faisait avancer jusqu'à présent? Pourquoi continuais-je d'aller de l'avant? Vers où? Vers quoi?

Je revois les beaux moments de ma vie.

L'après-midi passe plus vite que d'habitude. Les enfants pleurnichent et je m'occupe d'eux, un sourire au coin des lèvres.

Le soir, j'accueille André avec une petite flamme au fond des yeux.

Nous nous sommes couchés. Ainsi qu'il s'y sent obligé depuis tant de semaines, il est tourné contre le mur. Je suis crispée, angoissée. Je le regarde, complètement terrorisée par ce que je vois. Quel gâchis... Car, ce soir, je vois nettement les dommages qu'a subis mon rêve : L'AMOUR.

Je cherche une entrée en matière. Je ne sais pas trop comment il réagira après un aussi long silence. Si Mona pouvait arrêter de tousser, il me serait plus facile de parler. Je sens que ça ne peut plus attendre. Je me relève et vais lui donner un peu de miel. Je referme presque complètement la porte de notre chambre. André sent qu'il se passe quelque chose et me surveille du coin de l'œil.

J'ose. Je chuchote :

— Regarde... ce que ça nous a fait, à tous les deux.

Il est dans mes bras avant même que j'aie terminé ma phrase. Non, c'est moi qui me retrouve dans les siens. Qui a bougé le premier? Je ne sais plus. Ça n'a pas d'importance. Je ne lui en veux plus de ne pas m'avoir comprise, je ne me comprenais pas moi-même. Je n'aurais pas dû l'exiger de lui. Je n'aurais rien dû exiger. Me contenter d'être là. Avec lui. Ensemble. Je déteste celle que j'ai été, ces derniers temps. Une martyre qui encaissait les coups et évitait seulement de commettre des actes irréparables. Évitait !

— Je regrette tout, tout. Je ne savais plus ce que je disais.

Je l'embrasse.

J'avais trouvé une raison de vivre en voulant tenir bon pour mes enfants.

— Toi, mon amour, je ne pensais pas à toi.

Mon instinct de mère détruisait ce qui était à l'origine même de mes maternités.

Je voulais bâtir. Bâtir. Vivre au centuple. Et je ne bâtissais plus, je parais les mauvais coups de la vie. Était-ce ça, vivre ?

Son visage tourmenté s'appuie contre mon sein, pourquoi me croyais-je seule à souffrir ? Lui aussi aime et souffre.

Quand, le cœur enflammé, j'ai dit : « oui à l'amour », je savais que je disais oui aux joies et aux peines ; mais à de petites peines sans importance qui ne font qu'attiser l'amour, pas à d'aussi grosses peines.

Je me sens piégée par l'amour. Comme un chevreuil enfermé dans un enclos. Nous avions parlé de liberté et nous constatons qu'il nous faut continuer.

Et je m'accroche à lui de toutes mes forces. Je vois son rêve et le mien, et je veux faire en sorte qu'ils soient réalisables : Réalité. Ce soir, nous unissons nos rêves et nos corps.

En le sentant palpiter dans mon corps j'éclate. Toutes les tensions de ces dernières semaines se bousculent dans ma gorge. Des sons étouffés sortent de ma bouche. Je sanglote. Je crie. Je me sens unie à une force, à une source stimulante. Reliée à un dieu bienveillant, dans un univers où le bien l'emporte sur le mal, où l'amour vainc la haine.

André me ramène tendrement sur terre.

— Pas si fort, chérie, tu vas réveiller les enfants.

Nous avons si bien fait l'amour que je ne me souviens que vaguement du plaisir que j'ai éprouvé.

Blottie dans ses bras, je pense, je m'explique...

Il faut que je me transforme. Intérieurement. Je sais que c'est là que résident mes forces. En vivant vingt-quatre heures à la fois, je me suis laissée conditionner par le mot « temporaire ». Chaque jour me rapprochait de la fin. J'attendais une fin. Je subissais le temps. Désormais, j'empoignerai la vie avec vigueur.

Il dort. Je déplace son bras, plus haut, autour de mon cou, pour être plus à l'aise et continuer de réfléchir. D'abord, je vais me comporter autrement avec mon enfant malade. Voyons un peu si on traite un enfant incurable de la même façon qu'un autre dont la maladie n'est que passagère.

Un enfant qui va mourir, on lui offre un jouet, les larmes aux yeux, en pensant que c'est peut-être le dernier. Un enfant qui va mourir, on lui pardonne tout. On l'excuse continuellement. On s'endette pour satisfaire ses moindres désirs. On devient son esclave. On ne le gronde jamais. À quoi bon? Un enfant qui ne grandira pas, on ne lui refuse rien. On lui donne tout : son temps, son amour, sa santé, son attention. Tout. Il n'a qu'à montrer du doigt. Il connaît son pouvoir et regrette de voir ses parents devenir des marionnettes. Avec un enfant condamné, on vit comme s'il était effectivement sur le point de mourir. On l'aime d'un amour qui l'étouffe, le tue.

Par contre, quand il s'agit d'un enfant qui n'a qu'une mauvaise grippe, on le soigne de son mieux, mais d'une tout autre façon. On le gâte un peu pour adoucir les jours qu'il est obligé de passer à la maison au lieu d'aller jouer avec ses amis. Mais cela n'a rien à voir avec l'attitude funeste qu'on adopte inconsciemment avec l'enfant qui va mourir.

Désormais, pour l'amour de ceux que j'aime, je croirai à l'incroyable. Je croirai que mon enfant va vivre. Je la traiterai comme si elle devait guérir. Je vivrai un rêve insensé. En changeant ma façon de voir les choses, je changerai ma façon d'être. Mes mains deviendront douces quand je la laverai, elles se feront tendres, mais elles ne seront plus jamais tristes. Mes baisers seront emplis d'amour; jamais plus ils ne goûteront l'amertume des derniers adieux. Mon regard sera attentif pour bien voir lorsque des soins plus particuliers s'imposent, mais jamais plus je n'aurai un regard qui guette la mort. Ma voix se transformera, mes gestes seront plus sûrs, mon amour plus solide, mieux partagé.

Désormais, dans cette maison, on attendra la VIE. On attendra de **BONNES NOUVELLES**.

Je me sens terriblement femme. Une femme met de la couleur dans sa maison. Ce soir, blottie dans les bras d'André, sans cesser de m'agiter, je rêve de mon foyer comme lorsque j'étais une jeune fille. À cette époque, l'amour se voyait partout, même sur les murs. Il se voit encore aujourd'hui.

Il murmure :

— Tu ne dors pas encore, à quoi penses-tu comme ça ?

Je ne veux pas qu'il puisse penser que je divague et je l'embrasse en lui disant, entre chaque baiser :

— Je t'aime, bonne nuit, mon amour.

Je rêve encore longtemps. Je cherche également comment dissimuler mon rêve. Il ne faut pas en parler aux médecins, ils me le démoliraient à coup sûr avec leur logique. Un médecin vit avec des statistiques, des rapports sanguins inscrits sur un bout de papier, des médicaments dosés avec précision, et il fait son travail. Moi, je ferai le mien. Et ce sera un secret entre Mona et moi. Seul mon comportement sera visible.

Je me demande ce qui me pousse à vouloir changer. À vouloir changer ma façon de vivre et de rêver. Est-ce pour avoir moins mal ? Bien sûr, un mauvais moment est toujours moins pénible quand on le sait temporaire et qu'on imagine déjà la fin de la tempête et le soleil qui se remet à briller.

D'un autre côté, j'ai la certitude que ma fille sera beaucoup plus heureuse. Qui aurait envie d'être traité comme s'il allait rendre l'âme ? Francis ne sera plus inquiet.

Plus de compétition avec une sœur qui a la mort comme atout. Et puis, quand une femme sait que son enfant va guérir, elle est capable de l'oublier un peu au profit de son mari. Elle est capable de faire l'amour. Elle est capable de penser à elle. À son rêve. Une femme qui rêve vit doublement. C'est une vraie femme. Elle s'épanouit. Elle se dénoue. Elle s'ouvre au monde. Me voilà complètement emballée. Je veux aller au devant du monde entier.

Non, bien sûr, mais mon idée me plaît. En réalité, elle est le fruit des bonnes pensées que m'ont suggérées ceux qui m'aiment. Je me servirai des armes qu'ils m'ont conseillées. Je me battrai avec mes pensées, mes images, mes désirs, mes espoirs. Mon esprit sera ouvert à la VIE. J'ai CHOISI.

Je connais ma ténacité, je connais la réalité. Je sais que je devrai continuellement rebâtir mon rêve, recommencer. Il n'y a là aucune magie, je devrai repartir à zéro chaque jour, chaque semaine, chaque mois.

— Tu ne dors pas encore? (André en a assez de me sentir bouger.)

— J'ai chaud, tu me couvres trop.

Je repousse la couverture et je m'endors.

* * *

Le traitement de Mona tire à sa fin et les prises de sang n'indiquent à peu près pas de changements, sauf que les plaquettes sont un tout petit peu plus nombreuses. Son état général arracherait des larmes à un bourreau. Son organisme refuse de combattre les infections. Elle devient insupportable à cause de tout ce qu'elle doit supporter et avaler. Elle fait des scènes pour un rien, mais pleure rarement quand elle a mal.

Depuis un bon quart d'heure, Mona est assise sur le cabinet. André regarde sa fille pliée en deux. Entêtée. Il attend avec patience qu'elle fasse pipi.

— Écoute, va jouer. Tu essaieras plus tard.

Les yeux furieux, les muscles du cou gonflés, Mona lui répond en hurlant :

— Non, j'ai envie.

Impuissant, il revient dans la cuisine, poursuivi par les cris de la petite.

— J'ai mal aux fesses.

Mona s'obstine à rester juchée sur le cabinet, de peur que son envie ne soit réelle et qu'elle ne mouille sa culotte. Finalement, son père la prend de force et elle s'emporte violemment. Il réussit à la calmer en lui montrant dans le miroir le grand cercle rouge que le siège a imprimé sur ses fesses. Je cherche comment remédier au problème et diminuer le temps passé sur la toilette. Et je finis par trouver un grand plat jaune. Les fesses de Mona touchent au fond, ce qui évite que la pression ne s'exerce toujours au même endroit. Le grand plat jaune l'accompagne partout dans la maison, devant la télé, dans la salle de jeux. Elle a toujours envie et ne réussit à uriner que quelques gouttes à la fois. On installe le plat sur une chaise et on joue au « Trouble », en attendant que ça vienne. Pendant de longs moments, on en arrive à oublier que ce sacré pot est toujours là.

— Vas-y, ma chouette, c'est à ton tour. Tu ne vas pas me jeter dehors, hein?

Et Mona lance les dés avec un seul but en tête : me renvoyer à la case de départ et, donc, me battre à coup sûr. Tout le monde s'écrie : Mona a réussi. Au milieu de l'excitation générale, elle parvient à uriner un petit peu.

— Ça brûle, Mamie.

Un revirement imprévisible se produit dans son caractère. Comme si elle voulait faire payer la note à quelqu'un. La petite minutieuse a toujours peur de sentir le pipi et lui laver les fesses est devenu un vrai cérémonial. Elle insiste pour que tout soit fait selon ses désirs, en respectant les détails les plus insignifiants; sinon, c'est la crise inconsolable.

A l'hôpital, on m'assure, comme d'habitude, que c'est dû aux effets secondaires des médicaments. Des calculs rénaux ont commencé à se former. J'en viens à craindre qu'elle n'absorbe trop de médicaments, mais je n'ose pas remettre en question le jugement des médecins qui travaillent pour le bien de mon enfant et je préfère leur garder ma confiance. Ils m'ont demandé de mesurer tout ce que Mona avale et excrète comme liquide et de les avertir immédiatement si la quantité excrétée est inférieure à un minimum donné. Je mesure tout avec soin. Je veux détecter tout danger à temps, mais sans être continuellement aux aguets. Je dois apprendre à vivre avec cette contradiction. Toute ma philosophie n'est-elle pas basée sur des contradictions? Attendre la vie alors que c'est la mort qu'on nous a annoncée.

Je sais que certains enfants leucémiques suivent le même traitement que Mona, mais qu'ils sont isolés dans une chambre stérilisée où toute visite est interdite. Et ce, pour toute la durée du traitement, soit de huit à dix semaines. Mona, elle, est soignée à la maison, entourée de microbes, avec sa maman comme infirmière. Toute la responsabilité repose sur mes épaules et je me demande si je peux réellement assumer une telle charge. Par principe, je rapporte tout changement au médecin. Nous nous débrouillons par téléphone, avec quelques visites si besoin est, en épargnant ainsi à Mona d'être hospitalisée. Le pharmacien s'est mis de la partie et est toujours prêt à rendre service.

Je connais maintenant tous les spécialistes qui secondent le pédiatre en charge. Je sais qui est le plus influent, qui a le dernier mot quand ils prennent une décision. J'ai également appris qu'ils ont consulté un médecin de Montréal. Quand ils ne sont pas d'accord entre eux, je m'en rends compte. Je veux me montrer forte pour qu'ils me mettent au courant. Pour qu'ils ne me cachent rien. Je veux tout savoir pour mieux aider, mieux détecter, mieux comprendre.

* * *

Cette nuit, Mona pleure et se tord de douleur; elle a mal au ventre. Je rejoins le médecin qui, à moitié endormi, me conseille :

— Donnez-lui une 222.

Je le sens abattu. C'est comme s'il me disait : assommez-la, elle n'aura plus mal, vous pourrez dormir et moi aussi.

Je le remercie toujours beaucoup :

— Vous savez, si je ne vous avais pas... Merci encore.

Et je coupe la prescription de moitié. Avec le couteau en plein milieu de la pilule. Voilà. Mona prend assez de médicaments comme ça. Si je ne réussis pas à l'endormir avec cette demi-dose, je verrai.

Mona dort deux heures. J'en fais autant. Je récupère des instants de sommeil chaque fois que l'occasion s'en présente. Dès que j'ai un moment de répit, je m'assoupis; sur une chaise, n'importe où. C'est la seule façon de pouvoir continuer. André supporte patiemment l'horaire que Mona impose à la maisonnée. Tout, plutôt que de voir sa fille s'ennuyer dans un hôpital.

Mona se réveille au milieu de la nuit.

— Mamie, viens vite. J'ai du sang dans mon pipi.

Je bondis. Tout le monde, dans la maison, sait qu'il faut surveiller le sang dans les urines et dans les selles. Jamais la chasse d'eau n'est tirée avant que je n'aie été voir. Cette fois-ci, Mona montre du doigt le fond du petit pot qui sert à conserver les urines pour les mesurer. Je me penche et aperçois une petite pierre pointue comme une aiguille, où perlent quelques gouttes de sang. Exténuée et soulagée, Mona annonce :

— Ça ne fait plus mal dans mon ventre.

— C'est passé. Tu n'auras plus mal. Tu vois, c'est cette petite pierre qui te faisait mal. Va dormir maintenant, mon amour.

Mona est d'un naturel confiant. Ses petites jambes blanches escaladent le bord du lit. Son crâne, où subsistent quelques cheveux tenaces, s'incline vers l'oreiller sous lequel elle tâtonne pour sentir sa médaille miraculeuse.

Je veux avertir le médecin. Du sang dans les urines, c'est important. J'ai toujours peur de ne pas rapporter à temps les symptômes majeurs. Je sens que la vie de ma fille dépend de ma perspicacité. Mais André me convainc d'attendre le matin.

— Ne dérange pas le médecin. Il n'y a pas de danger, elle dort calmement.

Mis au courant de la nouvelle, le docteur dit, d'un ton satisfait :

— Au moins, cela ne lui fera plus mal.

Comme il est peu enthousiaste ! Il est vrai que les bons résultats se font toujours attendre. Mais, aujourd'hui Mona n'a pas mal et j'en profite pour inviter ses petits amis. J'avertis les parents de ne rien dire aux enfants. De ne rien laisser voir. C'est strictement défendu. Et je les remercie à l'avance de leur discrétion, comme pour mieux m'assurer qu'ils n'y failliront pas.

Les enfants arrivent avec de petits cadeaux que Mona regarde à peine. Elle se fatigue vite de leur présence à la fois joyeuse et bruyante. Je les renvoie en leur expliquant :

— Elle ne peut pas jouer longtemps, elle est malade. Mais, bientôt, elle ira mieux et vous resterez tout l'après-midi, comme avant.

Francis reprend tranquillement goût à la vie. Il a reçu deux séries d'antibiotiques pour le débarrasser de sa pneumonie. Il est maigre, mais accepte de manger un peu en choisissant, bien sûr, ses mets, ses heures, ses conditions. Je me montre quand même contente de lui. Pour l'aider, j'ai demandé aux gens qui viennent nous voir de délaisser Mona pour lui manifester plus d'intérêt.

— Ne voyez-vous pas que Mona en a assez de toute cette attention? Cela l'ennuie de se sentir continuellement épiée.

Comment oser leur demander d'ignorer cette enfant chauve et déformée par la cortisone? Mais cela m'insulte quand on se jette à ses genoux, quand on en fait trop de cas. Je voudrais leur dire : Si vous l'aimez trop, c'est que vous ne l'aimez pas assez. Mais qui comprendrait?

*   *   *

À la fin du traitement, Mona ne combat plus aucun microbe. Elle se met à tousser, ou encore c'est le petit ulcère qui réapparaît sur ses cordes vocales et la fait chuchoter. Il y a, dans la maison, des sirops pour absolument tout. Pour décongestionner, pour adoucir la gorge enrouée, pour dormir lorsque la toux trop persistante empêche toute la famille de fermer l'œil.

Je demande au médecin s'il vaut mieux garder Mona à la maison, je ne sais pas, moi, pour l'empêcher de prendre froid ou d'attraper d'autres microbes. Il me répond que ça ne changerait rien à la situation et que :

— Si elle veut sortir, Madame, sortez-la !

Alors, quand Mona devient trop apathique, je luis dis gaiement :

— Viens, on va aller faire un tour.

Je me doute bien que si le médecin lui permet de sortir, c'est pour ne rien lui refuser puisque, de toute façon, elle va mourir. Mais, dans mon cœur de mère entêtée, je me dis plutôt que nous allons devenir folles, toutes les deux, si nous restons comme ça à attendre et que la promenade nous fera du bien.

Je chausse mes patins et lace ceux de Mona avec soin. À deux rues de chez nous, il y a une petite patinoire. Nous nous y rendons en n'oubliant pas d'apporter un petit pot de miel pour calmer les quintes de toux.

J'ai trouvé de l'argent pour acheter de bons costumes de neige aux enfants. Il sera toujours temps, plus tard, de m'inquiéter de l'état de nos finances. Pour le moment, je vois que ma petite est bien couverte et ça me fait plaisir. Comme toutes les autres mamans, je lui apprends à patiner :

— Vas-y, Mona, fais-en un bout toute seule.

Et je la rattrape avant qu'elle ne tombe.

De retour à la maison, Mona tousse davantage.

— Avale un peu de sirop, ta gorge sera moins irritée.

Mona me regarde la soigner comme s'il s'agissait effectivement d'une simple irritation. Elle me trouve changée depuis quelque temps. Aux repas, par exemple, je ne m'inquiète plus autant si les enfants ne mangent pas, même Mona. Je leur déclare calmement :

— Tu mangeras quand tu auras faim.

Et je compense en leur offrant, entre les repas, des fruits et du fromage. Un jour, je mettrai de l'ordre dans tout ça. Mais, pour le moment, il y a bien d'autres points importants sur lesquels il faut insister.

En rentrant de l'école, André nous embrasse toutes les deux.

— Comment ça a été, aujourd'hui, mes deux femmes?

Mona aime qu'il la traite sur le même pied que moi. Et nous lui racontons les quelques petites choses que nous avons réussi à faire dans la journée. Le récit est constamment interrompu par cette toux interminable. Lui et moi échangeons un regard en nous mordant les lèvres de douleur. Je dis :

— Je n'aurais peut-être pas dû la laisser sortir, cet après-midi. Je vais la coucher bientôt et je lui donnerai du sirop pour qu'elle dorme.

Mais, ce soir, le sirop s'avère inefficace. Mona tousse sans arrêt. Ne sachant plus quoi lui donner, au bord de la panique, j'ai recours au médecin, encore une fois. Pour la centième fois.

— Docteur, Mona tousse tellement, je ne sais plus que faire. Vous voyez, je lui ai donné de ce sirop qui fait dormir. Elle est assoupie, mais elle se retourne continuellement en toussant.

Il m'écoute en soupirant. Pourquoi soupire-t-il comme

ça? Il doit être fatigué, lui aussi, vidé. Mon cœur bat à tout rompre. Je regrette de l'avoir dérangé. Je n'aurais pas dû. Et j'entends cette toux déchirante. Il dit :

— Écoutez, Madame!

Je déteste ses « Écoutez, Madame ». J'arrête de respirer.

Il enchaîne :

— C'est à vous que ça fait mal... La petite, elle, ne sait pas qu'elle va mourir.

J'ai dû le joindre à un mauvais moment. Il dormait, sans doute. Il n'a pas pu vouloir dire ça.

Je raccroche, encore plus bouleversée qu'avant de lui avoir parlé. Je veux arrêter de trembler. Jamais il n'a été aussi direct. « C'est à vous que ça fait mal. » Il a ajouté autre chose dont je n'arrive pas à me souvenir. Ah oui! une ponction pour voir comment la moelle a réagi aux traitements.

Je lui en veux d'avoir prononcé ces mots-là « qu'elle va mourir ». À quoi essaie-t-il de me préparer? Je cherche désespérément à m'accrocher à quelque chose de positif pour ne pas rester dans cet état épouvantable, pour ne pas me mettre à crier, à hurler, pour ne pas lâcher. Je me calme en me parlant : respire bien, arrête ces palpitations... tu en es capable, pense à la ponction.

Je réfléchis à tous ces médicaments, à leurs rôles. Comme un bout de phrase qu'on apprend par cœur, je me répète ma leçon. Détruire les cellules leucémiques à partir de la moelle; mais on ne peut pas épargner les bonnes. Néanmoins, l'enfant va en fabriquer de nouvelles qui, en principe, seront saines, c'est-à-dire des cellules qui ne mourront pas avant d'avoir rempli leurs fonctions. Peut-être ne supporte-t-elle plus du tout ces remèdes si forts pour elle. C'est une très bonne idée, la ponction. Au moins, nous saurons à quoi nous en tenir...

André me regarde me débattre avec mes pensées, il a deviné le contenu de la conversation que j'ai eue avec le médecin. D'un ton torturé, j'ai laissé tomber un « Docteur », puis je me suis tue. Je trouve la force de me lever et d'aller vers lui.

— T'as compris ce qu'il m'a dit ;

Ma voix ne tremble pas. Au moment où il va parler, je proteste :

— Non, ne dis rien. Embrasse-moi.

Il m'embrasse tendrement et passe sa main dans mes cheveux. Je soupire :

— Ça ira. Je vais me coucher pour être en forme, demain.

Subitement, je lui propose :

— Je déteste les ponctions. Si tu peux t'absenter sans perte de salaire, pourquoi ne viendrais-tu pas avec moi ?

Je me mets à lui reprocher amèrement de ne pas mentir à la direction de son école.

— Tu devrais leur dire que tu es malade. Les syndicats sont bêtes. Ils demandent des congés pour les morts. C'est bien le temps d'aller voir les gens quand ils sont morts. Non, il ne faut pas prendre de journées pour être avec ceux qu'on aime...

Je vais me mettre à pleurer. Non ! Je me relève et, pour soulager Mona, j'installe l'humidificateur à côté d'elle en approchant le plus possible la vapeur de son petit visage.

Je me penche au-dessus des yeux bouffis et de la figure plus large que longue. Visage méconnaissable de mon enfant née de l'amour. J'essaie de toutes mes forces de me l'imaginer comme avant. Je la vois presque, avec ses beaux cheveux bouclés et ses belles joues roses. Dans mon souvenir, l'enfant gambade, sautille. « Ma pleine de vie »... Elle avait toujours une jambe en l'air. Je souris en pensant au nombre de fois où je lui ai demandé de ne pas aller si vite : « Tu renverses tout sur ton passage. »

S'il y a , sur terre, quelqu'un capable de se sortir d'une pareille catastrophe, c'est bien elle. Je le crois. Dur comme fer. Je lui chuchote à l'oreille :

— Dors bien, mon amour, tu vas voir, ça va aller mieux. Tu entends ? Tu vas guérir !

Je me suis recouchée et les paroles du médecin me hantent comme les sorcières des contes de mon enfance. Mon cœur me fait mal et je tente d'en ralentir le rythme en me répétant : Et s'il se trompait. Et si c'était la quantité excessive de médicaments qui l'empêche de reconstituer un sang où il n'y aurait plus trace de ces maudites cellules. Demain, ils verront bien, et moi aussi. C'est l'inconnu. Il ne faut pas me torturer inutilement. Ça m'avancerait à quoi? Pour ma famille, pour Mona et pour moi, je dormirai.

* * *

La table d'examen est installée au centre d'une salle de la clinique externe pour que les deux médecins et la garde-malade puissent circuler plus facilement. On attend le technicien avec son nécessaire à ponction stérilisé. Mona reconnaît les lieux. Elle est saisie de panique et veut faire demi-tour. Elle devine ce qui l'attend, elle se souvient trop bien. Deux mois auparavant, elle avait assisté à ces mêmes préparatifs. Comme elle était différente, à l'époque... Elle était jolie et avait un beau sourire. Elle savait se montrer charmante envers ceux qui la soignaient. Cette fois-ci, elle les regarde, affolée comme une pauvre bête trop battue. Elle leur présente un visage fermé, les lèvres serrées, sans l'ombre d'un sourire.

Mona va venir, n'est-ce pas? Mona va avaler, n'est-ce pas? Mona va faire ceci, Mona va faire cela. Mona en a assez!

On se dépêche de lui administrer l'anesthésie avant qu'elle ne pique une crise. Dans son demi-sommeil, ma petite crie :

— Mamie, mamie!

Je sors de la salle où je ne suis plus d'aucune utilité. J'arpente le corridor comme une tigresse. Ma tête me brûle. J'entends toujours ce cri :

— Mamie, mamie!

Je retourne sur mes pas et regarde par la porte entre-bâillée. Les médecins attendent toujours le technicien. On a téléphoné au laboratoire. Il est parti. Mais où, bon Dieu?

140

Mona dort; mais l'anesthésie ne dure pas longtemps. Le docteur en profite pour lui administrer sa Vincristine pour la semaine. Encore une dose? Je n'aime pas ce qui se passe. Le médecin est irrité d'attendre. J'ai terriblement peur. Cette moelle qu'on va retirer du corps de mon enfant. Me diront-ils la même chose que la première fois : « Sa moelle est complètement finie »? Je me remets à arpenter le corridor pour essayer de me calmer. Je pleure doucement.

Un pédiatre qui suit, lui aussi, le cas de Mona, m'aperçoit.

— Qu'est-ce qu'il y a, Madame?

— Mona est là, dans cette salle, et je suis si inquiète.

Il laisse échapper un « Ah! » de soulagement.

— Vous m'avez fait peur, dit-il, je croyais que vous veniez d'avoir de mauvaises nouvelles.

Il est très occupé, mais prend le temps de me parler quelques minutes.

— Vous savez, il nous faut examiner la moelle parce que, au début de la maladie, on ne sait pas trop comment administrer les médicaments, quelle quantité donner. C'est pourquoi il faut analyser sa moelle.

Me sentant un peu apaisée, il s'éloigne.

Il a dit « début ». Il a parlé de commencement. Je craignais qu'il ne s'agît d'une fin. Les globules blancs combattent les infections... trop de médicaments risquent-ils de la tuer? Je rabache une fois de plus ma leçon sur la leucémie. Je cherche un magazine, aucun ne m'intéresse. Je sursaute chaque fois qu'une porte s'ouvre. J'essuie mes mains moites sur ma jupe. J'entends :

— C'est fini.

Le technicien emporte les échantillons qu'il va analyser. Mon enfant est là, épuisée, le regard éteint sous ses paupières trop lourdes. Je la rhabille. Elle est molle comme une poupée de chiffon et deux fois plus difficile à manier. Il est déjà cinq heures. Tout le monde a quitté la clinique. Dehors, il neige et les gens se sauvent pour ne pas être bloqués par cette tempête du début de décembre.

Je téléphone partout pour trouver quelqu'un qui nous ramènerait à la maison. Je me sens trop épuisée et trop seule pour être brave. L'une est partie dans les magasins, l'autre ne répond pas, et le téléphone sonne dans le vide des maisons vides. J'en suis irritée. Si André était là, lui, au moins! Mais je renonce à le faire demander. Avant qu'il n'ait trouvé une voiture et ne m'ait rejointe... Non, c'est beaucoup trop compliqué.

Le costume de neige de Mona s'enfile mal et je dois faire attention. Ses gémissements me crèvent le cœur. Franchement, je n'en peux plus de la voir souffrir. La sueur coule le long de mes aisselles. Et je dois, en plus, supporter la présence d'une infirmière qui cherche à me faire parler... Elle essaie maladroitement de m'aider avec un cœur plein de pitié. Qui l'a envoyée, celle-la? Que me veut-elle, au juste? Elle me dit :

— C'est pas drôle, hein?

Comme si je ne le savais pas! Je me retiens de ne pas lui crier ce que je pense. Je le sais, que ce n'est pas drôle. Et ça m'avancerait à quoi de me jeter par terre? Me sentant rougir, je suis contente que le bureau soit mal éclairé. Je lui demande :

— Voulez-vous me passer ses bottes, s'il-vous-plaît?

« C'est pas drôle! » Comme si j'avais envie de rire! Elle me croit folle, ou quoi? Je veux conserver mes forces. Je me mords les lèvres pour ne pas gaspiller mon énergie.

Et ces maudites bottes qui ne veulent pas se laisser enfiler!

— Ça ne sera pas long, ma petite Mona.

Le médecin entre :

— Vous êtes bonne conductrice, n'est-ce pas?

— Oui, ça ira. Je conduirai lentement.

Je veux m'en croire capable. Il met son bras autour de mes épaules, en serrant légèrement, à la façon d'un athlète qu'on veut encourager. Je baisse les yeux et souffle sur une mèche de cheveux qui tombe sur mon front.

— Ma famille m'attend. Je dois aller préparer le souper. Merci, Docteur.

Assise dans une chaise roulante, Mona attend avec l'infirmière que je revienne la chercher après avoir réchauffé l'auto. Je l'installe confortablement sur la banquette arrière et je démarre. Le ciel est très gris. Il neige de plus en plus fort. Les routes sont maintenant complètement recouvertes. Si on avait un accident et qu'on en finisse ! Non, je veux être prudente. J'ai faim et fouille dans mon sac à main pour trouver mes cigarettes. Si j'avais eu de l'argent, j'aurais acheté un repas tout préparé dans un restaurant et la question du souper aurait été réglée. « Un jour, je m'offrirai les meilleurs plats du monde. » Je me sens déterminée. Prudemment, j'arrive enfin à la maison.

André vient à notre rencontre pour se charger de Mona.

— T'as l'air exténuée.

Je ne parle pas. Pas maintenant. Je suis trop vidée et trop affamée. Je couche Mona et m'affaire aussitôt à préparer le souper. Mon estomac crie. Mona raconte ce qu'on lui a fait. Elle ne tousse presque plus ; l'anesthésie aura au moins eu ça de bénéfique. Et ce bienfait dure toute la nuit : elle ne se réveille pas une seule fois, ce qui me permet de récupérer pour le lendemain. Le lendemain...

* * *

Mona est très abattue et refuse de bouger. Allongée sur le divan, elle nous regarde vivre. Seules ses oreilles sont rouges. Rouges de fièvre. Elle tousse toutes les deux respirations, elle ne parle plus. Elle ne fait que respirer et tousser. Respirer et tousser.

Je me secoue. Je dois faire quelque chose. Tout mon être se révolte devant le regard de mon enfant, ce regard qui ne lutte plus.

Je dis à André :

— Je crois que le moment est venu de la faire hospitaliser.

Il déteste les hôpitaux froids, il n'en peut plus de la voir souffrir. Il ouvre tranquillement la bouche et répond :

— Non, je préfère... je veux qu'elle meure chez nous.

— Ne dis pas ça !

Je me retiens de faire une scène. Mona nous regarde. C'est mon enfant à moi aussi, et la décision m'appartient à moitié.

Il se prépare à partir pour l'école. Je veux le retenir, je sais qu'il a de la peine, mais je lui demande simplement :

— Laisse-moi les clefs de la voiture.

Il s'en va à pied comme chaque fois qu'il neige. J'appelle une amie. Je ne veux pas rester seule dans un moment pareil.

— J'ai besoin de toi, tu veux venir ?

Je déteste contredire mon mari, mais je refuse de laisser ma petite fille s'en aller comme ça, sans rien tenter.

Quelqu'un, quelque part, m'aidera. Et je me prépare comme pour sortir. Je me dépêche de terminer tout ce que j'ai à faire. De temps en temps, je jette un coup d'œil par la fenêtre. S'il ne neigeait pas tant... Si nous avons un accident, toutes les deux, il m'en voudra de ne pas l'avoir écouté. Je suis prête, Mona aussi. Je me décide et appelle l'hôpital. Le pédiatre de Mona est absent. J'en suis presque soulagée, je craignais de le voir me dire qu'il n'y a plus rien à faire. Je pense soudain à celui qui, hier, m'a parlé de « commencement ». Quel est son nom, déjà? Je sens qu'il pourra m'aider.

— Docteur (je ne le connais pas beaucoup et hésite à lui raconter ce...), Docteur... (Je me reprends, sûre de ma décision.)

— Oui?

— Mona ne va vraiment pas bien. Mon mari... Mon mari veut qu'elle en... finisse chez nous. Il ne veut plus qu'elle s'ennuie, qu'elle souffre. (Je chuchote pour que Mona ne puisse pas deviner mon désarroi.) Je vous en prie, faites quelque chose. Ne pouvez-vous pas?

Il me demande le numéro de téléphone d'André. Le fait sortir de sa classe et lui parle pendant quinze longues minutes. Minutes pendant lesquelles Mona tousse et moi, j'attends.

Je vois André revenir à la maison, la tête basse. Il a l'air si triste. Comment peut-il continuer à donner ses cours?

Sans perdre un instant, il conduit ses deux femmes à l'hôpital. Je ne pose pas de questions. L'important, c'est qu'il ait accepté de faire hospitaliser notre fille. Il dit enfin :

— Ce médecin m'a convaincu qu'elle sera mieux à l'hôpital. Ils sont équipés pour les soulager, paraît-il.

Je me demande si « les » remplace « mourants ». Je devine à quoi pense André : le dernier voyage à l'hôpital. Ou, peut-être, s'agit-il de ma propre pensée que je refuse. Je ne veux pas parler. Je serre obstinément mon enfant contre moi. Je regarde le ciel, blanc de neige.

— Regarde, Mona, comme le ciel change quand il neige. Tu vois bien comme ça, couchée sur mamie?

Elle me répond en toussant.

André dit :

— Le docteur m'a promis de nous rejoindre aussitôt qu'il aura obtenu les résultats de la ponction, au laboratoire.

* * *

Nous arrivons enfin à l'hôpital. Je souris à la garde-malade qui est, à mon avis, la plus formidable de la pédiatrie. Elle a une façon de dire : « Ça ne va pas, Mona ? » qui semble signifier : « Ça ne sera pas si grave. »

Mona souffre d'une double pneumonie et, encore une fois, on l'installe dans une « croupette ». Elle n'aime pas y être enfermée, mais n'a pas la force de résister. Elle sera seule dans sa chambre. Une fenêtre donne sur une autre chambre, interdite aux visiteurs. Le rideau n'est pas complètement tiré et nous permet de voir une jeune malade d'une douzaine d'années. Elle regarde la télé et, comme on lui fait une transfusion, vérifie continuellement l'aiguille fixée contre sa main. Non, Mona ne sera pas comme elle quand elle sera plus grande. Je me détourne immédiatement de cette triste scène et rassure ma petite :

— Tu vas mieux dormir dans la tente. Je resterai près de toi.

Faites quelque chose, je n'en peux plus de l'entendre tousser. Je garde pour moi ce que je veux crier afin de ne pas énerver le personnel en le harcelant. Dieu ! que le médecin prend du temps ! Qu'est-ce qu'il peut bien faire ? Ah ! le voilà. Il porte une tenue sport ; ses heures de garde sont finies. Il tient une feuille à la main. Je scrute son visage pour deviner le contenu du rapport.

— C'est bon, dit-il. Voyez !

Qu'est-ce que ça veut dire, « c'est bon » ? Comment ça, bon ? Il me tend la feuille ; ma tête fourmille de questions que je n'arrive pas à formuler. Je me dépêche de lire. Je veux tout lire d'un trait. Mes yeux se portent sur une ligne soulignée en rouge, où les mots sont écrits en gros caractères : AUCUNE CELLULE BLASTIQUE. J'ai sûrement mal lu, je recommence. Mais ça... ça veut dire qu'il n'y a que des cellules saines dans sa moelle! Et que celles-ci constitueront un sang fort et sain! Je suis figée, j'ai peur d'exploser. Je regarde le médecin. Puis, me retenant de crier, je réussis à prononcer :

— Mais... c'est une très bonne moelle. Il n'y a aucune cellule maligne.

— C'est ce que dit le rapport.

C'est comme si on venait de m'annoncer que Mona est guérie. Je suis folle de joie au point de ne pas me souvenir de rien. Je la couvre de baisers.

— Tu vois le bon résultat, lui dis-je en lui montrant le papier.

Mona ne comprend rien, mais cesse quand même de tousser quelques instants. Je ne sais plus quoi faire, je ne tiens plus en place. Je dois le dire à quelqu'un.

— Je reviens, mon amour, ce ne sera pas long.

Je cours vers le téléphone public et j'annonce pêle-mêle à mes parents, à mes amis, que Mona est très malade, qu'on a dû l'hospitaliser, qu'elle a une double pneumonie, que sa moelle est très bonne, mais qu'elle a une infection de la vessie. Je déballe tout ça, la voix débordante de joie. Ils ne me comprennent pas très bien. Et je renonce à expliquer. Déjà, je compose un autre numéro.

Le médecin double la dose de cortisone pour aider Mona à lutter contre la pneumonie. Elle deviendra encore plus grosse, mais ce n'est pas grave. Il interdit tous les médicaments contre la leucémie. Elle en a vraiment eu assez. Elle a absorbé le maximum; il faut maintenant aider son organisme à regénérer son sang. Des antibiotiques, du Tempra pour faire baisser la fièvre, des bains d'eau glacée. Et moi, sa mère, je me promets, au pied de son lit, de lui donner tout l'amour et toute la joie de vivre que renferme mon cœur.

* * *

148

Le soir, à la maison, j'éprouve la satisfaction d'avoir remporté une immense victoire, accompagnée d'une peur bien légitime. En effet, la gravité de la situation m'enlève toute illusion.

Je suis harcelée par le besoin de savoir si Mona a besoin de quelque chose, comme lorsqu'elle était là, près de moi. Mon inquiétude augmente tellement que je finis par appeler la garde-malade en chef.

— Comment va-t-elle?

On n'aime pas donner de mauvaises nouvelles aux parents, surtout à onze heures du soir. L'infirmière balbutie au bout du fil :

— C'est que... c'est qu'elle a beaucoup de fièvre. Elle tousse tellement.

— Qu'est-ce que vous avez fait? Qu'est-ce que vous lui avez donné? Et le médecin, est-il là? Vous lui avez téléphoné?

Je réagis à la façon d'une lionne dont le petit est menacé. J'ai l'impression d'une certaine négligence. Tout en parlant, je me rappelle avec quelle difficulté ils ont installé l'humidificateur dans la tente. C'est maintenant l'équipe de nuit qui est de garde. Cette infirmière connaît-elle le cas? Je voudrais tout lui expliquer en même temps. Elle se défend :

— J'ai tenté de rejoindre un technicien pour réparer l'appareil.

— Changez de « croupette », faites quelque chose. Je

149

l'ai amenée à l'hôpital pour qu'elle y soit mieux que chez nous.

Je continue d'un ton plus doux et, à court d'argument, conclus :

— Je vous en prie, prenez-en soin comme s'il s'agissait de votre fille...

L'infirmière promet.

— Merci, je rappelle bientôt.

J'attends pendant une heure interminable. Le temps que le médicament fasse effet. Mona dort maintenant et la fièvre a suffisamment baissé pour qu'il n'y ait plus lieu de s'inquiéter autant. L'appareil fonctionne à pleine capacité et aide à dégager ses bronches obstruées.

* * *

Au fond de moi-même, je suis convaincue que mon enfant est guérie de la leucémie. Certitude que je m'efforce de cacher parce qu'elle est insensée. Je veux tout mettre en œuvre pour la guérir de cette mauvaise pneumonie. Pour commencer, je fais peau neuve. Comme si cette malchance ne devait être que passagère, je m'offre, avec le peu d'argent qui nous reste, une bonne coupe de cheveux. Et j'obtiens un compliment de mon mari, ce qui rend mon sourire encore plus éclatant.

J'ai fait taire mon orgueil pour obtenir qu'une boutique me fasse crédit. Elle exposait justement en vitrine un ensemble qui paraissait fait sur mesure pour moi.

— Si cela ne vous ennuie pas, je paierai plus tard.

Je cherche une excuse.

— J'aimerais bien l'avoir et je ne voudrais pas courir le risque que vous le vendiez.

Attention, ne parle pas trop, on va te proposer de le faire mettre de côté et ce n'est pas ce que tu veux. C'est tout de suite que tu as besoin de ce tailleur. La vendeuse me répond :

— Il n'y a pas de problème. D'ailleurs, nous nous voyons souvent.

Bien sûr! Dans une petite ville, tout le monde se croise, tout le monde se voit. Je m'oblige à croire que j'ai réussi à lui dissimuler le vrai motif. L'important, c'est de ne pas gâcher ma joie et d'être belle. De me sentir magnifique. C'est vital. J'enfile le nouvel ensemble; il est de bonne qualité, ce tissu. Je porte mon tailleur neuf avec autant de dignité que s'il s'agissait d'une robe de mariée. André sourit et, pour l'instant, la dette passe au second plan.

Toute belle, je me présente à l'hôpital. J'entre en souriant dans la chambre de Mona. Les mains sur les hanches, je pivote lentement, à la façon d'un mannequin, pour me faire admirer.

— Tu aimes mes cheveux, Mona?

Quelle question à poser à une petite fille qui n'a plus un poil sur la tête! Enfermée dans sa « croupette », Mona se montre complètement indifférente. Elle me boude. Parce que je l'ai laissée là-dedans. Je lui propose des jeux, mais elle refuse de s'intéresser à quoi que ce soit. Elle tousse. Inconsciemment, j'en viens à vouloir essayer de cracher, comme pour l'aider à se débarrasser de ce qui gêne sa respiration. Dès que je m'en rends compte, j'arrête ce réflexe nerveux.

— Tu n'as rien mangé, ton plateau est plein. Tu veux que Mamie te rapporte de belles surprises de chez nous?

C'est à partir de ce moment que je comble Mona de friandises que, d'habitude, elle adore. Elle y goûte à peine.

* * *

André s'absente de son travail pour être plus souvent auprès de sa fille. Tout le monde aime cette enfant et veut l'aider. Le matin, c'est son infirmière préférée qui vient la voir avant de commencer son travail à la clinique externe. Elle lui apporte des livres d'enfants. Mona la regarde par en-dessous. De sa « croupette » embrumée, elle ignore les cadeaux. Elle se moque de l'amour qu'on lui témoigne. Elle tousse.

Les parents et les amis qui, le soir, viennent veiller la petite malade grimacent malgré eux en entendant cette toux si vilaine dont le son est à la fois amplifié et assourdi par la tente à oxygène. Moi, j'ai l'air de ne rien entendre. Je bavarde comme si Mona devait se rétablir bientôt. Et pourquoi pas? Sa moelle est saine, maintenant. J'ignore l'expression douloureuse de ceux qui la regardent. Je ne veux pas la remarquer. Eux, ils ne voient qu'une enfant méconnaissable, enflée, chauve, le regard éteint, d'une irritabilité maladive. Moi, sa mère, je vois tout autre chose. Et je prévois autre chose. La scène s'en trouve étrangement modifiée.

Certains laissent échapper des « pauvre petite enfant ». Je reste insensible devant leurs jérémiades. J'ai l'air d'une sans-cœur. Jamais je ne laisse voir que je suis déprimée, que j'en ai assez. Pour la simple et bonne raison que je ne le suis pas.

*   *   *

153

Ce soir, vêtue de ma robe neuve, légèrement maquillée pour mieux souligner mes traits, je me sens particulièrement à mon avantage. André n'est pas là, il assiste à une réunion. Nous nous sommes donnés rendez-vous dans un restaurant, vers dix heures. Je suis excitée par cette petite sortie. Je ne sais trop quelle joie me transporte ainsi. Je rencontrerai sûrement quelques-uns de ses confrères de travail. Je raconte tout ça à Mona, comme si elle s'y intéressait. Je parle avec animation. Elle reste sans réaction. Elle boude encore. Je passe outre à son indifférence et poursuis quand même :

— Tu sais, papa a été élu président de l'Association des professeurs d'anglais de l'Estrie, c'est important pour lui.

La petite main que je tiens ne réagit qu'aux mouvements saccadés du corps qui n'en peut plus de tousser. Je décide d'intensifier ce contact physique. Ce sera bientôt le moment de m'en aller. J'ouvre la fermeture éclair qui emprisonne la vapeur et l'enfant.

— Tu veux m'embrasser, ma fille, Mamie s'en va...

Et là, au creux de mes bras, je la sens éclater. Elle explose, pleure, crie.

— Qu'est-ce qu'il y a, ma petite Mona?

Je réponds à sa place :

Tu t'ennuies, c'est ça? Tu es fatiguée de tous ces médicaments, de toutes ces piqûres?

L'enfant pleure de plus en plus fort, secouée par la

toux. Je lui dis :

— Je t'aime. Tu vas voir, tout ce qui encombre ta petite gorge va disparaître. Dès que tu iras mieux, nous te ramènerons à la maison. Je te le promets, mon amour.

Les deux jours passés dans sa tente lui ont paru une éternité. Elle se serre contre moi, me montrant ainsi qu'elle est rassurée sur l'amour que je lui porte. Et elle crache.

— Tu vois, ça sort. Force, Mona, sors tout! Tout!

Quand elle s'est enfin calmée, je lui demande une dernière chose :

— Mona, essaie de sourire. Juste ça.

Je ne lui demande que ça! Sourire, s'ennuyer et souffrir, et encore sourire.

— Tiens! Demain, quand garde Nicole viendra t'apporter des petits livres, fais-lui un beau sourire. Tu sais, elle s'ennuie de ton sourire. Tu veux bien?

Je fais comme si elle m'avait répondu par l'affirmative. J'essuie les grosses larmes qui coulent sur les joues énormes et luisantes. Mona presse légèrement mes doigts, elle essaiera.

* * *

La « cérémonie » du départ dure généralement presque une heure. Selon l'infirmière qui est de garde, mon comportement maternel est plus ou moins approuvé. Mais je m'en moque. Guidée par une sorte d'intuition, j'agis selon mon jugement. Je considère important que ma fille s'extériorise, qu'elle apprenne à exprimer ce qu'elle ressent.

Ce soir, André veut s'en mêler. Il me bouscule verbalement dès que les embrassades commencent :

— Tu l'embrasses et tu pars. T'entends ? Elle refuse de nous parler tout le temps qu'on passe auprès d'elle et, au moment de partir, elle s'accroche à nous.

Décidément, les hommes ne comprennent rien à rien. Les échanges doivent se faire de telle heure à telle heure. Je réplique le plus calmement possible :

— Ne lui en demande pas tant à la fois. Va m'attendre dans le corridor si ça t'agace.

Je prends le temps qu'il faut. Et quand Mona s'est enfin libérée de tout ce qu'elle a accumulé dans son petit cœur d'enfant, elle et moi, d'un commun accord, nous rappelons son père. Devant lui, l'enfant retient ses sanglots pour ne pas le décevoir. Il la caresse tendrement, lui parle avec douceur et sort en se disant qu'il aime bien les femmes, mais qu'il n'y comprend rien.

L'enfant finit par sourire et moi, je referme la porte, victorieuse.

* * *

156

Le lendemain, Mona accepte de jouer dans sa « croupette ». Je glisse ma main dans la petite maison et nous faisons une partie de « Tock ». Je fais mon possible pour perdre et me montre terriblement désolée de voir qu'elle me bat aussi souvent. Je lui répète :

— T'en as de la chance, toi !

Mona finit par croire qu'elle jouit d'une veine infaillible. Et quand je décide finalement de gagner une toute petite partie, au moins une, j'en suis incapable. Et l'enfant s'écrie, radieuse :

— Tu vois comme j'ai de la chance !

Je montre à Mona le beau soleil qui brille dehors, et je crois très fort en la vie. Je veux tant faire sentir à mon enfant cette force de la vie ; dans un langage qu'elle puisse comprendre. Et je parle du chien.

— Il a tellement hâte de te voir. Il va souvent renifler ton lit. Il saute dessus et, ensuite, vient vers moi en courant.

Mona sourit en imaginant les finesses de Kiki.

Je lui parle de Noël qui approche. Je fais des projets de décoration. Toute la maison aura un air de fête, mais c'est surtout dans nos cœurs que règnera l'allégresse. Par tous les moyens, je tente de donner à Mona le goût de revenir chez nous.

* * *

Quatre jours ont passé et Mona peut maintenant sortir de sa tente pour se faire câliner par sa maman. Alors que nous sommes en train de bavarder, un interne qui nous connaît bien (c'est le même que nous rencontrons depuis le début de la maladie de Mona) s'arrête en passant. Machinalement, il me dit, en la montrant du menton :

— C'est triste, ces cas-là. On se sent tellement impuissant avec ces petits êtres.

Il hoche la tête de droite à gauche, peiné.

Le choc me plie moralement en deux. Je me sens comme un boxeur mis K.O. à la dernière seconde, alors qu'il croyait déjà avoir remporté le championnat. J'ai le souffe coupé, l'interne m'a atteinte au beau milieu de mon rêve.

Je proteste avec vigueur :

— Mais les derniers examens ont indiqué que la moelle est saine ! Vous les avez vus !

Non, il ne les a pas vus. Ce n'est pas ce point-là qui l'intéresse. Il parle du point inévitable. Du point final.

Et moi, dans mon désir de faire vivre ma fille, j'avais oublié ! C'est passager, la vie ! Surtout celle de Mona. Les hommes ont fait des calendriers et vous les lancent comme ça, en pleine figure.

Mes yeux se voilent et je n'ai plus envie de jouer avec Mona. L'interne est parti. Je contemple la fragilité de mon rêve insensé. Il suffit d'un peu de bon sens pour le faire voler en éclats. Comment faire pour le protéger contre ce genre d'attaque? J'ai l'impression de marcher sur un fil d'acier. Je dois garder un équilibre parfait. D'un côté, la cruelle réalité et, de l'autre, le rêve insensé. Quelle force permet de conserver son équilibre?

Ne pas laisser la réalité affecter mon rêve.

Ne pas laisser le rêve nuire à la réalité.

Je soignerai ma fille comme je dois le faire et je la traiterai comme si elle devait vivre. La leucémie est incurable, je le sais, et personne ne me permet de l'oublier. Je passe la journée à refaire mes forces, à retrouver mon souffle d'espoir.

Contrer une attaque à la fois. Et à chacune, recommencer en croyant qu'on peut réussir. Et je me laisse aller à imaginer la réussite. Une guérison. Je la sens presque. Si bien qu'en sortant de mon rêve, je me remets à vivre comme si le succès était déjà acquis.

Et, entêtée, je reviens, le soir, auprès de Mona. Pour lui transmettre toute cette vie qui bout en moi. Pour lui parler de l'avenir. Et je suis prête à braver le corps médical tout entier.

Le médecin promet :

— Si Mona mange, je la laisserai retourner dans sa famille.

Le lendemain, du téléphone public, Mona m'annonce avec fierté :

— J'ai presque tout mangé. Toute mon assiettée!

Elle m'énumère tout ce qu'elle a eu le courage d'avaler. Le pédiatre signe son congé le soir même. Incapables d'attendre un seul instant de plus, nous allons tous ensemble la chercher à l'hôpital. Même le chien est de la fête.

* * *

159

Comment vit-on quand chaque jour est un cadeau reçu au lever du soleil? On ouvre le présent avec plaisir. Sans craindre qu'il ne s'abîme. Dans ce temps-présent, on veut tout voir, tout entendre, tout sentir. On trouve que chaque journée est merveilleuse et on la vit avec la conviction que cela n'aura pas de fin. Malgré tout, on prend des précautions comme si chacune devait être la dernière.

Penchée sur ma machine à coudre, je songe à quel point je veux vivre intensément. Je désire vivre pleinement. Je suis en train de me faire une robe... et mon fil se casse brusquement.

« Je ne peux pas supporter la haine, ennemie numéro un des mauvais jours. » Oui, ce sera bien comme ça, en blanc, avec cette garniture.

« Je fuirai la haine comme la peste. Je veux AIMER. Mais pas en bonasse! Je veux qu'on me respecte. » Où sont passés mes ciseaux? Ah! Les voilà.

« Mais comment ME BATTRE SANS HAÏR? »

Hier soir, j'ai osé dire à André :

— Tu ne vas pas t'endormir comme ça?

Je ne sais trop quelle erreur stupide de ma part l'avait froissé. Il allait gâcher une nuit. Pourquoi perdre une nuit? Je me serais prostituée pour l'en empêcher.

— Non, non! Tu ne comprends pas. Je ne te demande pas que nous faisions l'amour. Je te demande de me comprendre.

Il était las de se répéter. Je recommence toujours les

mêmes bêtises. Mon caractère lui échappe. Moi, je l'accusais de n'en accepter que les aspects qui lui convenaient. À son profit !

— Tu prends tout ou rien. Pas de demi-mesure.

Et, finalement, nous avons partagé l'une de ces mesures emplies d'une joie magique.

Le tissu prend forme sous mes doigts. Je chantonne des chansons d'amour et souris de contentement. Mona joue dans un coin avec des retailles de tissu et sa « Barbie » à moitié nue.

— Pauvre Mo, tu as une mine terrible avec tes quelques mèches qui te tombent dans le cou. Si tu veux, je vais les couper.

Elle fait signe qu'elle est d'accord. Je m'interromps pour couper ces mèches de cheveux morts. Elles attendront ainsi les nouveaux cheveux qui s'annoncent déjà. En effet, le crâne de Mona n'est plus blanc comme celui d'un vieillard, mais gris foncé. Les cheveux apparaîtront dans quelques jours, et par milliers. Comme lorsqu'ils sont tombés.

Je tiens mon enfant à bout de bras, comme un tableau, pour mieux l'examiner. Et à la lumière de l'amour, je la vois telle qu'elle sera dans quelques semaines, lorsque ses joues seront moins enflées et qu'un premier duvet recouvrira son crâne.

— Tu vas voir, tu seras belle.

Mona me croit et ses yeux brillent d'assurance.

C'est une de ces journées où je réussis tout ce que j'entreprends. Debout devant le miroir, je vérifie si ma robe tombe bien et me déclare très satisfaite du résultat. Il y a des jours où nos mains devancent notre cerveau. Ou, plutôt non, c'est notre cerveau qui sait très bien ce qu'il veut. Je voudrais que ma vie soit remplie de ces journées. Subitement, ne pouvant plus contenir ma joie, je crie de plaisir :

— Mona ! Mona !

Mona est habituée à mes cris d'allégresse et elle se retourne pour m'entendre lancer un :

— Je t'aime...

* * *

161

Je me sens si légère depuis que le médecin m'a annoncé que l'analyse sanguine était enfin normale. Il a prescrit un médicament qui devrait maintenir les globules blancs à un certain niveau. Dès maintenant, je peux diminuer la cortisone. Enfin, nous connaîtrons bientôt le vrai caractère de Mona. Cette cortisone la rendait si irritable. Je crois bien qu'on aura terminé pour le jour de l'An. Le médecin m'a dit :

— Vous aurez sûrement un beau Noël.

Ça oui ! Ce sera Noël tous les jours.

Il continue :

— Après les fêtes, nous déciderons d'un traitement afin de la garder en rémission.

Le mot est enfin prononcé : RÉMISSION. Le but premier est atteint. Je vais pouvoir souffler un peu. Et j'ai une telle envie de fêter. Nous irons danser. C'est ça ! Il y aura une danse à l'école d'André, à l'occasion de Noël. Ma robe sera prête à temps.

* * *

La salle bourdonne de gens impatients d'avoir du plaisir. Je vais sûrement m'amuser. Seuls ceux qui ont vécu en ermite durant des mois peuvent autant apprécier les amis... et le gin! Je m'avance vers toutes ces personnes que je n'ai pas vues depuis si longtemps. On m'accueille avec beaucoup de sympathie et des questions, trop de questions.

— Comment va ton enfant?

— Mona?

Comme si je ne le savais pas!

— Elle va bien.

On me regarde d'un air surpris. Presque déçu, me semble-t-il. Je sens que je n'ai pas répondu comme j'aurais dû le faire. Alors, je m'empresse d'ajouter avec un peu de tristesse :

— Pour le moment. Bien sûr, on ne sait jamais avec...

Il a fallu que j'ajoute ça! Je m'en veux. Le mot « bien » a quelque chose d'arrogant. En voilà une réponse à propos d'une leucémique. Je regrette de ne pas avoir préparé une formule qui m'aurait évité d'avoir à penser et à m'attrister pour satisfaire la curiosité bien légitime des amis. Pourquoi n'ai-je pas pensé à ce mauvais côté des réunions? Je n'ai songé qu'au plaisir que j'allais avoir. Oh! et puis, je ne suis pas venue ici pour parler de maladies. À la prochaine qui s'informe, je réplique :

— Ça va très bien, je l'ai laissée avec une bonne gardienne. Elle téléphonera si quelque chose ne va pas.

Et à une autre, je dis n'importe quoi :

— J'ai envie de danser. Elle est bien décorée, la salle, tu ne trouves pas?

Finalement, on oublie de me demander des nouvelles de Mona. Il est évident qu'elle va très bien.

Je me sens épiée par quelques bonnes dames réunies dans un coin. Elles doivent me croire inconsciente de m'abandonner ainsi au rythme de la musique. Peut-être s'imaginent-elles que je fais semblant. Leurs regards sceptiques ne me dérangent pas. Je me laisse emporter par la musique. Ma tête souligne chaque mesure, mes hanches retrouvent le plaisir de danser, mes pieds s'animent sans le moindre effort. Je revois mes années de jeunesse et rends hommage à la vie, de tout mon corps. Étourdie, essoufflée, je chantonne les paroles. Il y a si longtemps que mon cœur n'a pas ainsi battu de joie. Mon partenaire me fait virevolter, se rapproche, me repousse, au rythme saccadé du rock'n roll.

J'avale ma salive pour retrouver mon souffle et me laisse entourer par des bras aimants pour écouter Elvis chanter un « slow ». Sa figure enfouie dans mon cou, André me dit tendrement :

— On ne se lâchera pas, nous deux!

Dans un coin particulièrement mal éclairé de la salle, je sens que la terre s'arrête de tourner et qu'elle repart en sens inverse. Il vient de m'embrasser.

Un hors-d'œuvre dans la bouche, un verre dans une main et une assiette pleine dans l'autre, je m'apprête à me restaurer.

Le gardien de l'établissement s'approche de moi :

— Madame, venez vite, on vous demande au téléphone.

— J'y vais, dit André, en reposant l'assiette qu'il était en train de garnir de viandes froides.

Il suit le gardien et je me rends compte que je n'ai pas peur. Je ne sens pas l'angoisse qu'une urgence déclenche habituellement. Suis-je engourdie? J'affiche un indécent sourire de satisfaction que j'essaie en vain de retenir. La musique m'empêche de penser avec lucidité. Je m'amuse à deviner la raison de cet appel. Je ne vois pas de sang. Une

leucémique saigne facilement, je devrais avoir peur. Voyons!
La seule qui puisse m'appeler, c'est la gardienne. Donc,
quelque chose se passe à la maison. Est-ce grave? Pas
forcément. Si Mona s'est réveillée et nous a demandés,
impatiente comme elle est, elle a dû se mettre à pleurer
avec un peu trop d'insistance. Et la gardienne n'aura pas
hésité à téléphoner à cause de son état.

C'est étrange d'avoir ainsi deviné juste, me dis-je en
écoutant André me résumer la conversation.

Nous rentrons à la maison, non sans avoir d'abord
invité des amis à venir terminer la soirée chez nous.

— On prendra un café, voulez-vous? Ou mieux encore,
une « Tia Maria ».

J'insiste un peu parce que j'aimerais tant partager ma
joie et ne pas être traitée comme si un terrible malheur
m'accablait.

André est en train de défaire l'attache de ma robe au
moment où l'on sonne à la porte. Ils sont venus. Comme
avant. Je suis contente. Il y a même un nouveau couple qui
accompagne nos amis. Nous nous présentons, échangeons
des poignées de main.

— Entrez, venez. Je vous offre un verre ou un café?

Badinant, heureuse, j'apporte à chacun ce qu'il a demandé.

Mona s'est relevée. Elle se balance dans son petit
fauteuil, au salon. Une grande photo d'elle-même, à trois
ans, est accrochée au-dessus de sa tête. On dirait une de ces
annonces AVANT-APRÈS. Quel effet! Je regrette de ne
pas avoir caché la photo. Ne pouvant croire qu'il s'agit de
la même petite fille, nos nouveaux amis demandent de qui
il s'agit. Je les entends chuchoter :

— Qu'est-ce qu'elle a, leur fille?

L'inquiétude se lit déjà sur leurs visages. Je m'interdis
de les regarder et laisse aux autres, qui sont déjà au courant, le soin de leur répondre. Comme si elle percevait leur
tristesse, Mona vient se blottir dans mes bras.

Si je la cachais, nos amis seraient plus à l'aise pour
laisser libre cours à leur gaieté. Alors, pour mon bien
autant que pour le sien, je lui dis :

— Va te coucher. Nous sommes ici, maintenant; tu n'as pas à t'inquiéter.

Mona cherche son père du regard. Il n'y a rien à faire. Il rit avec des messieurs, debout dans un coin. Pourtant maman ne plaisante pas, elle a son sourire autoritaire. C'est bien vrai. Je dois disparaître. Est-ce que je les dérange?

Mona hésite. Elle finit par se décider et saute par terre. Je lui dis, en lui administrant une tape amicale sur les fesses :

— Bonne nuit, ma grosse toutoune!

Mona fait semblant d'être très insultée lorsqu'on la qualifie de « grosse ». Mais, à la grande surprise de nos invités, nous éclatons de rire, toutes les deux. Eh oui! nous avons appris à rire d'une difformité passagère. C'est vrai, c'est bien vrai, n'est-ce pas? Ça ne durera pas. Mona perdra ses joues cireuses et ce gros ventre. Comme si nous avions échangé ces paroles à voix haute, ma fille et moi nous nous embrassons pour nous montrer que nous nous sommes bien comprises. Heureuse maintenant, Mona va se cacher sous ses couvertures.

*   *   *

— Mon amour, prépare bien ta mère et ta petite sœur à ce qui les attend. Tu n'expliqueras jamais assez. Elles viennent à Noël pour fêter, non pour pleurer.

J'ai lancé des invitations à droite et à gauche :

— Vous viendrez passer la veillée de Noël avec nous, si le cœur vous en dit. Il y aura à boire et à manger.

Ils se sont crus obligés de rendre visite à des gens dans le malheur. Ils ont célébré Noël comme si c'était le dernier de la petite Mona. Fiasco ! Ils n'ont rien compris ! Ils ont voulu fêter avec la conviction qu'il s'agissait d'un dernier Noël. Nous, nous voulions exprimer l'amour comme si c'était notre dernière chance. Nous voulions tout y mettre. Sauf la tristesse.

Étant donné que sa maman est la seule à croire qu'elle va bien, Mona devient difficile. Elle se montre capricieuse dès qu'il y a un visiteur et plus on la remarque, plus elle est terrible. Il n'est pas encore minuit et c'est le désarroi le plus total. Certains vont se cacher dans la salle de bain pour y pleurer.

Le grand-père renifle en disant :

— Elle ne se ressemble plus du tout, ma pauvre petite-fille. Elle ne guérira donc jamais ?

C'est réellement pénible de voir cette enfant bizarre s'ébattre dans la maison.

Mona insiste trop, refuse carrément ou pique une crise inattendue.

Ses joues sont épouvantables à regarder. Elles sont

enflées et cireuses; on croirait qu'elles vont se fendre. L'idée de lui dire de sourire avec plus de retenue me traverse l'esprit. Et ses quelques poils qui volent autour de son crâne... La perruque traîne sur le coin d'un meuble.

L'affolement des invités est compréhensible.

Ils ont voulu s'efforcer de faire plaisir et n'en retirent que de la souffrance. Ils ont complètement manqué le bateau. Il faut savoir éprouver de la joie quand on en donne. Et ils rient d'un rire forcé et nerveux. Ils boivent pour pouvoir tenir le coup jusqu'au moment du départ. J'essaie de les apaiser :

— Mona a eu une belle prise de sang pour Noël.

— Ah oui?

Ils ne veulent pas en parler. Pauvre femme! Ça crève le cœur. La scène leur devient insupportable. Les paroles sont superflues, la peur se lit dans leurs regards. Est-elle folle? ne se rend-elle donc compte de rien?

Allez-vous-en, que ça cesse enfin! Je m'agrippe au bras d'André parce que je me sens glisser vers le désespoir. Quelqu'un est allé chercher les manteaux, ils partiront bientôt. Personne ne s'est aperçu de ma défaillance d'une seconde.

* * *

Quelques jours plus tard, lors d'une réunion de famille où je me rends seule, André s'occupant des enfants pour me permettre de me changer les idées, je tente de m'expliquer.

Un petit cousin est venu me trouver en courant :

— C'est vrai que Mona va mourir?

— Qui t'a dit ça?

— Les grands. Leur maman l'a dit.

Je hausse le ton pour que tous m'entendent bien :

— On ne dit pas ça! Tu vois, t'es chanceux (cette manie que j'ai de chercher la chance partout), Mona ne t'a pas entendu. Elle a été très malade, mais, maintenant, elle va mieux. Ne répète jamais cela à personne. Tu aimerais qu'on dise cela de toi si tu étais malade?

— Non.

Il regarde son père qui a vendu la mèche. Il ne sait plus trop qui il devrait croire. J'efface son doute.

— Tu me promets de ne plus jamais dire ça. (Je n'ose pas répéter les mots, tellement je les trouve lugubres.)

Personne ne doit prédire la mort de Mona.

Ai-je raison? Qui peut le dire? Je me sens affreusement lasse. Cette lutte constante m'épuise. Je décide de rentrer à la maison. Les autres insistent pour que je reste et souhaitent en même temps me voir partir pour pouvoir discuter de la situation et parler plus à leur aise de mon aveuglement maternel.

Quant à moi, je m'obstine à apprendre une chanson à

169

Mona, pour le premier de l'An. « Il y a un chien chez nous, on est bien chez nous... » Mona chante devant toute la famille. Aucun chœur réunissant les plus grandes voix du monde ne pourrait être plus beau. Il y a un mois, elle était aphone et, aujourd'hui, elle chante. Tous l'applaudissent en retenant des larmes de joie.

*   *   *

Tony nous a envoyé un article sur la leucémie. André insiste joyeusement sur les trois ans de survie. Comme moyenne. Et là, plus bas, il est dit que cinquante pour cent de ceux qui tiennent pendant trois ans réussissent à se rendre jusqu'à cinq ans.

Je voudrais que le temps passe très vite pour arriver au bout de ces trois ans... Non! Il faut, au contraire, retarder les horloges au cas où nous ne ferions pas partie de la bonne moitié. Et puis, je me refuse énergiquement à compter. Pour mieux vivre.

Aujourd'hui, nous allons à l'hôpital pour l'injection mensuelle. J'apporte l'article pour le montrer au médecin.

— Voyez, Docteur. Vous savez, on peut même sauver la nouvelle pousse de cheveux. Il l'expliquent, ici.

Une bonne douche de réalité. Il me répond :

Écoutez, cet article a été écrit pour l'Association du cancer. On a besoin de fonds pour poursuivre les recherches. Ce n'est peut-être pas très scientifique.

Il promet néanmoins de s'informer à propos des cheveux. Les revues médicales en parlent, c'est bien vrai.

* * *

Chaque mois, j'aide le médecin à coiffer Mona d'un turban qu'on gonfle d'air et qui enserre son cuir chevelu. Il faut le garder ainsi, sous pression, pendant l'injection et pendant les cinq longues minutes qui suivent. Les éléments toxiques du médicament sont transportés directement à la tête par le sang et, en l'empêchant de se répandre dans le cuir chevelu, on protège celui-ci.

Ça ne te fait pas mal, Mona?

Sous l'énorme bandeau, elle fait signe que non. Nous comptons les secondes pour nous aider à patienter. C'est fini, on relâche.

Chaque visite mensuelle devient un jour de fête. C'est nous qui gardons l'auto pour aller nous promener au soleil de neuf heures du matin. Après l'injection, nous nous offrons un bon repas. Et vient le moment qui me comble de joie, celui où le laboratoire annonce : « Prise de sang NORMALE ».

La fête se prolonge durant tout le mois. Mona prend de la cortisone pendant les cinq premiers jours. C'est si peu cinq jours, comparés à un mois. Le reste du temps, elle n'a qu'une petite pilule à avaler le soir. Et, bien entendu, une prière à saint Joseph.

Pour chasser ma peur d'un avenir sombre, j'imagine le printemps prochain. Je fais des projets. Je songe même à me remettre à travailler à l'extérieur, pour aider à boucler le budget.

* * *

Le beau-frère de Californie, Joey, est venu nous rendre visite.

— On va en ville, aujourd'hui, c'est l'injection de Mona. Tu nous accompagnes.

C'est la deuxième injection mensuelle. Le médecin examine attentivement l'enfant et remarque ma gaieté insouciante. Il me demande :

— Comment la trouvez-vous ?

— Moi, je trouve qu'elle va bien, sauf cet essoufflement qui recommence. On dirait qu'elle cherche à reprendre haleine après avoir couru.

L'examen terminé, il me dit :

— Aujourd'hui, n'attendez pas les résultats. Je vous téléphonerai.

Nous allons tous les trois dîner en ville et flâner dans les magasins. De retour à la maison, l'inquiétude me gagne. Pourquoi le médecin n'a-t-il pas voulu me donner les résultats tout de suite ? C'est peut-être parce que Joey était avec nous.

C'est seulement au bout de deux jours qu'il me rappelle.

— Bonjour, Docteur. Je commençais à m'impatienter. Mais nous vous avons tellement dérangé, ces derniers mois, que je n'osais pas vous téléphoner à la maison juste pour me rassurer, pour que vous me confirmiez que les analyses sont toujours positives.

Je parle et il ne sait trop comment m'interrompre. Il a

des choses à me dire.

— Madame, ça ne sert à rien de jouer à cache-cache avec vous.

— Pourquoi à cache-cache, Docteur?

Et, subitement, je comprends.

— Qu'est-ce qu'il y a, dis-je, le souffle coupé.

—Il y a que la rate et le foie de Mona sont encore enflés.

— Comment était la prise de sang?

— Normale.

— Alors?

— Le foie et la rate sont les premiers signes.

— Les premiers signes de quoi?

— Je vous en prie, vous comprenez, n'est-ce pas?

Je mords dans mes mots :

— Vous m'aviez dit de vivre sans m'inquiéter, qu'elle était en rémission pour un certain temps! Ce ne peut être déjà fini, ça ne fait que commencer! Deux mois, Docteur!

— Je sais, je sais. Je regrette vraiment, je n'y puis rien. Demain, vous reviendrez. On fera une ponction de la moelle et on recommencera.

* * *

Assise à côté du maudit téléphone, je suis assaillie par le souvenir d'une chose terrible que j'ai osé faire, hier. J'ai donné une tape à Mona. Me voilà bien punie, ça m'apprendra à frapper ma fille. On me l'enlèvera pour de bon. Je revois la scène, Mona qui se tord sur son lit et ma main levée, prête à s'abattre sur l'enfant têtue. Comme je voudrais effacer ce geste!

Mais j'en avais assez des crises de Mona et j'ai voulu lui apprendre à mieux se conduire à l'avenir. Quel avenir?

Je lui avais offert une paire de lunettes de soleil. Elle en avait terriblement envie et les avait mises aussitôt. J'attendais un merci. L'enfant gâtée avait oublié pourquoi on dit merci. Tant d'ingratitude m'avait agacée.

— Tu dis merci ou je te les enlève.

Déterminée à ne dire que ce qu'elle voudrait bien dire, Mona se mordait les lèvres. Plus je parlais, plus elle se refermait sur elle en refusant cet échange d'amour.

— Je te donne mon dernier dollar et tu ne veux même pas me remercier! Tu n'es qu'une petite égoïste.

Je haussai le ton. Je ne savais plus si c'était la rage ou l'amour qui l'emportait.

— Tu te vois grandir comme cela? (Je m'obstine à la traiter comme si elle allait grandir.) Eh bien! moi, je ne veux pas faire de toi un monstre d'égoïsme que personne n'aimera et qui ne pourra aimer personne. Allez, dis merci!

Indignée de me voir en colère contre elle, Mona refusait avec une obstination croissante. Elle me poussait à aller jusqu'au bout, tout comme je l'aurais fait avec n'importe quel autre enfant. Elle me défiait du regard.

Du coup, je lui enlevai ses lunettes et elle se mit à hurler de rage.

— Va faire ta crise dans ta chambre. Allez, va te coucher. Tu sortiras de ta chambre lorsque tu seras de bonne humeur.

Évidemment, Mona refusa de bouger. Bien décidée à ne pas céder, je l'empoignai et la portai sur son lit. Elle se débattait et me donnait beaucoup de mal.

— Arrête ça, ou...

Et V L A N! Ma main s'était abattue. Francis accourut en criant:

— Qu'est-ce que tu fais là?

Il pleurait en regardant Mona se lamenter comme si je l'avais égorgée.

— Tu bats ma petite sœur, ajouta-t-il, affolé, tu sais qu'elle est très malade et tu la frappes!

Je lui tournai rapidement le dos pour lui cacher mes larmes et j'eus le courage de dire:

— Mona, tu restes là. Tu sortiras lorsque tu voudras dire merci. Et alors je te rendrai tes lunettes. Pas avant, tu m'entends?

Elle n'entendait rien, elle criait à rendre l'âme.

Encouragée par son frère et par moi, indirectement, elle avait finalement dit merci. Et, comme si elle s'était sentie soulagée d'un énorme poids, elle m'avait sauté au cou en répétant:

— Merci, mamie, merci beaucoup.

Je garde les yeux fixés sur le tapis du salon; Mona passe près de moi en courant. Je l'attrape au passage.

— Viens ici, toi!

Je regarde ses mains, elles sont roses. Les yeux. L'intérieur de la paupière est tendu, et là, c'est rouge de sang. Mona n'aime pas me voir jouer au médecin avec cet air sérieux; elle se secoue, incapable de rester en place, agitée.

— Va jouer, girouette!

Mon cœur bat fort, mais je refuse de céder à la panique. Quelle insouciance! Je devrais être affolée. Est-ce que je veux m'aveugler délibérément pour ignorer ce qui fait trop mal? Non, c'est plutôt que je ne sens plus rien. Parce que j'ai eu trop mal. Je suis devenue insensible. Peut-être est-ce l'orgueil qui m'empêche d'accepter la défaite. D'où me vient ce calme intérieur?

Mon instinct maternel me fait prendre la vie au jour le jour, heure après heure. Et c'est l'heure de préparer le souper, justement. Comme si je ne croyais pas un traître mot de ce que je viens d'entendre, je lave la laitue, feuille par feuille, avec précaution, comme pour bien vivre ce moment, celui-là, seulement.

Ce soir, dans la baignoire, Mona me paraît bien rosée. Je téléphone à celui de mes frères qui est infirmier :

— N'y a-t-il pas d'autres maladies qui font enfler le foie et la rate?

— C'est peu probable dans son cas. Tu devrais te fier aux spécialistes. Nous en connaissons si peu en ce domaine.

* * *

La troisième ponction est beaucoup moins impressionnante que les précédentes. On s'habitue à tout, ma foi! Je communique mon insouciance à Mona. Malgré ça, un violent déclic se produit en moi à la vue du médecin qui s'apprête à lui donner une injection de Vincristine. Je connais les fioles, je ne peux pas me tromper. S'il recommence à la bourrer de médicaments, c'est qu'il est certain de sa rechute. Néanmoins, je sens que je dois l'arrêter immédiatement, mais je ne sais qu'inventer pour l'empêcher de faire cette piqûre. J'essaie de gagner du temps :

— Qu'est-ce que vous faites, Docteur?

— Je lui fais son injection.

— Je sais. Mais elle en a déjà reçu une, il y a à peine une semaine.

— Mais nous devons recommencer. D'ailleurs, le fait qu'elle a reçu sa Vincristine a déjà fait diminuer son foie.

Je trouve, Dieu sait où, l'audace d'insister :

— Docteur, pourquoi n'attendez-vous pas les résultats de la ponction?

Il est si bon pour Mona, je regrette d'avoir l'air de douter de lui. Il s'explique :

— C'est que je veux lui épargner des souffrances inutiles. Elle dort. De plus, vous devriez revenir à l'hôpital.

Ça ne fait rien. Je peux revenir. S'il-vous-plaît, ne lui faites pas d'injection avant de connaître les résultats.

Il paraît irrité par tant de ténacité et d'aveuglement, mais jette le médicament dans l'évier et dit :

— Ça m'est égal ; c'est vous qui devrez vous déranger.

Je le prie de me communiquer les résultats le plus tôt possible. Ce qu'il fait.

— La moelle est saine.

— Je le savais ! lui ai-je lancé involontairement.

Il reprend, d'un ton presque agacé :

— Il y a sûrement quelque chose qui ne tourne pas rond. Ce n'est pas normal que son foie et sa rate soient enflés. Attendons.

Condamnée à attendre, je tourne sur moi-même, les mains en l'air et exécute quelques pas de danse. Je me sens guidée par je ne sais quelle force. Plus que jamais, je suis décidée à vivre. Mona me rejoint dans ma danse.

* * *

Mais enfin, qu'est-ce qui se passe encore? Ce n'est donc jamais fini? Que me reste-t-il encore à apprendre?

— Tu ne manges pas, Mona?

Je me morfonds à essayer de deviner ce qui ne va pas chez elle. Son teint est terriblement terne. Terreux. Et voilà que la fièvre s'en mêle. Nous allons nous rendre à la clinique. Il faut en savoir plus long. La soigner, faire quelque chose. Le docteur nous attend.

— Bonjour, Docteur!

Il a la mine basse, notre médecin, ce matin.

Tout en installant Mona, complètement apathique, sur la petite table blanche qui la reçoit une fois de plus, je lui dis, un peu à tout hasard :

— Docteur, Mona a les coins des yeux jaunes, je crois que c'est la jaunisse. Son teint...

Avant que je ne me sois redressée, il a passé la tête dans la porte et crie à la secrétaire :

— C'est la jaunisse! Mona a la jjj...

La nouvelle circule d'un bureau à l'autre. D'une infirmière à l'autre.

Le médecin sourit et je n'y comprends rien. En voilà des façons! Il est content que Mona ait la jaunisse! Finalement, il s'assied pour calculer le temps qui s'est écoulé depuis la dernière transfusion sanguine. C'est bien ça. Mona a attrapé la maladie d'un donneur. Un coup de téléphone pour convoquer celui-ci. La jaunisse se transporte dans le sang, m'explique le médecin, sans qu'on

180

puisse la déceler. Une petite attaque ressemble à une simple indigestion. Il parle à toute vitesse et m'avertit en riant que Mona sera très malade. Elle vomira beaucoup. Cela durera trois semaines. Il sourit largement et je crois bien que ses yeux pétillent de joie.

— Est-ce dangereux pour sa vie?

Ça, au moins, je le comprendrai, me dis-je.

— Non! Non! Voici des suppositoires pour la soigner.

Tout heureux, il ajoute :

— Vous savez, c'est une chance qu'on ne lui ait pas administré le Vincristine : la crise aurait pu être plus violente.

Lui, il appelle ça de la chance.

Au poste, le personnel est en fête.

— C'est la jaunisse, me disent-ils avec allégresse.

Tous ces gens ont suivi le cas de Mona, la lenteur avec laquelle elle a réagi aux médicaments et cette rechute qui semblait s'annoncer, à peine deux mois plus tard. D'un point de vue médical, le traitement est un échec. Pas de réaction aux médicaments signifie pas de rémission. Et pas de rémission veut dire pas de survie. C'est la mort, un cas fini, classé dans les archives d'un hôpital!

Pour eux, elle revit. Mona restera en VIE.

Ils viennent tout juste de prendre conscience du miracle engendré par l'espoir.

* * *

Je rentre chez nous, le cœur plein d'une paix presque inquiétante, avec l'impression d'avoir compris quelque chose aux miracles. J'analyse ce qui s'est passé dans ma tête; car c'est là que le nôtre s'est produit.

Non seulement ai-je réussi à me débarrasser de l'angoisse terrifiante qui s'emparait de moi à la moindre alerte, mais je continue d'espérer en dépit de tout. Je compte sur des jours meilleurs, je les imagine si bien que je vis comme si la vie ne me réservait que de grandes joies. L'attente de la joie, c'est déjà la joie elle-même. Être heureuse d'abord intérieurement. Et les bienfaits s'en font immédiatement sentir, dans mon cœur en paix et dans ma respiration qui devient moins saccadée.

Consciente d'avoir presque trouvé le secret du bonheur, je jette un coup d'œil sur la banquette arrière. Mona est allongée, toute jaune, luttant contre les nausées.

— Mona, mamie est contente! C'est fou, c'est incroyable, mais je suis contente!

J'applique brusquement les freins. Mona est en train de vomir.

Elle est malade comme un chien. Elle se lève continuellement pour courir à la salle de bain. Chaque fois, tout le monde s'écarte rapidement pour la laisser passer. Mais elle n'a pas toujours le temps d'y arriver et des accidents se produisent dans son lit. Pourtant, elle ne se lamente jamais parce qu'elle sera bientôt guérie puisque sa maman le lui répète tout le temps. De plus, elle se rend compte, d'après le comportement de ceux qui s'occupent d'elle, qu'il ne s'agit que d'une bonne jaunisse et que ça va passer.

Je ne peux pas cacher ma révolte devant ses efforts pour vomir. Pourquoi, bon dieu! a-t-il fallu que ce soit justement à elle qu'on donne du sang porteur du virus de la jaunisse? Tout en nettoyant les vomissures, je comprends la différence qu'il y a entre une lutte menée avec la certitude de gagner et une autre qu'on considère perdue d'avance.

— Ça va passer, ma petite Mona. Dans quelques jours.

Et vient un moment où la jaunisse n'est plus qu'un mauvais souvenir.

* * *

Il a beaucoup neigé, cet hiver, puis le printemps est finalement revenu, comme toujours. Au cours d'un après-midi particulièrement ensoleillé, Mona nous déclare qu'elle est maintenant assez grande pour avoir sa propre bicyclette. André et moi échangeons un regard. Allons-nous la laisser se couvrir de bleus à force de tomber? Les chutes sont si nombreuses quand on apprend à aller en bicyclette et elle reste marquée par le moindre choc. Ou devrions-nous nous épargner la vue de ces bleus mémorables? et lui éviter, à elle, toutes ces misères inutiles? Comment ça, des misères inutiles? Dans la vie, on apprend à tomber et à se relever. Mona aura les jambes marquées des chevilles aux genoux, mais elle apprendra qu'on peut se relever après une chute, et moi, je m'habituerai à ne plus associer leucémie et meurtrissure.

André, de son côté, a suivi un raisonnement identique au mien. Tous les deux, nous pensons en termes de vie et non de quelques mois. Mona s'impatiente, nous hésitons trop longtemps avant de lui répondre. Elle tire sur ma jupe.

— Hein, mamie... S'il-vous-plaît! Regarde les autres, ils en ont, eux. Moi aussi, je veux la mienne!

Tout s'enchaîne très vite, comme chaque fois que son père et moi tombons d'accord. Mona a du mal à nous suivre tellement nous marchons rapidement, d'un pas décidé, vers la quincaillerie du coin qui expose de belles bicyclettes de toutes les couleurs.

Lorsque je n'en peux plus de voir Mona tomber et se relever pour la nième fois dans le fond de la cour, je rentre dans la maison et la laisse toute seule faire ses expériences d'enfant NORMALE.

Durant tout l'été, elle court au soleil, se baigne, joue. Et nous oublions de compter les mois qui s'écoulent. Nous sommes trop occupés à vivre et à lutter pour autre chose. Ce sont les jours qu'on n'additionne pas qui sont les mieux remplis. Les autres sont tristes et ennuyeux. On ne les vit pas, on attend ceux où l'on pourra enfin vivre vraiment.

*　*　*

Comme tous les enfants, Mona est inscrite à la maternelle. Son cartable est accroché à côté de la porte, ses vêtements sont prêts, ses petits souliers bien cirés. Elle contemple le tout avec impatience. Enfin, comme les autres, elle va prendre le chemin de l'école et s'éloigner tranquillement des ailes protectrices de sa maman. Après une dernière journée d'attente trop longue pour elle et trop courte pour moi, la jardinière nous accueille en souriant : c'est la rentrée.

J'attends le moment opportun pour entraîner un peu à l'écart la personne qui va passer plusieurs heures par jour avec Mona.

— Mademoiselle, j'ai quelque chose à vous demander.

Je déteste quémander des faveurs. Je m'efforce de parler d'une façon détendue, pas trop sérieuse, même si le sujet que je veux aborder est très grave. Je dois lui demander de veiller plus spécialement sur Mona, mais sans déclencher chez elle un réflexe de peur, de surprotection ou, pire encore, de pitié :

— Pourriez-vous m'avertir si des maladies contagieuses touchent l'un ou l'autre de vos élèves pendant l'année scolaire. Comme la rougeole, la varicelle... vous savez, les maladies d'enfants.

J'entreprends ensuite de la mettre au courant de la maladie de Mona. Il le faut. Je prononce le mot « leucémie » et l'annule aussitôt en insistant sur le fait que l'enfant va maintenant très bien et que, si je lui demande de m'aviser sans retard de la moindre maladie, c'est uniquement par prudence. Le médecin a fortement insisté sur ce point afin, le cas échéant, d'être en mesure de prendre les précautions nécessaires.

Mona ne tarde pas à nous prouver qu'elle est en parfaite santé en remportant le championnat de course à pied. C'est fantastique de la voir tenir son ruban de compétition, avec ses joues rouges et ses cheveux bouclés qui mesurent à peine quelques pouces. Elle est hors d'haleine et terriblement en vie. Je la prends, ma championne, et la fais tournoyer dans les airs. Nos rires se confondent. Nous connaissons la même joie indescriptible : la joie de vivre.

Nous mettons toujours le médecin au courant de tout ce qui nous arrive afin qu'il puisse, lui aussi, partager notre ravissement. Chaque mois, nous avons une nouvelle anecdote à lui raconter et les piqûres anti-leucémiques sont administrées dans un bavardage de bonnes femmes heureuses. Le médecin rit avec nous, bien sûr, mais il croit bon, de temps en temps, de me rappeler à la réalité :

— Tâchez tout de même de ne pas être trop optimiste.

Il me déclare ça au moment où je m'apprête à attaquer de front un nouveau mois, le cœur rassuré par la formule sanguine normale. Peut-être a-t-il découvert quelque chose? Pourquoi me dit-il ça? Il me cache une catastrophe! C'est bien ça, non? Non! Il ne me cache rien, il ne peut m'en dire plus que ce qu'il m'a déjà dit. Je n'ai qu'à apprendre à me boucher les oreilles. Tout simplement. Sinon, le doute va m'empoisonner la vie, cette bête noire qui fait hésiter, reculer, craindre, qui rend la vie insupportable et mine toute énergie. Je sais trop bien de quel bois est fait le doute. Je l'ai senti tant de fois le soir, en regardant la télé, quand, à mon insu, il venait me torturer.

Je me réveille de mon cauchemar; l'émission se termine et je n'en ai rien vu. Je suis restée là, les yeux fixés sur le petit écran, tourmentée par mes doutes. Ne me suis-je pas trompée? Mona n'a-t-elle pas l'air plus fatiguée, ces derniers temps? Non, c'est moi qui suis trop fatiguée et cela me rend inquiète. Est-ce qu'elle n'est pas en train de tousser? Est-ce que...? Mona a autant le droit que les autres enfants d'attraper une grippe. Je ne dois pas me laisser dominer par mes craintes. Je refuse de revivre la douleur causée par cette toux qui, il y a à peine quelques mois, nous déchirait tant le cœur et les oreilles. Résister à la tentation de lui donner trop de sirop, de la couver comme une grande malade... Apaiser mon imagination épouvantée.

Je vais la regarder dormir, toute rose et vivante. Ce doit être une simple grippe. Elle n'a pas de fièvre et devrait être sur pied dans quelques jours.

Le doute est toujours déclenché par des paroles comme celles du pédiatre, ce matin, ou par une histoire qu'on me raconte et qui me donne envie de crier.

— Tu as entendu parler de cet acteur célèbre dont le petit garçon avait la même maladie que Mona...

C'est plus fort que moi, je tends l'oreille dans l'attente d'un nouvel espoir. Mon interlocutrice me raconte que le riche monsieur avait emmené son fils faire le tour du monde. Un beau et grand voyage. L'histoire finit par me captiver et j'imagine le père et le fils faisant un voyage merveilleux, comme dans un conte de fées. Sans attendre la fin de l'histoire, poussée par le désir d'être trompée, je demande :

— Et puis, l'enfant a-t-il guéri?

— Bien non! Il est m...

— Laisse tomber!

Je la coupe sèchement.

Aussitôt, je m'en veux d'avoir écouté cette histoire. L'effet est toujours aussi néfaste; tout mon comportement vis-à-vis de Mo a et du reste de la famille s'en trouve influencé. Dès que je me rends compte que j'ai encore donné prise au doute, je m'oblige à penser à autre chose.

Voilà! Riche ou non, je ne ferai jamais de dernier voyage avec mon enfant. Parce que, vu sous cet angle, ce ne pourrait être un beau voyage. Un voyage est agréable lorsqu'il permet de nouveaux contacts, ouvre de nouveaux horizons. Ça y est! J'ai réussi, je pars en pensée vers des lieux où le ciel s'enflamme comme au Nouveau-Mexique. Tiens, un jour peut-être, pourrons-nous y aller, toute la famille ensemble.

Mona me surprend perdue dans mes pensées ensoleillées. Elle revient de l'école, ravie. Entre deux bouchées de pomme, elle me raconte, les yeux pétillants, toutes les nouvelles choses qu'elle a apprises, toutes plus excitantes les unes que les autres.

— Maman, je sais compter. Maman, je peux lire. Maman, j'ai des amis.

Et je lui réponds, en songeant à mes propres découvertes :

— Tout ce qu'on apprend est excitant, ma fille.

* * *

J'en ai maintenant la preuve : les jours où le doute m'envahit sans que j'y oppose la moindre résistance sont ceux où je me laisse accabler par la vie, où je me traîne péniblement, où je n'arrive pas à m'émerveiller. Je dois rester continuellement sur mes gardes pour ne pas me laisser anéantir par les paroles maladroites, les commentaires involontairement cruels. Et réagir sans perdre une seconde pour détruire à sa source même, c'est-à-dire dans mon esprit, le germe des pensées destructrices. Faire face mentalement, telle est la règle de conduite que je me suis instinctivement imposée pendant les jours difficiles de la maladie de Mona. Pour survivre.

Pour apprendre à dominer mon corps et, par le fait même, mon esprit, je fais du yoga. Ou bien aurais-je dû essayer de maîtriser mon esprit d'abord? Je veux tout apprendre en même temps. Le bien-être de ma famille exige que je me sente bien à la fois dans mon corps et dans mon esprit. Car, je l'ai découvert dans mon cœur de femme et il me faut bien l'admettre une fois pour toutes, je suis vraiment l'âme de ma famille.

Néanmoins, je refuse d'être une âme prisonnière dans son propre foyer. Je veux m'épanouir, me dépenser, remplir mes journées d'une façon qui m'apporte quelque chose et couronner le tout par un bienfait tangible : un salaire. Mais puis-je me le permettre si cela signifie que je serai moins présente à la maison et que les enfants devront se faire garder? Même à ce prix? Et Mona? Je ne pourrais plus être aussi attentive à ses besoins et je vais lui manquer. Privilégier mon épanouissement, quel égoïsme! Je suis tiraillée par ma conscience de mère. Aurais-je déjà oublié ce qu'est la culpabilité, ce sentiment qui nous ronge lorsqu'il est trop tard et nous fait nous mordre les lèvres en pensant : « Si j'avais su »?

Mais mon entêtement à vouloir traiter Mona comme si elle allait grandir m'incite à poursuivre ma réflexion. Parce que si Mona avait toute la vie devant elle, si elle devait devenir une femme à son tour, je n'hésiterais probablement pas. Je ne veux pas être une de ces mères qui s'accrochent aux rêves qu'elles font pour leurs enfants parce qu'elles n'ont pas su réaliser les leurs et n'ont pas une vie personnelle enrichissante.

Tout en rangeant les draps frais dans l'armoire, je me propose de faire le ménage de ma vie. Je caresse l'idée, en refermant la porte, de devenir une femme heureuse d'être mère. La photo des enfants accrochée au mur de leur chambre est de travers. Je la redresse en leur disant : « Voilà, mes amours, je ne serai pas une mère qui se satisfait d'être une femme de temps en temps. J'espère que vous comprendrez. »

Désormais, je ne me demanderai plus quand viendra pour moi le moment d'être heureuse. Plus tard, quand les enfants seront grands? Quand je serai riche? Quand j'aurai davantage de liberté? Non, c'est aujourd'hui qui compte et il n'y a pas de temps à perdre! C'est aujourd'hui que je veux être contente d'avoir vécu, ni hier, ni demain. Aujourd'hui! Le temps passé ne revient jamais. Et je ne vivrai pas en attendant le retour du mari et des enfants en m'assommant à coup de nicotine et de café pour, ensuite, m'endormir avec une Valium.

Je secoue vigoureusement le tapis et le replace d'un coup de talon.

Je songe en souriant à ma grand-mère qui savait repousser son seau d'eau en plein milieu de son parquet à moitié lavé, se relever, retrousser ses jupes et danser une petite gigue quand la musique qui sortait de la vieille radio lui en donnait le goût. Grand-maman, tu avais douze enfants et tu dansais ; moi, j'en ai deux et j'ai envie de bondir. De tracer un chemin nouveau pour Mona, la future femme.

De pareilles idées ne pouvaient pas ne pas causer de problèmes, mais ça en a valu le coup. Le soir, fatigués, tous les membres de la famille se retrouvent au bercail et se racontent leur journée. Il faut apprendre à partager les tâches domestiques et je me retrouve souvent avec la plus grosse part. J'ai de la difficulté à m'imposer. Mona proteste :

— Je suis fatiguée, moi.

À six ans, elle connaît déjà mon point faible mieux que moi. Cette satanée crainte qui remonte sans cesse à la surface : la rechute prévue par les médecins, par les statistiques. Comme je n'arrive pas à lui faire faire de petits travaux, je ne peux rien demander à son frère, histoire de ne pas avoir à expliquer les doutes que je repousse ou question de justice. De toute façon, fatiguée, troublée par quelques secondes de faiblesse, je finis toujours par déclarer :

— Ça va, laissez faire, je me débrouillerai. Allez jouer !

*　*　*

L'hiver est déjà de retour. Les mois passent sans qu'on ait le temps de les voir. On les ponctue d'une visite à l'hôpital, ce qui nous vaut une journée de congé. Pourquoi pas, après tout? Mona est habillée en rouge, le chapeau, les pantalons. Le petit manteau de lapin blanc offert par la grand-maman américaine contraste admirablement avec la chevelure noire de ce petit bout de femme qui court embrasser son pédiatre.

— Aujourd'hui, dit-il, j'ai une nouvelle à vous apprendre.

Il prend Mona sur ses genoux.

— Tu sais, les piqûres que tu reçois chaque mois, eh bien, c'est la dernière. Fini, tu n'en recevras plus maintenant. Tu es contente?

Mona lui saute au cou. Il m'explique :

— À l'avenir, elle ne prendra qu'une pilule par jour. Je vous laisse juge du moment où il faudra procéder à une analyse sanguine.

Il me donne quelques indices sur une hémoglobine basse.

— Regardez les lignes de la main. Tendez les doigts. Les lignes doivent être rougeâtres, comme maintenant.

Il me tape gentiment sur l'épaule en me répétant de ne pas hésiter à lui téléphoner à la moindre inquiétude. Et c'est en croisant les doigts en signe de chance qu'il nous regarde partir.

— Merci, merci, docteur, lui dis-je joyeusement.

193

Je me retiens pour ne pas sauter de joie, en pensant à cette victoire incroyable. Mona et moi courons presque le long de cet interminable corridor qui nous a si souvent vues passer la tête basse et le cœur triste.

— Mona, t'es belle, mon amour.

Et j'ajoute aussitôt :

— Ne va pas le croire, tu deviendrais moins belle.

Mona redresse son chapeau en riant :

— T'es drôle, toi, mamie, tu me dis que je suis belle et de ne pas te croire !

— Bien oui...

Et je garde le silence sur mes critères à propos de la beauté.

Toute la famille se réjouit autour de la table en apprenant la bonne nouvelle. Nous nous sentons tous débordants de vitalité et avons le goût de sauter. André organise alors une partie de football dans le couloir qui longe la salle à manger et le salon. Ça donne un terrain de vingt-quatre pieds de longueur. Mona recevra les passes. Les équipes se forment et, en bonne ménagère, je me lamente :

— Ça n'a pas de bon sens, vous allez rayer le parquet...

Un regard d'André me fait comprendre que les enfants garderont davantage le souvenir d'une partie de football avec leurs parents que celui de quelques égratignures sur un parquet. Et le jeu commence. Mona attrape la passe qui lui est destinée pendant que je tente de l'intercepter en bloquant André. Par la suite, nous jouerons souvent comme ça, au soccer ou au football, jusqu'au jour où une grande vitre volera finalement en éclats.

Le sous-sol est transformé en terrain de hockey et Mona en gardien de but. Elle fait un drôle de gardien avec ses deux tresses qui dépassent de son masque. Elle porte les jambières de son frère et sait tendre la jambe à la vitesse de l'éclair.

— Quel arrêt, Mona !

Mona, qui excelle dans les sports, sait également être gracieuse. Elle s'inscrit à un cours de patinage artistique et décroche six « badges » dès la première saison.

* * *

— Mamie, pourquoi dois-je prendre des pilules, chaque soir? Je ne suis pas malade, moi.

— C'est pour te garder en bonne santé.

— Ah! Bonne nuit.

— N'oublie pas ta prière, ma grande.

En rangeant machinalement la boîte de pilules, je regrette ce geste quotidien. Cela fait maintenant deux ans qu'on a arrêté les injections et qu'elle avale des comprimés. Tous les jours à la même heure, je les lui apporte avec un verre de lait. Elles nous rappellent constamment que la maladie est là qui nous guette. De plus, elles nous ont valu quelques bonnes frayeurs, parce qu'elles agissent sur la formule blanche du sang en la maintenant à un niveau assez bas qui, parfois, l'est même trop. À l'hôpital, on me disait :

— Ne vous alarmez pas! (Ça y est, je m'inquiète.) Peut-être est-ce juste une question de dose excessive.

Suivent quelques jours sans pilules, pendant lesquels nous observons Mona davantage pour déceler le moindre signe de rechute... pendant lesquels je me répète mille fois qu'elle va très bien, mais le petit papier magique qui me le confirmera n'arrive jamais assez vite. Je me retiens pour ne pas l'arracher des mains de la secrétaire qui, bien sûr, doit le remettre d'abord à son patron. Je l'accompagne en lui marchant sur les talons dans l'espoir d'apercevoir quelques chiffres. Le pédiatre me rassure :

— C'est normal. Voyez, la formule blanche est remontée à quatre mille. C'est très bien!

Et je laisse échapper un OUF! de soulagement. Je me demande comment me blinder contre toutes ces émotions.

— Je ne peux pas continuer à vivre, suspendue à un fil comme cela.

— On vit tous suspendus à un fil, réplique André avec un air de bouddha.

— Oui, mais avec le mien, j'ai l'impression de me balancer au-dessus du Niagara.

Je tâche tout de même de m'habituer aux variations de la formule sanguine de Mona. Ce n'est pas grave, cela s'est déjà produit lorsqu'on augmente les doses. Et quand la formule blanche monte en flèche, il s'agit d'une réaction à une infection.

— Merci, docteur, de vos explications.

* * *

Mona grandit très vite dans cette maison où tout le monde poursuit sa propre évolution, accompagnée, parfois, de brefs reculs. Quelquefois, le prix à payer pour cela me paraît si élevé que l'idée de démissionner me traverse l'esprit. Ne plus bouger. Ne plus participer aux activités à l'école des enfants, ne plus travailler, ne plus étudier et faire un de ces bons ménages pour, ensuite, m'immobiliser dans un coin de la maison comme un meuble de prix. Je ne me fâcherai plus jamais. Je me contenterai de regarder mon mari progressant en tendant la jambe pour le faire trébucher et le retenir près de moi le plus longtemps possible. Il me serait très facile de le prendre au lasso avec la corde de la culpabilité. Mais je ne voudrais pas d'un homme pris au piège. Pouah! Cette seule idée me fait frissonner d'horreur. Non, je continuerai d'étudier pendant que lui cherchera sa vérité. Une vérité d'homme. Qu'en est-il pour la femme? La place de la femme dans la société provoque des grincements de dents. Chacun défend son point de vue et veut le faire respecter par l'autre.

— C'est à ton tour de garder les enfants. J'en ai passé des soirées à la maison, moi, quand tu préparais ton bac.

C'est bien beau les grandes théories sur la liberté (lorsqu'il s'agit des autres couples, jamais du nôtre), mais quand on passe aux actes, c'est moins drôle. Hein, André! On est obligé de renoncer à une partie de cartes avec les copains pour s'occuper des petits.

En montant coucher les enfants, je pense à toutes les

choses que je dois leur enseigner : Comment faire son lit — Comment tolérer un voisin détestable — Comment se laver là, derrière les oreilles. Je n'y arriverai jamais seule ! André devra faire sa part. Toi, Francis, il faut que je t'apprenne à te sentir vainqueur même lorsque tu perds. Ma petite Mona, je te montrerai comment te dépêcher tranquillement. Tu vas trop vite.

Tout en les regardant enfiler leurs pyjamas, je me dis que j'aimerais bien les voir grandir en préservant leur cœur d'enfant. Il leur faudra bien, en fin de compte, apprendre à formuler leurs besoins sans être arrogants et à être polis sans mentir. Et surtout à pardonner. — Comment pardonne-t-on ?

— Mona, tu ne vas pas te coucher aussi fâchée. Tu sais, je t'aime même si je te gronde. Tu dois dormir en paix et non avec un cœur débordant de rancœur.

— Oui, oui, ça va, me répond-elle à la sauvette pour que je lui fiche la paix.

J'insiste toujours pour que son sommeil soit réparateur. Cela me semble un point indispensable pour rester en bonne santé.

— Allons, ma petite Mo, dis-moi ce qui t'a fait de la peine.

Je fouille dans son cœur et, désarmée par mon insistance à vouloir la voir s'endormir heureuse, elle me dit, en retenant un sourire :

— Tu ne lâches donc jamais, Mamie...

Un bras autour de mon cou, elle récite sa prière préférée :

— Il y a beaucoup de différence entre moi et ceux que j'aime ; aide-moi, Jésus, à ne pas laisser ces différences nous diviser.

Amen.

Oh ! Mon cours de philo commence dans quelques minutes. Je me dépêche de quitter la maison en pensant que, à peine a-t-on résolu un problème, il faut déjà en passer la solution à son enfant.

— Bonsoir, mon amour, garde bien, dis-je à André en oubliant que, officiellement, nous sommes en froid.

Il secoue la tête à la fois heureux et ennuyé d'avoir une femme qui n'arrive pas à se contenter de courir les magasins et d'aller voir un film de temps en temps. Non, il faut que madame suive des cours. Qu'est-ce que ça peut bien t'apporter, hein? J'imagine son raisonnement et referme la porte sur son embarras à propos des femmes. Mais je me promets de trouver un moyen pour que nous arrêtions de nous renvoyer les enfants comme une balle de ping-pong : c'est ton tour, c'est mon tour... Ça n'a pas de bon sens. Je dois réussir à lui montrer la différence entre une femme libre, contente de revenir chez elle, et une femme contrainte d'y rester.

J'ai dû réussir à l'en convaincre hier soir, parce que, ce matin, Mona déclare au médecin :

— Vous devriez les voir, docteur, mon père et ma mère, ils sont toujours en train de se minoucher.

— Mona, tais-toi et montre ta gorge, c'est pour ça que tu es venue, lui dis-je en rougissant.

Comme le docteur examine attentivement Mona à la moindre égratignure, une relation assez particulière s'est établie entre eux. Quand on ne rencontre son pédiatre que deux fois par an, on n'a pas envie de lui parler; on se contente de supporter pudiquement l'examen en ayant très hâte qu'il en finisse. Mona est très à l'aise avec son médecin et lui raconte tout ce qui lui passe par la tête. Il suffit qu'il lui pose une petite question banale en regardant ses oreilles pour déclencher un déluge de paroles. Du coup, la petite en oublie complètement l'examen. Je peux voir le médecin rire dans sa barbe en palpant la rate de sa jeune patiente.

Je ne me suis pas encore remise des indiscrétions de ma fille lorsque j'entends :

— J'ai bien envie de les arrêter. Ça fait longtemps que je me renseigne sur la question, vous savez, et la survie ne dépend pas forcément de la longueur du traitement.

— Je ne vous ai pas suivi, docteur, de quoi parlez-vous?

— Des médicaments. Ils maintiennent ses globules blancs à un niveau assez bas et je crois qu'elle luttera beaucoup mieux toute seule contre les microbes. On arrête le traitement, vous êtes d'accord? ajoute-t-il en riant.

Si je suis d'accord! Timidement, toutefois, je lui pose une question qui me hante parfois :

— Il n'y a vraiment aucune possibilité, docteur, pour que vous vous soyez trompé de diagnostic?

Tout en feuilletant machinalement l'énorme dossier médical de Mona, il laisse tomber :

— Sa moelle était foutue...

Puis il redevient gai en notant que nous venons de franchir le cap des trois ans. Nous faisons maintenant partie du groupe des chanceux qui auront sûrement une rémission de cinq ans. Pour le pédiatre de Mona, l'heure de la victoire sonne en ce moment même et il raye le mot « leucémie » sur la ligne réservée au diagnostic, sur le formulaire de test sanguin.

— Ce n'est plus nécessaire, dit-il, content de ce geste concret qui donne encore plus de poids à ce qu'il vient d'affirmer.

J'éprouve une joie dont je connaissais déjà le goût, à force de vivre dans l'attente de ce jour.

Le même soir, je jette les petits comprimés blancs dans la toilette et je chasse avec l'eau tous les mauvais souvenirs. En faisant ma tournée pour embrasser les enfants, je leur chuchote dans leur sommeil tous les mots tendres que je n'ai pas eu l'occasion de leur dire pendant la journée :

— Je suis contente de t'avoir, mon fils, et je t'aime...

Je m'attarde un peu plus auprès de Mona et j'admire tout ce chemin parcouru depuis trois ans.

* * *

Mona a maintenant huit ans. Depuis quelque temps, elle a recommencé à étudier le piano et elle enchante toute la maisonnée avec un morceau qu'elle interprète en y mettant une douceur qui nous ravit l'âme. Puis, quand elle a fini de jouer, elle se lève, nous regarde, chacun vaquant à ses occupations, et, l'air faussement embarrassé, nous déclare :

— N'applaudissez pas si fort, je vous en prie. Merci! Merci!

Elle salue en se penchant jusqu'à terre.

— C'est très beau, Mo, mais on ne va pas t'applaudir chaque fois que tu t'exerces, lui ai-je répliqué en me retenant de lui dire que mon cœur l'applaudit pour chaque jour vécu.

— Oh! Ce n'était qu'une farce, me répond-elle, comme intimidée par sa propre audace.

Et elle file se chamailler avec son frère qui n'arrête pas de la taquiner. Les voyant se tirailler, je les rappelle tranquillement à l'ordre :

— Pas si fort, c'est une fille.

— Hum, elle est plus forte que moi, riposte Francis d'une voix étouffée, en faisant une prise à Mona qui se dégage adroitement.

Oui, Mona est forte, physiquement et moralement. Même les garçons la respectent à l'école. Elle est également première de classe, ce qui accroît sa confiance en elle. Elle joue même au professeur en aidant ses compagnes.

L'autre jour, elle me racontait ses projets d'avenir. Elle voulait devenir garde-malade. Ah! et puis pourquoi pas médecin? Non, j'aime les animaux, je deviendrai vétérinaire. Et elle rêvait de donner des concerts.

Je la regardais faire des grimaces devant le miroir, je souriais de la voir changer d'expression en même temps que de métier.

— Commence donc par ranger ta chambre.

Elle avait ignoré ma remarque typiquement maternelle pour me demander carrément :

— Pourquoi, mamie, que ce sont tous des hommes, les grands composeurs?

— On ne dit pas composeur, mais compositeur, répondis-je pour esquiver sa question qui risquait de nous entraîner trop loin.

Et, avant de refermer la porte de la chambre transformée en magasin avec un tas de vieux bijoux à vendre, j'avais dû céder aux instances de la petite vendeuse et lui acheter quelques babioles avec des billets de Monopoly. En même temps, j'avais pensé à Schubert qui n'avait sûrement pas composé ses mélodies en faisant le ménage.

— Merci, madame, vous reviendrez, n'est-ce pas? Attendez! Vous oubliez votre monnaie.

* * *

À l'hôpital, les spécialistes s'intéressent vivement à ce cas qui évolue si bien. On m'invite à venir répondre aux questions d'un groupe de médecins et de psychologues. Je proteste :

— Je ne peux rien dire de plus que ce que vous savez déjà.

Mais l'organisateur insiste en soulignant que mon expérience pourra sûrement aider d'autres personnes et je ne peux plus refuser.

En présence des spécialistes, je réponds très prudemment, de peur de paraître insensée en dévoilant tous mes secrets. Je leur parle quand même de mon principe, vivre au jour le jour.

— Comme un alcoolique? me demande-t-on.

— Oui, c'est ça. Et, en plus, il faut avoir envie de réussir et garder confiance en l'avenir.

— Comment réagissez-vous devant telle ou telle situation?

Ce sont des faits concrets qu'ils veulent. Je leur en cite quelques-uns.

— Vous dites que vous lisez sur le sujet, pourquoi?

J'avais laissé échapper ce détail, ils risquent de penser que je suis masochiste. Mais je leur déclare calmement :

— C'est pour mieux comprendre, c'est pour mieux aider.

Je me souviens du soulagement que j'ai ressenti lorsque, à la fin de la réunion, les gens se sont dispersés autour des tables où le café est servi. Comme je me trouve à côté d'un psychologue, je me risque à lui dire :

— Écoutez, moi, je ne sais pas si je fais fausse route, mais c'est la seule façon que j'ai pu trouver de continuer à vivre...

Je cherche discrètement à me faire confirmer que j'ai bien toute ma tête à moi. D'un ton qui a la résonnance d'une question, il me répond :

— Il y a fort à parier, madame, que si vous aviez quitté l'hôpital le premier jour, convaincue que votre fille allait mourir au bout d'un an, c'est probablement ce qui serait arrivé.

Ses paroles me réjouissent tellement que je n'entends presque plus ce qui suit. Quelqu'un a compris ce que je voulais dire. Je n'étais ni folle, ni trop optimiste, ni irréaliste. Je rentre chez moi avec une assurance de plus en plus évidente. Il pleut, une pluie merveilleuse, et moi, je vois briller le soleil.

* * *

Quelque temps après, je suis de nouveau invitée, mais pour faire un petit film vidéo destiné aux étudiants en médecine. Cette fois, je me livre un peu plus. Si bien qu'on finit par m'interroger sur mes convictions religieuses.

Êtes-vous croyante?

En voilà une question! Comment ça, croyante? S'il veut dire que la religion décide à ma place de ce qui est bien et de ce qui est mal... La réflexion me donne un air sceptique et le médecin précise sa question:

— Vous savez, d'une manière religieuse, dans le sens ancien du mot.

Je m'imagine une bonne vieille dame implorant le ciel des yeux et priant pour mieux accepter son sort au lieu de le prendre en main. Je réponds:

— Non, pas comme ça.

Et la question suivante arrive trop tôt. J'aurais voulu dire que, à mon avis, il est nécessaire de croire... d'espérer. C'est finalement en discutant avec André que je trouve la formule idéale:

— *I believe in being a believer. There, I got it!*

* * *

Mona, qui n'aime pas jouer à la poupée, se montre, en revanche, très maternelle avec les chiots de Kiki. Elle a assisté à leur naissance et a donné à chacun un nom selon ses caractéristiques. Elle leur distribue une affection individuelle en tenant compte du tempérament de celui qui préfère dormir dans son cou ou de celui de la petite noire qui aime tellement jouer. Lorsque Kiki n'a plus de lait pour les nourrir, Mona décide sagement de leur dire adieu. Elle va offrir ses petits chiens d'abord aux voisins les plus proches afin d'avoir ainsi l'occasion de les voir grandir.

Comme son frère aîné, Mona est devenue « camelot » une fois par semaine et distribue le journal local pour se faire un peu d'argent de poche. Chaque fois que Noël approche, elle est la première à se précipiter dans les magasins où elle choisit avec soin un petit cadeau pour chacun. Elle les enveloppe amoureusement dans un papier qu'elle colorie elle-même. Souvent, le papier devient plus précieux que le cadeau, tellement elle s'efforce de le rendre aussi gai que son cœur. L'arbre de Noël n'est jamais préparé assez tôt pour Mona. Elle décore sa chambre et tient à donner un air de fête à toutes les pièces de la maison.

— Mona, je t'en prie, pas de guirlande dans la salle de bain, il y a toujours une limite !

Elle insiste pour que le réveillon ait lieu chez nous et est au comble de la joie lorsque tous les invités se mettent à danser et à chanter autour du piano. Boute-en-train, elle accepte de danser une polka avec oncle Bertrand et une gigue avec grand-papa.

Bientôt, Mona connaît l'époque des cœurs dessinés dans la main avec un gros « M aime ? » qui traverse le dessin.

— Qui est le point d'interrogation? Allez, tu peux bien me le dire..., voudrais-je savoir discrètement.

Mona rougit. C'est beaucoup trop secret, même le petit garçon ignore tout de cet amour dont il est l'objet. Le point d'interrogation se change audacieusement en initiales vers la fin de la cinquième année scolaire.

— Eh! là! Ça devient plus sérieux, la taquine son père.

*　*　*

Puisqu'on parle d'amour... J'en suis arrivée à un point, dans ma vie de femme, où je ne me bats plus pour mon indépendance, consciente de la posséder... presque. Je chéris un désir que je n'ose pas m'avouer. C'est insensé! Mes enfants sont grands et nous commençons à peine à nous offrir un peu de luxe et quelques voyages. Comment pourrais-je me permettre d'avoir un autre bébé et recommencer à laver des couches. De plus avec des remarques du genre : « Toi, tu ne sais jamais ce qui te pend au bout du nez... » (comme si tout le monde le savait, sauf moi), il m'est difficile d'oublier complètement ma peur. Je devrais au moins avoir la décence de conserver la crainte de transmettre cette maladie, non?

À l'hôpital, on m'assure que ce n'est pas héréditaire, même si on ne connaît pas vraiment la cause de cette affection.

Le désir d'aller au bout de ma féminité et la vue des petits bébés m'attendrissent dangereusement. De toute façon, j'oublie ma prudence habituelle et je me retrouve enceinte. Je le savais!... On n'oublie pas une nuit de merveilleuse insomnie, pas plus qu'on n'oublie les leçons de la vie. Je m'en souviendrai toute ma vie, même pendant les moments difficiles que m'imposera cette nouvelle responsabilité. Minute! Pourquoi penser aux mauvais moments? Pourquoi ne pas penser aux joies?

Je m'arrête de courir et veux goûter chaque moment de cette maternité. Jusqu'à cette lourdeur typique des derniers mois de la grossesse, je me sens heureuse de croire en la vie, au point de tressaillir en la sentant bouger à nouveau dans mon ventre de mère. Cette maternité me donne des ailes, et je prépare le nid familial pour la venue de ce petit être.

Mona voudrait que ce soit une fille et insiste pour que l'on commence par peindre sa chambre. Elle m'aide et, toutes les deux, nous profitons de cette intimité pour parler de questions propres aux femmes.

— Moi aussi, j'en aurai, des seins? Quand vais-je être capable d'avoir des bébés?

Et elle ajoute immédiatement, sans attendre ma réponse :

— Il faudrait d'abord que je leur trouve un bon papa comme le mien.

* * *

Enfin le grand jour arrive et notre second fils fait une entrée remarquée dans ce monde, accueilli par son père qui voulait participer à l'accouchement pour ensuite en savourer la délicieuse récompense. Les enfants expriment leur joie en fabriquant une grande pancarte qu'ils suspendent au-dessus de la porte d'entrée :

«WELCOME HOME, MOM AND MARK»

Mais un nouveau-né, ça s'impose dans une maison. Les membres de la famille doivent s'oublier devant ce tout-petit à qui sa fragilité donne tous les droits. Mona doit à regret laisser sa place et partager son papa et sa maman. Ils ont toujours ce bébé dans les bras. Elle en a par-dessus la tête d'entendre : Attends, Mona, Pousse-toi, Mona. Mona, laisse le bébé.

Un jour où elle est particulièrement assoiffée d'attention, Mona nous écrit une lettre qu'elle colle bien en vue sur la porte de sa chambre :

« Bien chers parents,

Ne me cherchez pas demain, c'est inutile, vous ne me trouverez pas. Je m'en vais. J'en ai assez ! Assez ! Vous n'avez plus jamais une minute pour m'écouter. Maman ne vient même plus s'asseoir sur mon lit le soir et jaser avec moi.

Adieu !
Votre seule fille
Mona. »

— Nous l'avions pourtant bien préparée, nous répétons-nous en tentant de nous déculpabiliser.

Nous entrons dans sa chambre, conscients que chaque membre de la famille a besoin de tendresse et d'attention. Le problème, c'est la répartition. Je me sens comme une fontaine qui n'aurait jamais assez d'eau pour assouvir tout son monde.

En nous penchant pour embrasser tendrement notre princesse endormie, nous remarquons une petite note que Mona a collée sur sa table de chevet pour que ce soit la première chose qu'elle voie en s'éveillant. Elle est très matinale et ne voulait pas que sa bonne humeur coutumière lui fasse oublier ses résolutions. Elle a rédigé le mémo suivant :

« N'oublie pas, demain t'es supposée être fâchée et te sauver de la maison. »

Mona a les paupières qui papillottent et fait semblant de ne pas entendre nos rires.

Le lendemain, elle veut mettre son plan à exécution, malgré nos supplications. Francis, en dépit de ses douze ans, affirme qu'il connaît très bien ce que Mona vit, il est passé par là, il sait à quel point ça fait mal d'être privé de l'attention de ses parents. Il propose son aide.

— Laissez-moi faire, dit-il.

Il va trouver sa sœur dans sa chambre.

— Ne prépare pas tes bagages tout de suite, Mona, viens avec moi.

Devenus complices pour la circonstance, ils partent tous deux faire une longue promenade pour mieux rouspéter contre leurs parents et partager leur malchance. Ils flânent assez longtemps à l'aréna pour arriver en retard pour le dîner, afin de mieux nous inquiéter. En les accueillant, je leur dis :

— Je suis contente de vous voir, je vous ai préparé votre repas préféré.

Mona a l'air ennuyé, elle ne sait pas trop comment obtenir cet amour auquel elle a autant droit que le bébé. Finalement, après le repas, elle nous annonce que, pour cette fois, elle ne partira pas. Elle est sur le point d'y mettre des conditions, mais n'en a pas le temps. Toute la famille lui saute au cou et lui dit :

—.Tu sais bien qu'on t'aime... même si on te demande continuellement de faire les courses !

Et au baptême de son petit frère, Mona lit avec conviction, et en français, un texte de «Jonathan le Goéland» qu'elle adapte :

«Plus haut, Mark, toujours plus haut...»

Tandis que son frère reprend pour les parents de langue anglaise :

«... *There is more to life than eating or fighting or power...*»

Le contact de ce petit être et sa fraîcheur m'emplissent d'une immense joie de vivre et je me sens transportée par un désir de lutter pour rendre notre monde meilleur. Ce petit souffle dans mon cou me communique un goût de continuité — un goût d'éternité pour l'homme qui se crée, et la bouche de mon enfant têtant mon sein agrandit mon rêve de femme. Je ne vais pas m'arrêter là. Une femme ne doit pas s'arrêter à la procréation. Je veux communiquer mon expérience et j'écrirai ce livre.

* * *

Mona, la petite fille qui est en rémission depuis sept ans, va donner un concert ce soir, avec ses camarades d'école. Les parents sont venus en grand nombre pour applaudir leurs rejetons.

— Chut! Mona va commencer.

J'ai mon jeune enfant dans les bras, et je regarde avec fierté ma grande fille de douze ans interpréter ce morceau que toute la famille connaît par cœur à force de l'entendre répéter. Une lueur particulière brille au fond de mes yeux, non pas parce que c'est ma fille qui joue si bien du piano, mais parce que cette scène à laquelle j'avais si souvent rêvé est enfin devenue réalité.

* * *

213

Il y a quelques mois de ça.

Cette nuit, nos cheveux sont emmêlés sur l'oreiller. Nous essuyons nos larmes. Nous avons appris, cet après-midi, que nous devrons recommencer. L'hématologue l'a confirmé : rechute.

Nous n'avons pas peur, nous venons d'échanger un vœu, celui de faire de cette nouvelle expérience une bien plus belle histoire encore.

* * * * *

UN TÉMOIGNAGE*

Je n'ai pas hésité un seul instant avant d'accepter d'apporter mon témoignage en complément au récit que vous venez de lire.

J'ai lu le texte d'une traite : je voulais prendre connaissance de ce que l'auteur racontait à mon sujet. Je les ai connues d'une façon très intime, Ginette et Mona, les ayant rencontrées toutes les deux au moins une ou deux fois par mois pendant plus de quatre ans. C'est rare qu'un médecin ait l'occasion de lire un livre qui analyse un peu ses gestes, plusieurs années après un événement aussi troublant et qui a duré si longtemps. En général, c'est le professionnel qui «analyse» son client; pour une fois, c'est un peu le médecin qui est sur la sellette!

D'abord, l'histoire est touchante : une histoire vécue, écrite par une maman de chez nous, une maman comme bien d'autres. Ginette a certainement eu beaucoup de courage pendant ces années si difficiles, et beaucoup de détermination. En général, une maman préfère oublier de tels événements; Ginette, elle, a voulu mettre sur papier toute l'affaire, et elle le fait avec sensibilité!

J'insiste maintenant sur la véracité des faits. Je me rappelle parfaitement les différents épisodes de la vie de Mona pendant cette période et ce livre est rigoureux dans ce domaine. Je me souviens surtout de l'épisode de la chute des cheveux, et de la perruque : j'étais

---

*Note de l'éditeur : Nous avons demandé au médecin qui traitait Mona à l'époque d'ajouter ses commentaires. C'est à notre suggestion que son texte est publié sous le couvert de l'anonymat. Pour compléter ce livre, un spécialiste, le Dr Jocelyn Demers, a accepté de décrire brièvement la maladie, son traitement et l'état actuel des recherches. Nous tenons à remercier ces deux médecins pour leur collaboration.

très anxieux quant au traitement de la maladie et une complication, à mes yeux relativement mineure, telle une perte de cheveux, n'était pas trop sérieuse, alors que pour Ginette, l'apparence de Mona était de première importance : son teint, la forme de son corps, ses cheveux.

La responsabilité du médecin est grande : il doit se garder bien informé, et en 1970 les changements aux schèmes de traitement de la leucémie étaient fréquents et importants ; il doit éviter le plus possible de faire mal à l'enfant, physiquement et psychologiquement, ce qui implique beaucoup de patience et de temps ; il essaie autant que possible de toujours voir l'enfant avec la même infirmière, et les traitements, piqûres, etc. sont toujours administrés, par le même personnel ; l'infirmière et le médecin essaient de planifier autant que possible les événements ; ils essaient de paraître détendus, de ne pas être pressés, de ne pas faire attendre le patient, et de donner des petites récompenses. Ils doivent aussi consulter les collègues plus spécialisés. Ce n'est pas surprenant que les priorités de Ginette n'aient pas toujours été identiques aux nôtres !

Je me rappelle très bien l'impact de la leucémie de Mona sur son papa qui a, je pense, abandonné la partie pendant un certain temps ; de même, la réaction de son frère qui est devenu à maintes reprises physiquement malade, et ce, beaucoup plus souvent qu'on aurait pu s'y attendre. Je me rappelle très bien l'histoire du lit qu'une amie conseillait de ne pas acheter parce que cela ne valait pas la peine ! Ce livre illustre donc très bien l'isolement de Ginette et de Mona. Il démontre les difficultés de communication entre le médecin traitant et la maman d'un enfant sérieusement malade, et finalement l'importance de l'apparence physique, ou schéma corporel, de la personne malade pour la famille.

Ce livre donne au lecteur une petite idée des problèmes d'une famille avec un enfant atteint d'une maladie grave. Il donnera du courage à beaucoup de parents. Il devrait aussi être lu par tous les professionnels de la santé, infirmière, médecin, travailleur social, qu'ils soient déjà en activité ou en cours de formation. Je lui souhaite le bon succès qu'il mérite.

Le médecin traitant.

OUI... UN JOUR

Ce jour est arrivé, puisque la guérison est maintenant possible pour certaines personnes atteintes de leucémie. Cette maladie était considérée comme invariablement fatale il y a moins de deux décennies. Depuis, la science a fait quelques progrès. La leucémie est devenue une entité moins mystérieuse, et les armes pour la combattre sont plus sophistiquées. Le patient lui-même est incité à être l'artisan de sa propre guérison: il se doit d'être bien informé de la situation; il doit connaître son ennemi, et toutes ses énergies doivent être utilisées pour le contrer. Le succès n'est pas automatiquement assuré même si les traitements médicaux sont au point, même si le patient a une attitude positive. La leucémie conserve encore ses secrets: elle s'avère un combattant de taille, mais un jour viendra bien où elle devra baisser pavillon.

La leucémie, quoique son nom soit bien connu, reste une maladie mal définie pour la plupart des gens. D'abord, elle ne se voit pas: on n'en constate que les effets désastreux, et son invisibilité la rend encore plus effroyable. De plus, la leucémie se présente sous différentes formes. Nous allons, dans les lignes qui suivent, tenter de décrire cette maladie.

La leucémie est une maladie néoplasique qui origine dans les globules blancs que l'on trouve dans la moelle osseuse et dans le sang. Ces globules blancs portent le nom de granulocytes, de lymphocytes et de monocytes. La moelle osseuse en est le lieu de production le plus important, mais les ganglions lymphatiques peuvent eux aussi produire des lymphocytes. Parmi les fonctions régulières de ces globules blancs, rappelons que les granulocytes sont des cellules sanguines qui combattent surtout les bactéries, alors que les lymphocytes sont surtout producteurs d'anticorps qui nous aident à nous défendre contre un virus ou une bactérie. Ces divers globules blancs peuvent se transformer en cellules malignes et produire ainsi un cancer du sang, qui porte le nom de leucémie. Les cellules leucémiques, se multipliant sans cesse, finiront par occuper toute la moelle osseuse, repoussant et détruisant les cellules normales qui y sont produites, c'est-à-dire les globules rouges, les globules blancs et les plaquettes sanguines; par la suite, ces mêmes cellules leucémiques attaqueront les autres organes du corps, tels que le foie, la rate, les ganglions et parfois le cerveau. La leucémie se diagnostique presque toujours au moment où un nombre considérable (10^{12}) de cellules leucémiques a déjà envahi le corps; il est pratiquement impossible d'en faire le diagnostic à un stade précoce.

Les causes de cette maladie sont actuellement inconnues. On soupçonne un virus oncogène d'en être l'instigateur principal. Mais les recherches nombreuses dans ce domaine n'ont pu prouver définitivement cette hypothèse. Plusieurs chercheurs croient plutôt qu'il y aurait plus d'un facteur et que le virus aurait trouvé simplement un terrain propice à son développement et aurait ainsi poursuivi la transformation d'une cellule normale en une cellule maligne. Avouons que la recherche dans ce domaine n'est pas facile, mais elle se poursuit et on trouvera bien un jour l'agent causal principal de la leucémie. Les parents craignent souvent que cette maladie ait une composante héréditaire ou soit contagieuse et frappe aussi leurs autres enfants. Qu'ils se rassurent: l'hérédité n'y joue aucun rôle, et, de plus, cette maladie n'est pas contagieuse; elle ne devrait en aucun cas priver ces enfants leucémiques de leurs amis et de leur entourage normal.

Il y a différentes sortes de leucémie; les unes sont aiguës, les autres, chroniques. Oublions ces dernières car elles ne comptent que pour 1% des leucémies de l'enfant. La leucémie infantile est donc presque exclusivement

	LEUCÉMIE CHEZ L'ENFANT		
Groupe	chronique	aigüe	
Sous-groupe	—	lymphoblastique	non lymphoblastique
		L_1, L_2, L_3	M_1, M_2, M_3 M_4, M_5, M_6
Fréquence	1 %	70-80%	20-30%
Obtention d'une première rémission	—	> 90%	≈ 50-60%
Durée moyenne de la première rémission	—	≈ 3.5 ans	≈ 6-12 mois
Survie moyenne	—	≈ 5 ans	≈ 9-17 mois
Guérison	—	≈ 30-60%	< 30%

à forme aiguë (99%). Selon l'origine des cellules (lymphocytes ou granulocytes), il y a des leucémies aiguës lymphoblastiques, représentant de 70% à 80% des cas, et des leucémies aiguës non lymphoblastiques (myéloblastiques, granulocytaires, monocytaires etc.), représentant de 20% à 30% des cas. Mona était atteinte d'une leucémie lymphoblastique aiguë. Mais la leucémie aiguë ne présente pas nécessairement une image homogène. Il existe des sous-groupes (voir-tableau); pour n'en citer qu'un exemple, prenons la leucémie aiguë lymphoblastique, qui se subdivise en L_1, L_2, L_3, et qui connaît des facteurs de bon ou mauvais pronostic tels que la quantité de globules blancs leucémiques dans le sang périphérique au moment du diagnostic, l'âge et le sexe de l'enfant. Cela nous fait dire que chaque enfant est un cas particulier qui mérite une approche thérapeutique appropriée.

La leucémie se décèle donc au moment où elle provoque des symptômes. Elle peut frapper à tout âge: même un bébé naissant peut en être atteint, mais ce sont surtout les enfants âgés de deux à cinq ans qui en sont les principales victimes. Un enfant sur 2 000, avant qu'il n'atteigne l'âge de quinze ans, sera touché par la leucémie. Les symptômes qu'ils présente peuvent être groupés ainsi:

- une anémie progressive, engendrant de la pâleur, de la fatigue et une détérioration de l'état général;

- une susceptibilité aux infections, se manifestant par des poussées de fièvre inexpliquées et parfois intenses;

- des manifestations hémorragiques qui se remarquent par des ecchymoses (bleus) et des taches purpuriques, surtout sur les membres inférieurs, mais pouvant apparaître partout sur le corps;

- divers malaises, dont des douleurs osseuses.

Des ganglions palpables au niveau du cou, des aines et des aisselles, et aussi une augmentation du volume du foie et de la rate, accompagnent souvent la leucémie. Ces symptômes sont les plus classiques, mais la maladie peut se manifester de diverses façons, parfois tout à fait atypiques, sous forme d'une arthrite rhumatoïde rebelle au traitement, pour ne citer qu'un exemple.

Le diagnostic de la leucémie est, dans la majorité des cas, facile à établir: un examen de la moelle osseuse en révèle la présence. Mais le traitement de la leucémie demeure plus difficile à déterminer: il faut choisir la combinaison qui offrira les meilleures chances de rémission et de guérison éventuelle. L'arme privilégiée est la chimiothérapie, à laquelle on associera la radiothérapie crânienne. Ces traitements sont pénibles pour l'enfant, surtout dans les premiers mois d'induction et de consolidation. Par la suite, le traitement d'entretien devient plus facile, même s'il faut le poursuivre sur une période de deux à trois ans. Toutes ces thérapies sont peu douloureuses, quoique les ponctions lombaires ou osseuses restent fort ennuyeuses. Les chances d'obtenir une rémission (disparition macro - scopique et microscopique de la maladie) sont excellentes dans les cas de leucémie lymphoblastique (90%) et moins bonnes dans les autres cas (50% - 60%). Il en est de même pour la durée de la rémission, qui sera prolongée dans le cas d'une leucémie lymphoblastique, mais beaucoup plus courte dans les autres cas. Le taux de guérison est en conformité avec ces statistiques: de 30% à 60% pour la leucémie lymphoblastique et moins de 30% pour les formes de leucémie non lymphoblastique.

Toutefois, il faut retenir que toutes les thérapies anticancéreuses ne sont pas sans danger: elles présentent des risques à court terme et à long terme. Les effets secondaires tels la nausée, vomissements, perte de cheveux, infections, ulcères dans la bouche, sont bien connus et ordinaire - ment réversibles. Mais il reste à mieux définir les séquelles à long terme: s'il semble a priori en exister peu, il est important d'en connaître les effets sur la croissance, le développement endocrinien, les fonctions sexuelles et le développement intellectuel. Ce que nous savons aujourd'hui est que le traitement antileucémique ne produit que de rares déficits à long terme et que ceux-ci sont habituellement d'ordre mineur. Toutefois, une technologie de plus en plus poussée permettra de diminuer encore plus l'incidence et l'importance de ces séquelles.

La transplantation de moelle osseuse occupe une place de plus en plus importante dans le traitement de la leucémie. Elle est fortement envisagée dans les cas de la leucémie à hauts risques ou lors d'une rémission survenant après une rechute. Pour qu'elle soit réalisable, il faut un donneur compatible (frère ou soeur): quelqu'un dont les types de tissus ressemblent à ceux de l'enfant malade. Des études spéciales permettent d'établir s'il y a compatibilité entre le donneur et le receveur. Environ 30% des patients, s'ils ont des frères ou soeurs, peuvent espérer un donneur compatible. Procéder à une transplantation de moelle osseuse consiste à retirer du donneur (alors qu'il est sous anesthésie générale) l'équivalent de 300 à 400 cc de moelle par de multiples ponctions au niveau de plusieurs os, ceux du bassin et du sternum, par exemple. Cette moelle osseuse liquide est injectée de façon intraveineuse, tout comme s'il s'agissait d'une simple transfusion de sang. Le patient a été préparé quelques jours auparavant par une chimiothérapie intensive et une radiothérapie portant sur tout le corps, afin de détruire ses dernières cellules leucémiques ainsi que sa propre moelle osseuse. La moelle du donneur contient de jeunes cellules qui iront peupler les cavités osseuses devenues vides, et, s'il n'y a pas de rejet de la moelle transplantée, le processus de repeuplement rendra à la nouvelle moelle osseuse sa pleine efficacité, environ trois semaines après l'intervention. La formule sanguine se normalisera et il n'y aura qu'à espérer que les cellules leucémiques ne reviennent plus, que de fâcheuses complications ne surviennent pas à la suite de la transplantation, comme une grave infection, une pneumonie consécutive à la radiothérapie ou encore une réaction du greffon envers l'hôte (graft vs host disease). Cette dernière complication pourra, dans la plupart des cas, être contrôlée par des médicaments spécifiques. La transplantation de moelle osseuse semble simple, mais elle demeure tout de même pénible pour l'enfant qui la reçoit ainsi que pour sa famille, qui en subit le contrecoup. Toutefois, elle offre des chances intéressantes de guérison. Cette méthode pourra éventuellement être utilisée pour un très grand nombre d'enfants leucémiques, car des études en cours permettent d'espérer qu'un jour il sera possible de prendre la moelle osseuse de l'enfant leucémique en rémission, de la purifier en retirant les cellules leucémiques restantes par l'emploi d'anticorps monoclonaux dirigés contre elles, puis de redonner à cet enfant sa propre moelle osseuse, et d'obtenir ainsi de meilleures possibilités de guérison.

Que penser des nouveaux médicaments? Chaque année, il y a quelques nouveaux médicaments qui font leur apparition dans l'arsenal thérapeutique. Les uns sont des cousins, potentiellement plus efficaces, de médicaments connus; les autres sont totalement nouveaux. Ces médicaments offrent beaucoup d'espoirs et nous permettent d'entrevoir le jour où nous découvrirons celui qui exercera une action spécifique contre les cellues tumorales; et, de ce fait, n'étant pas toxique pour les cellules normales, il pourra alors être donné à dose maximale, provoquant la disparition complète de la leucémie ou de la tumeur. Beaucoup de recherches se font dans ce domaine, et quelques chercheurs ont déjà pensé à se servir de moyens ultramodernes comme les ordinateurs pour les aider dans cette tâche. Espérons que l'avenir saura leur sourire.

Après qu'on a obtenu une rémission par des traitements courants ou par une méthode plus avant-gardiste telle la transplantation de moelle osseuse, l'objectif majeur demeure le maintien de la rémission. Une récidive de la maladie, la rechute si redoutée, renvoie le patient au point de départ et assombrit les perspectives d'avenir. Les traitements de chimiothérapie deviendront alors plus radicaux; les complications seront plus nombreuses et plus sérieuses. Les chercheurs consacrent tous leurs efforts à essayer de découvrir par quel mécanisme se développe la résistance aux médicaments dans la cellule leucémique. Lorsque ce mystère sera élucidé, il sera facile de contrer cette résistance et d'obtenir de meilleurs résultats.

Le traitement de l'enfant cancéreux ne se limite pas à lui injecter des médicaments; il se doit d'être total, c'est-à-dire voir à son confort physique et psychique. L'équipe médicale qui s'en occupe doit être polyvalente et multidisciplinaire: au sein de cette équipe, en plus des médecins hématologistes, des chirurgiens, des radiothérapeutes, des psychiatres, il y a des psychologues, des infirmières spécialisées et des travailleuses sociales. Tous ont un but commun: rendre à l'enfant sa pleine santé physique et lui faire conserver une bonne santé mentale. La lutte contre le cancer est une lutte de tous les instants, exigeant énormément de cohésion de la part de toutes les personnes impliquées.

Et les parents de ces enfants atteints de leucémie ou d'une autre forme de cancer (ces enfants sont plus de 1 000 au Québec) ont compris qu'ils avaient eux aussi un rôle primordial à jouer dans cette lutte contre le cancer: ils formèrent en 1978 une association nommée LEUCAN (Leucémie Cancer), qui a pour but de venir directement en aide aux enfants cancéreux, de donner aux parents le support dont ils ont besoin pour accorder à leur enfant les meilleurs traitements, ainsi que toute l'information nécessaire sur ces maladies. Leucan supporte aussi la recherche sur le cancer de l'enfant. Cette association vient joindre les rangs de plusieurs autres associations du genre, dont l'association des "Candlelighters", omni-présente aux États-Unis et oeuvrant maintenant au Canada. Cette dernière regroupe toutes les associations de parents dans le but de mieux défendre la cause des enfants cancéreux; car il ne faut pas oublier que ces derniers comptent pour bien peu dans les divers programmes gouvernementaux qui octroient des fonds pour la recherche sur ces maladies. De fait, 99% des cancéreux sont des adultes. Leucan veut donc promouvoir la cause de ces enfants et demande à la population de l'aider dans cette tâche en étant généreuse envers eux. Ceux-ci le méritent bien; on ne peut qu'admirer leur courage et leur ténacité, qui en font les "enfants-héros" d'aujourd'hui.

Tout comme Mona et ses parents, nous nous devons de garder espoir tout au long de cette lutte et de nous battre sans relâche contre cette maladie. Les succès relatifs que nous pouvons constater aujourd'hui dans le domaine du cancer de l'enfant sont dus en grande partie à des personnes qui, tout comme les parents de Mona, ont sacrifié une bonne partie de leur vie pour sauver celle de leur enfant. Au même titre, il faut reconnaître le dévouement d'une équipe médicale qui n'a d'autre souci que de supporter adéquatement ces enfants et leur famille. Oui... un jour, qui n'est sans doute pas très lointain, nous pourrons clamer notre victoire décisive et procurer à toutes les victimes de cette maladie une guérison bien méritée.

Mona n'est pas seulement un livre, un récit. C'est la vie d'une petite fille, mise en pages. C'est le drame d'une maman et de toute une famille qui refusent de céder devant un tel ennemi. C'est aussi un peu notre combat à tous, car, chaque jour, nous nous devons de survivre un peu plus.

Mona, nous t'aimons et t'aimerons toujours.

Jocelyn Demers, M.D.
Chef du service d'hémato-oncologie
Hôpital Sainte-Justine
Vice-président fondateur de Leucan.
Juillet 1986

Note de l'éditeur: on peut obtenir plus d'informations sur Leucan et sur la maladie, ou offrir sa contribution, en s'adressant à: LEUCAN, Association pour les enfants atteints de leucémie ou de cancer, 3045, Chemin de la Côte-Sainte-Catherine, Montréal, Québec, H3T 1C4; tél.: (514) 731-3696.

TOME 2

Je t'aime
la vie

Ginette Bureau

Je t'aime la vie

À tous ceux qui nous ont aidés

PRÉFACE

André, mon mari, est un Américain que j'ai épousé à New York après de brèves fréquentations. Ayant connu beaucoup de couples dont l'amour est mort étouffé par le mariage, nous tenions à vivre ensemble sans pourtant céder à la possession. Puis nous nous sommes pris au jeu. Après quelques années passées dans la métropole américaine, nous sommes venus nous installer dans l'Estrie où André a trouvé un poste de professeur d'anglais. Nous avions deux enfants: Francis et Mona.

En 1970, alors que Mona avait quatre ans, on m'a appris qu'elle n'avait plus que quelques mois à vivre. Statistiques à l'appui, on m'interdisait d'espérer, voulant m'éviter de souffrir inutilement. La révolte a alors éclaté en moi. Il me fallait trouver une façon de vivre, entre ma raison qui ne pouvait réfuter le verdict de la science et mon coeur de mère qui voulait tant espérer. Je me sentais incapable de lutter pour la vie de mon enfant tout en préparant mentalement ses funérailles.

Pour profiter du temps qu'il nous restait, je n'ai écouté que la force de mon sentiment et j'ai appris à espérer en dépit du bon sens, à croire à l'incroyable, à apprécier chaque jour comme un cadeau merveilleux qu'on refuse de laisser gâcher par la peur et l'angoisse. Il nous fallait vivre pleinement notre présent, pour ne jamais avoir à le regretter. Je me devais aussi de partager mon amour également entre mes deux enfants même si l'un d'eux avait la mort comme atout. Obstinément, j'ai élevé Mona comme si elle allait grandir, car être traitée comme les autres la rendait si heureuse.

Les mois se sont transformés en années. Mona a grandi, pétillante, s'épanouissant bien au-delà de toutes les prédictions médicales. On la croyait guérie. Un autre enfant est venu grossir notre famille. Je me suis offert cet enfant comme on se paye un luxe bien mérité. J'avais encore tant d'espoir et d'amour à partager.

Pour aider ceux qui vivaient des situations sans issue, j'ai relaté notre lutte au jour le jour et pour le douzième anniversaire de Mona, je lui ai donné un livre qui porte son nom. Comme si ce livre avait été un présage, avant même sa parution, Mona a une rechute. Nous devons recommencer, affronter encore la maladie menaçante. Ce que vous lirez maintenant, c'est la bataille de la jeune fille, impatiente de devenir une femme. Nous sommes en 1978. Francis, à treize ans, lutte pour gagner son indépendance et Mark, notre bébé de deux ans, est le noyau autour duquel circule toute l'affection de notre famille, sa garantie de cohésion. Ensemble, soutenus par une foule de gens, nous nous battons avec MONA.

*   *   *

Recroquevillé comme un foetus qui aurait eu 88 ans, la peau toute ratatinée, mon grand-père est mort en fin de semaine. Dans un lit d'hôpital, parce qu'au centre d'accueil, il était devenu pas commode du tout. Pourtant, il y avait réservé sa place depuis longtemps. Il avait en réalité demandé deux places mais n'en avait obtenu qu'une seule.

— Vendons notre vieille maison et allons se faire avoir soin... On devient vieux tous les deux, tentait-il de persuader sa femme qui s'obstinait à refuser: elle se disait trop jeune encore.

— La fille du bedeau travaille là, c'est du bon monde. Tu verras, on sera bien traités.

Mais le cancer avait emporté sa Marie-Blanche avant le grand déménagement. Il avait l'impression d'en avoir perdu des bouts et il continuait de l'attendre. Pour le calmer, ses enfants lui avaient promis, en l'abandonnant à l'hospice:

— Oui, elle va vous rejoindre bientôt papa. Quand elle sera mieux...

Dans des moments de lucidité, lorsqu'il se sentait assez de forces, le vieux se révoltait et piquait des crises formidables aux petites gardes-malades. Il leur lançait par la tête les pilules roses prescrites «pour le rendre plus commode». Parfois, c'est le plat de soupe qui allait s'aplatir sur les murs trop nets. Ce n'était pas des murs nets qu'il voulait! Bon!

— Il devient fou, on pourra plus le garder, ce vieux-là! se plaignait la jeune fille responsable de lui.

Il ne comprenait plus rien. Plus il se sentait lucide, plus on le pensait fou, on l'a donc expédié dans un hôpital avec des lits munis de montants et tout le personnel spécialisé pour amadouer le récalcitrant et le faire manger même malgré lui.

La lutte n'avait rien de nouveau pour lui. Toute sa vie, il avait lutté. Sur son lit de mort, il n'allait pas lâcher. Entre deux gorgées de jus de raisin, il répétait à une de ses filles, croyant s'adresser à toute la famille agenouillée, en pleurs, comme ils l'avaient fait pour sa Marie-Blanche quand elle était morte:

— Pleurez pas mes petits-enfants, ça va s'arranger...

Les enfants ne pouvaient pas pleurer, ils n'étaient tout simplement pas là. C'est qu'ils avaient été bien présents pour la mère. La maman savait s'organiser un culte dans la famille. Pas de culte pour le père. C'était un bon diable pourtant. Dans son délire, il se voyait entouré de tous ses enfants si peinés de voir mourir leur père après une vie entière de travail acharné.

— Pleurez pas, mes petits enfants... ça va s'arranger, répétait-il d'une voix à peine perceptible, avec la foi d'un enfant. Il avait tellement l'habitude de croire fermement que tout allait s'arranger... L'année du gros feu, ça s'était arrangé.

Les flammes dansent dans sa mémoire et se mélangent au sang des naissances. Tant de naissances! Il ne distingue plus si ce sont des hommes ou des animaux qui sortent de la matrice béante. La crise économique jette ses lueurs sombres, les mariages déteignent dans des couleurs blêmes et brumeuses, les chicanes de famille rougissent le décor... La guerre, que ses fils ont évitée grâce à toutes les manigances de sa bonne Marie-Blanche. Les éclats d'obus pètent dans sa tête. Et sa femme qui crie si fort. Le bétail qui galope essoufflé, effarouché. Il tente désespérément de les rattraper. Son coeur lui fait si mal....

Ça va s'arrang.... marmonne-t-il dans un souffle mourant.

Le médecin de garde tâte son pouls et confirme sa fin:

— Transportez-le à la morgue.

*   *   *

Grand-papa, en bêchant mon jardin, j'imagine ta mort. Et c'est épouvantable comme mes carrés de semence ressemblent à ton lot de cimetière fraîchement ouvert. Le roulement de la terre, les cercles de la vie me frappent en plein front. Ici je plante mes carottes et là-bas, tu pourris. Merde! Décidément, je n'ai pas le coeur gai. En voilà des pensées à entretenir au printemps en faisant son jardin! J'aime pourtant ce moment de l'année où je vis davantage en harmonie avec la nature. Je fais corps avec la renaissance de la terre. J'essaie de secouer cette lourdeur dans ma poitrine en souriant à Mona qui me regarde travailler.

Elle ne me renvoie pas mon sourire. Elle s'en garde bien. Elle m'en veut de l'avoir gardée à la maison. Ah! celle-là, elle m'inquiète depuis quelques semaines. Malgré mes efforts pour secouer ces pensées, les signes alarmants se multiplient. Je revois la scène qu'elle a provoquée pour ne plus continuer ses leçons de piano. J'entends mes propres arguments:

— Tu te souviens, Mona, tu m'as signé toi-même un papier me demandant d'être ferme si tu voulais abandonner le piano sans raison. Tu insistais parce que tu adores en jouer, mais à tes heures. Tu te souviens? Aujourd'hui, tu veux cesser tout simplement parce que c'est le printemps et que tu préfères jouer dehors avec tes amies.

— C'est ça, avait-elle répondu d'un ton arrogant. J'en ai assez... Toutes les filles vont s'amuser pendant que moi, à l'heure du dîner, je dois aller prendre mes leçons de piano.

Jamais je ne l'avais sentie autant décidée, irritée, aigrie même. D'habitude, il suffisait de quelques jours de congé, d'une conversation sur l'importance de développer les talents mis à notre disposition, avec la promesse de la laisser choisir des morceaux plus populaires et le tour était joué. Mona retournait alors à ses leçons, encouragée et heureuse.

Maintenant, je ne sais plus comment m'y prendre. Je sens chez ma fille un goût de liberté qui s'affirme. Et puis, j'aime trop la musique pour vouloir lui imposer.

L'adolescence s'annonce chez Mona. Entre une discipline stricte et une liberté contrôlée, je ne sais quoi choisir. Elle est plus frivole, ricane pour rien, a de la difficulté à se concentrer. On l'a même expulsée d'un cours de français.

— Mamie, il est complètement cinglé le prof.

— D'accord, il est peut-être un peu bizarre, mais quand même: tu exagères!

Le pauvre, il s'accroche à des petits détails pour exercer son autorité et se plaint continuellement à la directrice. Mona trouve qu'il ne mérite pas son respect. Il joue à cache-cache pour coincer ses élèves et prouver ensuite qu'il a raison. Mona a dû s'excuser pour être réadmise en classe. Mais la musique: fini pour cette année; l'an prochain, on verra.

J'examine l'espace entre mes rangs de carottes semées en ligne bien droite, en mettant très peu de terre par-dessus la graine. Couchée sous un arbre, Mona lit un roman d'aventures. J'espère seulement que sa fièvre a baissé, mais je n'ose pas la toucher, persuadée qu'elle va me repousser. Je lui ai volé une période très précieuse d'entraînement pour la fameuse journée olympique. Pendant la période du dîner, le gymnase est libre pour la pratique des sauts, la course et la préparation du spectacle qui doit clôturer cette compétition sportive. Elle ne parle que de ça depuis quelque temps et je vois de la rancune dans son regard.

— Le professeur tient beaucoup à ce que je sois là, dit-elle enfin.

— Je sais, Mona.

— Mamie, laisse-moi au moins l'appeler.

— Bien sûr, vas-y!

Au téléphone, elle s'excuse de ne pouvoir participer à la dernière pratique. Elle ajoute que si demain elle fait encore de la fièvre, elle devra peut-être aller à l'hôpital. Elle appelle son professeur par son prénom. Je réalise à quel point elle devient grande et combien cette journée a d'importance pour elle.

— Je m'excuse Jean-Guy, répète-t-elle.

Après avoir raccroché, elle me parle de ses nombreuses heures d'entraînement. Elle me suit au jardin tout en bavardant, très animée maintenant.

— Quand trouves-tu le temps de manger?

— Bah! On s'entraîne et après on gobe notre sandwich et notre jus au son de la cloche... Mamie, je suis une des meilleures.

Exhibant ses cuisses musclées, elle m'exécute un saut arrière pour bien m'en convaincre.

— Ça me fait de la peine que tu doives t'absenter, dis-je pour m'excuser.

Mais elle ne me croit pas, c'est visible. Ce matin, il a fallu que je me fâche pour réussir à la garder à la maison. À bout de ressource, je lui ai lancé:

— Ce n'est tout de même pas de ma faute si à ce moment précis tu fais de la fièvre!

— Laisse-moi y aller alors, si ce n'est pas ta faute.

— Mona, tu n'es pas raisonnable. Tu tiens absolument à ce que je me sente comme une marâtre?

Elle s'était bien gardé de me contredire. Dans ses yeux furieux, je pouvais lire: T'en es une!

Je préférerais être une marâtre plutôt que d'éprouver cette inquiétude qui me ronge en semant mes carrés de laitue. Mes carrés comme des lots de cimetière. Mona regarde au loin, songeuse. Je n'aime pas cette ombre dans son regard. Suffit! je ne vais pas encore m'énerver! On lui a fait sa prise de sang comme à chaque fois qu'elle a une poussée de fièvre soudaine. Le médecin m'avertira s'il y a quelque chose. J'ai l'habitude de me maîtriser intérieurement.

Mona joue aux élastiques: dedans, dehors, dessus, dessous... Je l'entends chantonner en cadence et je sème ma laitue avec un peu plus de coeur. Mais voilà qu'elle se rassoit, essoufflée.

— Voyons, t'as pas d'endurance....

Ma voix résonne comme l'élastique qui vibre encore entre l'arbre et la clôture du voisin.

Mona a repris sa position sur la couverture carrelée étendue sur la plus haute butte. Elle regarde les montagnes qu'elle admire chaque soir à cause des belles couleurs qu'elles prennent par le jeu du soleil qui se cache derrière.... Elle fixe l'horizon avec gravité. J'ai envie de lui crier: «Le soleil n'est pas derrière les montagnes». Ça me fatigue qu'elle scrute les montagnes de cette façon. On ne fixe pas ainsi les montagnes à douze ans. À douze ans, on les admire, mais on n'interroge pas les montagnes. Maudit jardin, si je peux finir!

— Tu veux une collation, Mona?

— Non, je n'ai pas faim.

C'est ça, ne m'épargne rien: pas d'appétit, le regard lourd, le visage plus pâle. Et mon coeur qui devine ce que veulent dire tous ces signes. Je me verse un verre de jus et le téléphone sonne.

— Ah! c'est vous, docteur?

— On aimerait faire d'autres tests à Mona.

— Comment ça?

Depuis combien d'années je n'avais plus entendu ça? D'autres tests? Je ravale ma salive.

— Histoire de se rassurer, explique le jeune médecin.

— Minute! Qu'est-ce qui justifie une telle décision? L'hémoglobine est de combien? Et la formule blanche? C'est ça, c'est le plus important, donnez-moi la formule blanche. Non, les plaquettes vont m'en apprendre davantage. Les plaquettes, s'il vous plaît?

— Je ne peux pas vous donner ces renseignements par téléphone.

— Pourquoi pas?

— Êtes-vous infirmière? demande le médecin surpris.

Je me sens agacée. Pourquoi faut-il avoir un titre pour obtenir le moindre renseignement? Toujours pareil! Quand on va passer un examen de routine dans une clinique, on a un apprenti médecin qui vous fait un téléphone de routine, parce que l'examen de routine est un peu en deçà de la routine. Je réalise que je le rends fou et je commence à me calmer. Dans sa voix, je sens qu'il est inexpérimenté. J'en conclus qu'il a sûrement dû faire erreur. Je respire profondément.

— Écoutez, dis-je du ton le plus neutre possible, donnez-moi simplement la formule blanche, ce sera suffisant.

Il laisse tomber brutalement:

— Mille six cents.

— Ah! non! Pas ça!

— Calmez-vous. Il y a bien des choses qui peuvent faire chuter la formule blanche.

— Pas chez Mona.

Il me réconforte tant bien que mal. Ses explications me rassurent et m'énervent à la fois. Je l'entends parler de moelle.

— Quand?

— Je vous appelle dès que je peux trouver une place.

J'ai l'impression que je connais déjà le verdict. Je n'ai aucune raison fondée de savoir, pourtant je sais... Mon corps le sent. Je retourne au jardin en courant presque. Je m'interdis surtout de réfléchir. Immédiatement, je dis, le plus calmement possible:

— Mona, c'était le médecin.

— Oui, et puis?

— Tu dois passer d'autres tests.

Elle n'en a pas passé depuis si longtemps. Pas besoin de tout lui cracher à la face d'un coup. Il me faut reprendre possession de moi. En état de panique, je me montre calme.

Bouleversée, je tente de me concentrer uniquement sur mes rangées de semence. Voyons, où sont mes haricots jaunes? Même si mon esprit s'affole et court, je tiens mon corps sagement courbé sur de la terre meuble. Ne pas devancer les événements. Ne pas gâcher le présent. Les cris de mon fils de deux ans viennent à mon secours. Ses appels retentissent jusqu'au jardin. Sa sieste de l'après-midi est terminée.

— J'arrive, mon trésor.

Je le débarrasse de ses vêtements trempés d'urine. Il est mouillé jusqu'aux oreilles. Je lui explique pour la millième fois qu'il doit apprendre à se rendre aux toilettes.

— À deux ans et demi, tu es grand maintenant. Tu promets d'essayer d'y penser?

Il se jette à mon cou et me donne un baiser tout mouillé. J'en oublie le tas de linge sale. Une chose à la fois. Un verre de jus au petit et je retourne au jardin par les belles marches sculptées à même le rocher derrière notre maison. D'ordinaire, le petit accroché à ma hanche en montant vers mon jardin, j'ai le coeur léger. J'ai l'impression de valser mon bonheur en me déhanchant avec un bébé. Aujourd'hui, le pied à peine posé sur la deuxième marche, j'ai déjà le coeur aux abois, la respiration courte, comme si je traînais un terrible fardeau. Mais je dois m'en débarrasser. J'ai l'habitude du bonheur. Je sais l'inventer. Je m'ordonne de me raisonner. Mille fois, j'ai su me dominer.

— Mona, surveille le petit, tu veux?

Je gratte mon dos qui commence à rougir et j'annonce, joyeuse!

— J'ai un coup de soleil; regarde, Mona.

Comme seule réaction, elle s'efforce de sourire. J'aime mieux la voir fâchée que de recevoir son sourire forcé. Ça me fait moins mal.

La journée se termine par un «agréable» souper de famille, de quoi faire tout oublier: le petit hurle, Francis rouspète qu'il préfère le riz avec le poulet, Mona réclame du ketchup tandis qu'André tente d'accaparer mon attention à son tour. Mes deux mains ne suffisent plus à donner en même temps une bouchée au bébé et la serviette au plus grand qui se sert du coin de la nappe pour essuyer ses doigts graisseux.

— Tiens-toi tranquille, dis-je à l'un.

— J'ai convaincu cet élève, répète mon professeur de mari.

— Oui, je sais, j'ai compris.

Je ne sais plus à qui j'ai bien pu dire de se tenir tranquille, les trois méritent cette remarque. Puis j'apporte le dessert. Encore beaucoup de propos animés et beaucoup de lait versé.

Avant que les deux plus grands ne se précipitent vers leurs bicyclettes, j'ai à peine le temps d'avertir:

— Mettez vos coupe-vent!

Mona, entraînée par son frère, ne demande pas la permission et se sauve pour aller jouer. Après leur départ, j'en profite pour mettre mon mari au courant du dernier test.

— André, ça ne va pas pour la petite, tu sais? Sa formule blanche est descendue à mille six cents.

— Je n'y comprends rien à tous ces chiffres-là. Combien de fois faudra-t-il que je te le répète? me lance-t-il d'un ton irrité.

Ma première réaction est de lui crier: «Apprends-les les sacrés chiffres!» Mais je me ressaisis. Je décide d'être compréhensive en prenant conscience que je l'ai abordé bêtement. Je crois toujours qu'il devine comme moi ce qui se passe. Pendant que je nettoie le bébé maculé de carottes jusque dans les cheveux, j'entends André m'apostropher:

— Non, mais tu vas le sortir enfin ce qu'a dit le médecin?

— Faut aller faire d'autres tests.

*   *   *

En maugréant, Mona me suit dans les corridors de l'hôpital. Moi, je fais la brave; après tout, c'est moi la mère.

— Mamie, je déteste ça venir ici. Pourquoi tu m'y obliges? Veux-tu bien me le dire? Parce que ce petit jeune docteur l'a décidé?

— C'est important, Mo.

Malhabilement, j'essaie de lui faire comprendre tout en la ménageant que peut-être elle devra être hospitalisée à nouveau si la prise de sang indique une détérioration par rapport à la précédente.

Attablée à la cafétéria, elle ronchonne encore. Son spectacle à l'école! Elle ne peut oublier le spectacle de ce soir. Elle devait être la vedette, ce soir!

— Tu imagines, mom, Jean-Guy a dit que j'étais la meilleure et je ne serai même pas là!

— Mona, l'humilité t'étouffe....

Il nous faut toujours attendre une bonne heure avant d'obtenir les résultats de la prise de sang. On ne sait jamais comment passer cette heure interminable. Après le lunch, on va à la pouponnière. On s'extasie devant les beaux petits bébés et on se remémore la naissance de Mark. Je raconte à Mona la naissance des autres en m'attardant longuement sur la sienne. Cette grande fille de douze ans adore se faire redire comme elle était rosée et rondelette et que tous voulaient la prendre dans leurs bras.

— Tu avais à peine six mois et quand on faisait jouer le disque «C'est une poupée qui fait non, non...», tu suivais le rythme en faisant non non avec la tête.

Son visage s'éclaire un instant.

En retournant vers le bureau du médecin, on le rencontre dans le corridor. Tout en marchant, il m'annonce:

— On a noté une baisse.

Je grimace en disant:

— De beaucoup?

— Mille quatre cents de formule blanche.

— Vous allez l'hospitaliser?

— J'attends qu'un lit se libère en pédiatrie. Ne vous éloignez pas, on vous avisera.

Mona marchait à mes côtés lorsqu'elle a vu le médecin s'approcher pour m'adresser la parole. Elle a continué sans moi comme pour profiter encore de quelques minutes de répit avant les mauvaises nouvelles. Une fois qu'il est parti, elle revient vers moi. Je lui dis alors sans réfléchir, sans hésiter:

— Mona, il faut qu'on te fasse une ponction de la moelle.

— Qui a décidé ça? Ce petit jeune-là?

— Non, il a consulté un hématologiste, bien sûr!

Furieuse, elle promène son beau corps d'athlète devant moi: ses épaules carrées et sa taille fine, ses cuisses musclées qui se dessinent sous son pantalon. C'est le printemps, le soleil est radieux dehors et elle ne veut rien entendre. «Pas l'hôpital!».

— Attends, ne marche pas si vite.

— Mon spectacle, mom!

À chaque pas, elle donne des coups de pied à des obstacles imaginaires.

— Tes amies viendront te voir!

— MON SPECTACLE!

— On va t'installer avec toutes tes choses.....

On dirait qu'elle a pitié de mon manque d'arguments. Elle me regarde droit dans les yeux, sachant très bien comme je sais très bien que ni elle ni moi ne pouvons éviter ce qui s'en vient. Je risque en souriant:

— Je t'apporterai ton élastique.

Je peux voir rire ses yeux. Rire de moi.

— Nous jouerons ensemble, dis-je timidement.

Elle m'imagine sautant dans l'hôpital comme on le faisait parfois toutes les deux à la maison. Je ne suis pas à la hauteur, et elle le sait. Ses yeux deviennent soudain rieurs, vaguement moqueurs.

J'ajoute alors:

— Je me pratiquerai chez nous et je te battrai sûrement.

On approche de la fameuse chambre d'isolement. Les instructions affichées nous agressent: «N'entrez pas sans un masque et des gants». Les jaquettes blanches à enfiler. La coupe qu'on ne veut pas boire... Je ne peux pas crier «assez»! Alors on parle beaucoup. On parle pour ne pas voir les petits malades dans le corridor. Mona m'interrompt et me montre la baie vitrée qui donne sur l'autre chambre d'isolement.

— Regarde! c'était cette chambre-là que j'avais quand j'étais petite.

Je suis bien forcée de jeter un coup d'oeil. Dans le lit, un petit garçon de cinq ans assis, les cheveux rasés, les joues gonflées, le regard qui en veut au monde entier. Le père et la mère le recouchent chacun de leur côté, appuyés sur le lit comme pour l'envelopper de leurs corps et de leur affection. Ils ont l'air de tellement souffrir! En se redressant, ils nous font signe de la main. Je souris poliment et Mona lance des saluts au petit garçon qui a les larmes aux yeux. La coupe qu'on ne veut pas voir... qu'on ne veut pas boire.

Ce qui nous aide dans un moment pareil, ce sont les fichues procédures. Il y a de quoi nous occuper une bonne demi-heure, Dieu merci. Pendant toute une demi-heure, je n'aurai pas à me poser de questions; je n'aurai pas à répondre aux questions de Mona. On m'envoie ici et là, on me fait signer des trucs, on s'occupe de nous avec beaucoup d'empressement et j'en suis contente. Les gens en uniformes blancs sont à peine sortis que Mona demande:

— C'est quoi au juste qui a baissé dans ma formule?

— Un peu tout. Ils doivent faire une ponction. Mais je serai ici, je te le promets.

*   *   *

Le lendemain, la bataille habituelle s'engage dans mon coeur de mère. Je dois faire une longue marche afin de retrouver mon calme. Trouver où est mon devoir. Je déteste ce mot et je tente de le faire disparaître de mon vocabulaire. Devoir, c'est-à-dire force, c'est-à-dire contrainte. Ce que je veux trouver au juste c'est comment je dois m'y prendre pour arriver à sentir ma vie bien vécue. Être satisfaite de moi. La réponse m'apparaît soudain, claire et nette: aider ma fille à traverser cette rechute. Reléguer au second plan les projets personnels.

Je range la maison après le départ de mon grand pour l'école. Je reconduis mon mari puis je vais confier mon bébé à la gardienne. La nouvelle routine s'établit à mon insu. Je ramasse les objets susceptibles de rendre le séjour de Mona à l'hôpital le plus agréable possible. Une grande photo de Mark. Mona est sa petite mère. Elle en est très fière; à l'entendre, elle lui a tout appris. En me concentrant très fort sur les objets à apporter j'en arrive à oublier momentanément ce malheur qui pointe le nez.

Armée de ma meilleure forme et d'un esprit assez dégagé, j'arrive confiante à la chambre de Mona. La porte est fermée mais à travers la vitre, j'aperçois la technicienne immobile sous son masque, au pied du lit de Mona. Je devine qu'on est en train de faire la ponction. Le jeune médecin est penché au-dessus de Mona avec la tige de fer qui sort de sa hanche. Elle se retourne et me voit. Je lui fais un clin d'oeil pour lui faire comprendre qu'elle se comporte comme une grande fille raisonnable. Pour ne pas nuire au déroulement de l'opération, je m'esquive immédiatement et je m'efforce de m'intéresser aux petits enfants qui m'entourent dans le vestibule. Un petit de deux ans me touche la jambe et me tend les bras en disant «Maman». Je le prends sur moi et le cajole. Il se blottit contre moi. Je le rassure:

— Maman viendra.

Après un certain temps, une infirmière vient me le reprendre. Et je me demande s'il ne souffre pas d'une maladie contagieuse. Je me promets de me désinfecter avec soin avant d'entrer dans la chambre de Mona.

«Comme c'est long», me dis-je en retournant voir s'ils ont terminé la ponction. J'aperçois le jeune médecin en sueurs qui s'affaire au-dessus de Mona. Elle me jette un regard désolé. J'entrouvre alors la porte.

— Ça ne va pas? dis-je le plus doucement possible.

Il fait signe que oui et dit à Mona d'une voix tendue:

— Ta mère a l'air bien nerveuse.

Puis, s'adressant à moi:

— Ne soyez pas inquiète madame; je l'ai bien calmée et elle est très anesthésiée localement, dit-il sans doute pour se rassurer lui-même.

Je recommence à arpenter le corridor, me demandant si je dois intervenir. Ça fait une bonne quinzaine de minutes qu'il lui triture l'os. J'ai déjà assisté à trois ponctions avant et ça n'a jamais été aussi long. Ce qui me dérange le plus, c'est le regard de la technicienne qui semble avoir perdu son impassibilité. Au-dessus de son masque, ses yeux ont l'air préoccupés. Je reviens donc vers Mona. Elle pleure. Là c'est le comble! Elle qui ne pleure jamais pour des piqûres. Je décide d'une tactique qui épargnerait à Mona ce cauchemar. Je compose le numéro du département d'hématologie. Le médecin que je connais me convainc de faire confiance à l'interne, que c'est le seul moyen d'y arriver.

Je retourne faire le guet. Combien de temps encore vais-je laisser l'infirmière éponger le front du médecin? Il a posé le genou sur la hanche de Mona et il tire de toutes ses forces. J'ouvre la porte. Il a l'air traqué, le regard ahuri. D'un ton ferme, je lui propose:

— Vous avez besoin d'aide, docteur? Il y a le médecin de garde sur l'étage. Je peux courir le chercher.

Il acquiesce, sans un mot. À toute vitesse, je me précipite vers le pédiatre responsable du service.

— Vite! Quelqu'un qui n'est pas habitué est en train de faire une ponction à ma fille et il m'a demandé de l'aide.

Le pédiatre me regarde et saisit l'urgence de la situation. Il réagit immédiatement. Il se brosse les mains rapidement et intervient avec des gestes sûrs. Il bouge vite et lentement à la fois. En un rien de temps, il a retiré la tige sans même tenter d'en extraire la moelle. Mona est en pleurs et je la console de mon mieux:

— Voilà ma grande, c'est fini.

Je refoule ma rage de savoir ma fille utilisée comme cobaye par un apprenti médecin. Ils ont rarement l'occasion d'avoir une patiente de douze ans pour se faire la main. Une petite patiente qu'on assomme avec dix milligrammes de valium avant que sa mère n'arrive. C'est ça qu'on accepte si bêtement en signant au bas des formulaires. J'ai été inconséquente en agissant ainsi et je me le reproche. Je veux savoir ce que j'ai bien pu signer d'autre... Mona a le visage tout rouge et je vois bien que la haine prend alors le dessus sur sa peine. Dès qu'elle cesse de pleurer, on se met à parler contre le jeune blanc-bec, elle et moi. On ne l'a plus jamais revu par la suite. L'après-midi même, un interne expérimenté fait la ponction sans même utiliser de valium. Il donne des explications rassurantes et le prélèvement se passe très bien. Le même soir, encore indignées toutes les deux, on s'empresse de raconter les péripéties de la journée; ainsi, tout cet émoi réussit à nous empêcher de nous attarder aux raisons du prélèvement et à ses résultats. Un malheur est venu en adoucir un autre.

*   *   *

La nouvelle nous arrive par téléphone.

— Allo. Ah! Dr Lemieux...

Il ne me laisse pas le temps de poser de questions. En vrai pro, fort de son expérience, il attaque de front, sans prendre le temps de respirer, sans hésiter et surtout sans me donner le temps de prendre panique.

— Nos doutes étaient fondés, madame.

C'est comme s'il m'ouvrait la gorge pour me faire avaler de nouveau l'expérience passée. Il réussit à me faire taire en me bombardant d'explications. La nouvelle amère atteint la partie sensible, puis une fois que j'ai encaissé, il me laisse parler. Et c'est ma tête qui répond, car je ne puis plus rien contrôler d'autre. L'intellect réagit. Le docteur Lemieux enchaîne donc sans m'accorder le moindre répit pour que je puisse m'apitoyer. Il est maintenant sûr que j'ai tout assimilé, il n'y a pas de doute: il s'adresse à quelqu'un qui a compris. Alors, on ne parle plus du malheur mais de ce que l'on doit faire pour le vaincre.

— Les leucémies comme celle de Mona se traitent bien.

Après m'être écroulée, déjà la poussée dans le dos pour reprendre la position debout.

— Elle a de bonnes chances, d'autant plus qu'elle a été si longtemps en rémission.

Sapristi! Je ne m'attendais pas au mot chance, du moins pas si tôt. Je parle de transplantation.

— Ce n'est pas nécessaire, nous allons traiter Mona comme s'il s'agissait d'une première attaque. Car la maladie n'est pas reparue depuis presque huit ans.

Je raccroche le téléphone.

— C'est ça, dis-je subitement à mon mari.

Il est tout étonné:

— Je ne le croyais pas. Je sentais ta voix si sûre.

Francis est à moitié couché sur le divan; son gant de baseball pend au bout d'une main. Il a compris et n'ose pas s'enfuir dehors. Nous le mettons tout de suite au courant. Ses yeux s'attristent d'un coup. Nous insistons sur le manque d'attention qu'il a dû subir quand il était tout petit à cause de cette sacrée maladie chez sa soeur.

— Nous allons sûrement te négliger encore...
— Mais non, je comprends.
— Nous allons même avoir besoin de toi pour prendre soin de Mark.
— C'est dangereux pour elle?
— Oui, lui répond très fermement son père.
— Pour sa vie? demande l'adolescent paniqué.

À mon avis, on va obtenir une rémission et je lui communique tant bien que mal ma foi dans le traitement.

— Il faut que tu sois gai et en forme. Va jouer au lieu de te faire trop de soucis. Ainsi, tu auras quelque chose à lui raconter lorsque tu iras la visiter.

Encouragé, il s'empare de sa bicyclette pour aller rejoindre ses amis, non sans nous jeter un regard de complicité. Il se sent de la partie. Nous sommes maintenant trois pour lutter.

*   *   *

Maintenant que nous nous sommes montrés de braves parents, nous roulons tranquillement vers l'hôpital visiter notre chouette qui, elle, doit non seulement apprendre la nouvelle mais en subir les conséquences. Je pleure pendant presque tout le trajet, de Bromptonville jusqu'à Sherbrooke. André me tient la main. Sous le viaduc à l'entrée de la ville, il parle le premier:

— Nous y arriverons. Il va falloir se parler tous les deux.

Je tapote sa main en essayant de reprendre ma respiration normale.

— Ça ne sera pas comme la première fois. Nous ne laisserons pas se gâcher le plus petit moment. Essuie tes larmes.

— T'as raison, dis-je en me mouchant fort jusqu'au pont Therril.

Nous nous donnons des armes pour la durée du traitement.

— Il faut se rappeler que lorsqu'elle aura l'air très malade, ça voudra dire que le traitement agit.

Nous comparons le moment présent à ce que nous avons déjà vécu. Nous nous préparons au pire. À toutes les infections. Mais avant même de mettre le pied dans l'hôpital, nous nous sommes presque convaincus l'un l'autre que les traitements se sont peut-être améliorés et que ce ne sera pas nécessairement aussi épouvantable que la première fois. De plus, nous sommes mentalement mieux préparés, nous

nous comprenons mieux que dans les premières années de notre mariage et, cadeau suprême! Francis nous aidera.

— T'as vu comme il était content qu'on l'implique?

Bien sûr que ce sera différent, je n'arrête pas de me le répéter. J'ai déjà mis sur papier, en prévision d'un livre, tous mes trucs de combat. Je les utiliserai tous. Maintenant que ces moyens sont devenus conscients et que je les ai analysés, je connais d'autant mieux mes faiblesses. Je mesure désormais l'importance de m'entourer de gens avec qui je peux communiquer pour pouvoir mieux exprimer mes besoins. Je saurai repérer ceux qui veulent aider mais ne savent comment s'y prendre. Je saurai éviter les gens qui me communiqueront leur angoisse. Éviter aussi ceux qui ont besoin de voir le sang des autres pour bien apprécier leur bonne santé. Primo: déterminer mes buts. C'est-à-dire soulager Mona de sa solitude, de son ennui. Il faudra inventer des jeux pour la distraire et toujours afficher une bonne dose de joie et d'optimisme en sa présence. Nous exigerons de ceux qui viendront la visiter une attitude confiante. Sinon, il me semble que j'aurai la force de les convaincre de rester plutôt chez eux. André doit avoir fait à peu près le même cheminement car nous arrivons auprès de Mona armés jusqu'aux dents pour se battre avec elle, décidés à vivre le mieux possible cette situation. Notre attitude déteint très vite sur notre fille; elle nous répond, après qu'on lui ait annoncé la réapparition de la maladie:

— Tant pis! Si je dois me faire soigner à tous les sept ans...

Le soir même, je dois mettre à l'épreuve mes bonnes intentions. Une cousine toute chagrinée par la rechute de Mona en a parlé à ses enfants. La dramatique nouvelle fera sûrement le tour de la cour de l'école en un rien de temps et lorsque ma fille sortira de l'hôpital elle se fera pointer du doigt. J'avertis la cousine en question mais elle ne comprend rien à mes supplications:

— Écoute, imagine que ce soit ta fille! Tu accepterais qu'elle soit traitée différemment des autres?

Elle se défend en jetant le blâme sur sa fille trop bavarde qui a colporté la nouvelle.

— Il ne s'agit pas de le cacher.... un peu de discrétion, de discernement... pas tant de drame.

Elle s'offusque de mes remontrances, ne comprend plus rien.

— C'est pourtant clair.

— Je suis très mal à l'aise, moi qui voulais aller la visiter.

— Tu viens avec la bonne attitude, sinon tu restes chez toi!

— T'as pas besoin d'avoir peur, puisque tu le prends comme ça, on n'ira pas la voir, ta fille.

Et elle me raccroche au nez.

Je l'ai sûrement blessée, je le regrette déjà, mais je n'avais pas le droit de gaspiller mes énergies en étant ambivalente. Il me fallait régler ce problème une fois pour toutes. Ne pas gâcher le moment présent, chasser l'angoisse qu'elle m'a communiquée. Je déteste employer des moyens aussi draconiens et il m'a fallu beaucoup de courage pour passer mon message. Je me félicite pour mon cheminement personnel. Et je réalise tout d'un coup qu'il ne me suffit plus d'être gentille. Pour la première fois, j'admets que tout ne s'explique pas et que tout ne s'arrange pas toujours à l'amiable. Au fond, je ne garde pas rancune à la cousine: à chacun ses expériences, son rythme et ses progrès. Par contre, d'autres personnes se comportent merveilleusement bien. Oncle Robert invente un jeu de balle au mur dans la chambre d'isolement. Il colle un ruban gommé noir sur le mur qui fait les délices de Mona et désole par contre le concierge. Dès qu'un joueur de taille se présente, on déplace la poubelle et le fauteuil, ce qui forme une sorte de corridor de trois pieds et demi sur dix. À tour de rôle, deux joueurs frappent la balle à l'intérieur de l'espace marqué. Étant donné que Mona joue beaucoup, elle gagne souvent. Ses deux grands rivaux: son père et oncle Robert.

Quant à moi, je vais la retrouver l'après-midi. Le matin, Mona travaille aux devoirs et aux leçons que ses professeurs lui font parvenir pour l'occuper et la garder en contact avec l'école.

— Bonjour, ma chouette.

— Allo mamie!

— Comment ça s'est passé les traitements ce matin? Qu'est-ce qu'ils t'ont fait?

— Des pilules, des prises de sang.

Puis, elle fait signe de la main comme pour montrer que ce n'est pas important et qu'elle ne tient pas à en parler. Elle préfère s'occuper à autre chose.

— Viens jouer! Ça fait longtemps que je t'attends.

— Jouer à quoi?

— Aux élastiques.

J'espérais qu'elle ait oublié ma promesse, qu'elle ne l'ait pas prise au sérieux. À trente-quatre ans et flanquée d'un enfant de deux ans, ma journée est pas mal entamée à deux heures de l'après-midi. Aussi, je manque de souffle même si j'ai cessé de fumer.

— Mona, je ne vaux rien à ce jeu, je m'accroche continuellement les pieds dans ce sacré élastique.

— Justement, c'est ça le jeu: se les accrocher au bon moment, m'explique-t-elle les yeux rieurs.

Je fais la moue. Mona sait très bien comment m'avoir.

— Allez, essaye, mom!

— Pas aujourd'hui, je t'en prie.

— Qu'est-ce que t'as? T'es trop vieille?

Ça y est: elle a su toucher la corde qui me fait bondir à tout coup et elle ricane, sûre de sa victoire. Elle doit s'être pratiquée une partie de l'avant-midi; son élastique est encore installé entre la chaise et la poubelle. Elle m'enseigne le rituel: dedans, dehors, dessus, accroche pieds puis on saute à l'extérieur pour recommencer un peu plus haut. Je prends la place de la poubelle et j'enroule l'élastique autour de mes jambes. Je le ramène après chacun de ses sauts sans jamais qu'elle se trompe. Son poteau de soluté la suit, si c'est un jour de sérum. Je garde les stores bien fermés pour ne pas que tout l'étage me voie sautiller comme un enfant de dix ans. Mais comme j'ai passé cet âge depuis longtemps, je soutiens discrètement ma poitrine de mes avant-bras. Mona s'en aperçoit et se moque de moi, en mimant mon geste.

— Mom, regarde de quoi t'as l'air.

— Tu peux bien rire, toi, tu n'as rien!

— Attends, ce ne sera pas long, rétorque-t-elle d'un air arrogant.

— Dis donc, toi, quelle drogue te coule dans les veines par ton soluté?

— Arrête de chialer et viens jouer aux cartes!

— Pour me faire battre encore!

La première semaine se passe ainsi. À heures fixes, elle guette notre arrivée de sa fenêtre du cinquième et nous fait signe de la main. Nous sautons dans l'ascenseur. Il faut ensuite bien se laver les mains, enfiler une jaquette blanche. Mon mari et moi n'avons pas besoin de masque; les microbes doivent être de la même famille, je suppose. Nous sommes enchantés de l'information détaillée qu'on nous donne sur demande. Il se trouve toujours un spécialiste ou encore un interne pour répondre à nos questions.

La formule sanguine, pour cette rechute, n'indique pas tellement de cellules malignes mais un débalancement de la formule blanche apparaît. Les lymphocytes sont trop nombreux. Alors, à chaque prise de sang nous constatons une diminution des lymphocytes. Naturellement le reste de la formule sanguine baisse aussi. Dès le début du traitement, on peut annoncer à Mona que les médicaments agissent. Par conséquent, elle perd l'appétit et commence à être incommodée par le beau soleil qu'elle ne peut pas goûter dehors. Sa grand-mère lui apporte ses plats favoris.

— Mona, ne te laisse pas aller, si tu ne veux pas perdre trop tes forces.

Moi, je continue ma besogne et Mark ne semble pas trop souffrir de mes absences de l'après-midi.

Avant longtemps, une ponction lombaire sera nécessaire. Protocole de traitement décidé en hémato. Oh! le grand mot et la grande aiguille. L'interne nous explique et nous apprivoise un peu avant de nous laisser aborder Mona.

— C'est ça que reçoit le petit garçon en face de Mona?

Il fait signe que oui.

— Il revient le visage gonflé et les yeux rougis comme si on l'avait battu. Ce n'est pas très encourageant. Est-ce qu'ils pleurent toujours autant?

— Le secret, c'est d'avoir les muscles très détendus.

Il répond très patiemment à mes nombreuses questions.

— Même si Mona ne présente pas de cellules malignes au cerveau, c'est une protection. Nous retirons du liquide rachidien et injectons du «Métrotraxate», le même médicament qu'elle avale. N'oubliez pas, la douleur est intensifiée par la raideur des muscles, nous repète-t-il à plusieurs reprises.

— Tu vas voir, Mona, on va s'habituer à la détente. Moi, je t'enverrai des ondes ramollissantes par la pensée et tes muscles les plus réticents deviendront mous comme du chocolat fondu.

Le jour de la ponction, j'ai beau prendre de grandes respirations, me détendre, me convaincre de l'importance de la réussite de la première qui sera garante des six autres si on ne veut pas qu'elles tournent en cauchemars. Je me sens crispée de la tête aux pieds. On amène Mona dans la salle de traitements et je promets de rester sur le seuil de la porte entrouverte. Là, entre les murs du petit vestibule, j'installe un écran imaginaire et j'imagine ma fille repliée comme un foetus, détendue et confiante entre les mains de ceux qui sont en train de la transpercer d'une aiguille de six pouces. Ma fille comme un papillon qu'on épingle dans une collection. (Espèce de folle! Ne pense pas à des images pareilles!) Je me reprends aussitôt. J'arpente le corridor. Je n'entends pas un souffle sortir de la salle de traitements. Heureusement que son père lui a fait son discours sur la détente au téléphone ce midi. Franchement, je ne suis pas à la hauteur! Je me frotte les mains et je constate que je les tords. Une infirmière le remarque et je me ressaisis. C'est la même infirmière qui va regarder la télé avec Mona après les heures de visites. Elle m'est antipathique et je ne sais absolument pas pourquoi. L'idée qu'elle s'installe dans la chambre désinfectée de ma fille pour regarder des émissions après 9 heures m'agace. Mona se couche habituellement vers 9 h 30. Combien de temps restent-elles ensemble? Mona semble l'aimer, alors je ne dis rien. De plus, je ne fais pas tellement confiance à mes ressentiments quand j'ai de la peine. Sans doute que cela fait partie de sa tâche; tenir le moral de ses patientes, les distraire. Elle rôde maintenant autour de moi comme si elle voulait me parler. J'examine attentivement la pile de linge plié en face de moi, le dos appuyé contre le mur.

— Madame?

— Oui...

— Je voulais vous demander... est-ce que Mona sait de quoi elle souffre?

— Qu'est-ce que vous voulez dire? Si elle connaît le nom de sa maladie? Oui!

— Peut-on en parler avec elle?

— Je réponds à ses questions, habituellement. Je lui donne les renseignements qu'elle demande.

— Oui, oui. Mais... si elle va chercher dans le dictionnaire le mot «leucémie», vous savez très bien ce qu'elle verra!

J'ai chaud. Je veux qu'elle arrête de parler. Je ne vois pas où elle veut en venir. Elle me fait douter de mon approche de la maladie, douter de moi, de ma façon d'être mère. Elle continue pourtant malgré mon regard ahuri:

— Vous savez, on avait un petit garçon de dix ans ici et lui, il savait tout. Absolument tout. Il savait qu'il pouvait mourir et il en parlait. Combien de temps entre chaque rechute il pouvait vivre approximativement... Il connaissait tout, lance-t-elle avec un sourire savant.

Elle m'a eue. Les deux épaules collées au plancher. Elle me dépasse par son vocabulaire. Par ses diplômes. Je n'ai qu'une pauvre petite intuition maternelle, moi. Je ne suis même pas capable d'en faire une formule. Mais plus que jamais, je veux éloigner Mona de cette femme. Je cherche désespérément mes mots. Comment traduire ce juron qui me vient à l'esprit? Pendant que je cherche à lui dire de se mêler de ses affaires, elle m'inonde de détails macabres sur la mort du petit leucémique. Malgré mon coeur qui veut sortir de ma poitrine, je lui assure tant bien que mal:

— Je crois bien que nous saurons lui parler, son père et moi, en temps et lieu. On se servira de notre jugement. (Vous savez, on en a un, même si on n'est pas diplomé en soins palliatifs).

— O.K. Je voulais simplement savoir jusqu'à quel point on pouvait répondre à ses questions. Ça devrait être indiqué dans le dossier.

Et elle tourne les talons.

Tout ce temps, Mona est de l'autre côté de cette porte que je fixe, tendue et furieuse. Avec tout ça, j'ai oublié de me détendre, d'envoyer des ondes à ma chouette. Le visage me brûle. Décontracte-toi, que je m'ordonne. Je me demande dans quel état elle va sortir de là. Pourquoi est-ce aussi long? Je n'en peux plus! Je vais pousser la porte un tout petit peu, pour voir ce qui se passe.

— Booo!

Je bondis comme un chat et j'aperçois Mona qui applaudit en riant aux éclats parce qu'elle a réussi à me faire sursauter. Elle a fait un détour par une autre porte pour venir me surprendre dans ma position de torture. À mon insu, nos rôles s'étaient interchangés. Transfert bizarre!

— Mais on t'a dit qu'il fallait que tu restes couchée pour ne pas avoir mal à la tête.

— Je sais, mais je n'ai pas mal. Calme-toi, j'y vais.

Elle se dandine vers sa chambre comme si de rien n'était.

— C'est fait, lance-t-elle l'air triomphant.

— Ça t'a fait mal?

— On ne peut pas dire que c'est un plaisir, mais c'est endurable. Je me faisais molle comme un chat et le médecin qui me tenait me disait continuellement que je faisais très bien. La prochaine fois, ce sera plus facile maintenant qu'ils savent exactement où piquer.

— On joue aux cartes. O.K., mother?

Bon, la mère oublie l'incident, plutôt les deux inci-
dents. En étant jumelés, ils se confondent presque et je ne
sais plus très bien lequel m'a donné le plus de palpitations.
Je me calme en me consacrant au jeu, contente de voir
Mona en forme et avec des goûts de jouer des mauvais tours
même si habituellement j'haïs être la victime de ses «surprises» à me faire tout échapper.

*   *   *

À mesure que les médicaments s'accumulent dans le corps de Mona, son exubérance diminue et fait place à des maux de coeur et à la perte d'appétit. Comme l'avant-midi est bien remplie à l'hôpital par les examens de routine, les prises de sang, la toilette de la patiente et de la chambre, les devoirs à faire, je la sais entourée et je me préoccupe moins de Mona. Je me consacre plus à ma besogne à la maison et aux soins du bébé. Parfois, elle me donne un coup de fil rapide: elle sait bien que je serai là de bonne heure après le dîner.

Un beau jour, en début d'après-midi, je reçois un appel:

— Mom, est-ce que j'ai besoin d'une diète spéciale maintenant? me demande Mona au bord des larmes.

— Mais non, pourquoi me demandes-tu ça?

— T'es sûre? ajoute la voix brisée...

— Voyons, pourquoi tu me poses cette question? Allez, réponds!

— J'ai pas eu de dîner.

— Quoi?

— Depuis onze heures, j'attends que quelqu'un vienne dans ma chambre.

— As-tu sonné?

Elle se met alors à pleurer et je ne saisis plus rien de ce qu'elle raconte.

— Pourquoi tu ne m'as pas téléphoné avant?

Mon ton s'adoucit, mais seulement quelques secondes: quand je parle trop longtemps toute seule, je me fâche.

— Vas-tu me répondre? Qu'est-ce qui se passe?

— Mon téléphone ne fonctionne pas bien et on me répond d'être patiente et d'attendre.

Elle ajoute que la dernière fois qu'elle a sonné au poste, on l'a grondée et on lui a répondu sur un ton irrité. Ce qui fait qu'elle n'a pas osé leur dire que son dîner n'est jamais arrivé.

Elle est furieuse, et moi donc! Sa chambre est un peu en retrait des autres à cet étage. Mais de là à oublier une patiente!

— Attends, j'appelle immédiatement.

Je compose le numéro à toute vitesse et demande l'infirmière qui s'occupe de Mona.

— Bonjour madame, me répond celle qui est si douée en psychologie.

Elle me défile son petit discours habituel:

— Mona a passé une bonne nuit. Pas de température, dit-elle en cherchant son dossier. Va b...

Pour l'interrompre dans sa litanie de devoirs accomplis, je lui crie:

— Écoute!

— Mais qu'est-ce qu'il y a, madame?

— Est-ce que Mona a dîné?

— Oh! Mon Dieu, je l'ai oubliée. J'y vais tout de suite.

Et elle ajoute pour se justifier:

— Bah! pour ce qu'elle mange!

Je laisse tout en plan à la maison, saute dans l'auto, vais reconduire le bébé chez la gardienne et je fonce vers l'hôpital. En me voyant arriver, l'infirmière s'empresse de soulever le couvercle du plateau de Mona qui se trouve près de sa porte. Comme de raison, elle avait à peine touché à cette nourriture sèche et réchauffée. Je regarde l'infirmière bien en face et elle gesticule, lance un clin d'oeil à Mona qui nous observe à travers la vitre. L'infirmière lui promet gaiement qu'elle viendra encore regarder la télé pendant ses soirs de garde.

Elle a réussi à amadouer Mona avec des belles paroles et de la pseudo-camaraderie. Je déteste pareille manigance de la part d'une professionnelle qui espère ainsi faire oublier l'erreur qu'elle a commise. Je ravale mes injures: j'ai envie de m'en prendre à son air nonchalant, à ses cigarettes qui dépassent de la poche de son uniforme. Je me brosse les mains avant d'entrer dans la chambre de Mona. L'infirmière disparaît en ricanant nerveusement. Je dispute ma fille.

— Tu ne penses tout de même que j'aurai pitié de toi, hein? Je te félicite: te laisser crever de faim! Tu n'avais qu'à sortir ta tête dans le corridor et crier. Non, mademoiselle préférait bouder.

— Je pensais qu'elle viendrait et puis au début, je m'en fichais. Je regardais la télé.

— Maudite télévision!

— Sais-tu au moins combien de médicaments tu avales et pourquoi?

Je deviens soupçonneuse. J'ai soudain peur. Si on est capable d'oublier un repas, j'imagine comme il doit être facile d'oublier un comprimé, qu'il soit rose ou blanc.

Dès la prochaine visite du médecin, Mona et moi, on se fait expliquer en détail la nature de chaque médicament, sa fonction ainsi que la quantité prescrite. Étant assurée qu'elle a bien compris, je la mets en garde:

— N'oublie pas, Mona, si on veut t'en donner d'autres, tu demandes d'appeler ta mère.

Elle promet d'abord pour me calmer puis se met à pleurnicher.

— Pourquoi moi? Veux-tu bien me le dire? Pourquoi je dois rester enfermée dans cette chambre? Je suis tannée, comprends-tu ça?

Je cherche une réponse. Elle crie soudain:

— Mom! Regarde le beau soleil dehors!

— Je sais, ma grande.

Pendues toutes les deux à la grande fenêtre, nous regardons les internes se lancer la balle pendant leur pause. Les infirmières se promènent près de la fontaine et il y a même des patients dehors en chaise roulante. C'est alors que me vient une idée. Les microbes que Mona doit éviter, ce sont ceux des petits malades de l'étage. Si on pouvait la protéger, peut-être pourrais-je l'amener se promener au soleil?

J'attends sa prochaine question pour lui faire la proposition.

— Pourquoi ils me gardent ici, mom? Je pourrais voyager pour les traitements.

— On attend que ta formule sanguine ait 500 en neutrophiles. Tu sais les petits guerriers, dans la formule blanche, qui détruisent les microbes.

— Oui, je sais, Nathalie m'a expliqué. J'en ai combien maintenant?

— Pas beaucoup, mais ça peut remonter très vite. Je peux te dire que la proportion entre les neutrophiles et les lymphocytes s'est améliorée. Presque moitié-moitié. Tu vois, à cause des traitements, ta formule blanche descend très bas. Elle est seulement à 400 au lieu de 4 000. La moitié de 400, ça ne fait pas beaucoup. Tant que tu n'auras pas atteint 500, tu ne pourras pas revenir à la maison.

J'ai beau tenter de mettre de l'optimisme dans tous ces chiffres, je vois bien le découragement dans ses yeux.

— Qu'est-ce que tu dirais si demain on réussissait à aller nous promener à l'extérieur toutes les deux?

Ainsi, au lieu de languir au bord de la fenêtre ensoleillée et de pleurer sur notre sort comme des princesses enfermées dans une tour, nous commençons des démarches auprès de l'infirmière en chef. Après un premier refus, elle promet de demander au médecin; entretemps, elle s'occupera de trouver un masque; quant à nous, nous nous engageons à un bon brossage de mains et à toutes les précautions qu'elle exigera pour ne pas contaminer la chambre. Dehors, nous resterons loin des autres pour déjouer les microbes.

Mona s'anime d'un coup et fait ses devoirs avec application malgré ses nausées. Avant son hospitalisation, elle avait des chances de finir première de sa classe aux examens de fin d'année. À la meilleure élève, on accorde le privilège d'apporter chez elle un gros trophée pour toute la durée de l'année scolaire suivante. En compétition avec sa meilleure amie Marie-France, elles se talonnaient de près dans l'accumulation des notes. Cette maladie a grandement compromis ses chances de gagner la course. Elle s'acharne à travailler. Trop. J'aime bien la voir stimulée et préoccupée par l'école. Sans vouloir refréner son goût de travailler, j'essaie tout de même de la modérer:

— Écoute, ce n'est pas grave même si tu ne gagnes pas. Rien que de savoir que tu es une des meilleures de ta classe, c'est déjà beaucoup, non?

Elle lance son crayon. Son regard est exaspéré.

— Mom! je suis écoeurée!
— Je sais, je sais; demain, nous sortirons.

*   *   *

Nous nous faufilons dans le corridor et passons par les ascenseurs de service. En robe de chambre, le bout du nez à peine dehors, Mona redresse les épaules pour humer l'air du début de l'été. Le temps est superbe et Mona secoue énergiquement sa nausée. Elle marche tranquillement, trop presque, comme si la vie quittait son corps d'enfant. Je m'efforce d'être gaie.

Après quelques minutes à peine, on ne trouve absolument rien de drôle à cette sortie. On se laisse tomber sur le premier banc qu'on trouve, sous un arbre, à l'écart des autres. On n'a rien à se dire. Rien à faire. Le regard éteint de Mona me trouble. Son courage pour paraître en forme me dérange encore plus. Les internes se lancent une balle. Normalement, ma gamine aurait bondi les rejoindre pour faire une partie avec eux. Aucune envie de ce genre aujourd'hui. C'est incroyable, elle qui avait comme des ressorts dans les jambes, il y a à peine deux semaines. On garde le silence au lieu de se dire des choses tristes. On pense la même chose. Maudit hôpital! Avachie sur mon banc, il me prend des envies de fumer pour me stimuler. Je me ravise aussitôt. Pas pendant une rechute de ma fille! Ce serait un signe de défaite. Quant à tous crever, à quoi bon se priver pourtant? Je me cherche des énergies. Les malades me dépriment. Damnées maladies!

— Qu'est-ce qu'on fait, Mo?
— Sais pas!

On regarde le ciel. Ouais! il est très bleu. Le soleil brille comme jamais. Comment se fait-il qu'on ne le sente pas en dedans? Les arbres agitent leurs feuilles au-dessus de nos têtes. Pourquoi ne parvient-on pas à se sentir en vacances? On enlève nos souliers pour frôler l'herbe de nos pieds. J'ai envie de pleurer et pourtant, je veux croire, il faut croire, surtout en ce moment. Il le faut: on va tenir le coup.

— As-tu réussi à manger un peu au dîner?

— Quelques bouchées de macaroni au fromage que grand-maman m'a apporté.

Mona ne mange que du macaroni au fromage depuis qu'elle a commencé sa chimiothérapie. Pourvu qu'elle reste accrochée à quelque chose, tant mieux au fond! Hé! si ces idées continuent à me hanter, je vais recommencer à fumer. J'imagine la satisfaction momentanée que me procurerait la sensation de la fumée pénétrant dans mes poumons. Le goût du tabac me monte aux narines. Non, et non! Depuis un an et demi, j'ai combattu cette vilaine habitude, je ne vais pas succomber maintenant. Nous avons l'air en pénitence toutes les deux à nous regarder les pieds et à repousser nos mauvaises pensées. Quand je regarde Mona, je fais attention pour ne pas qu'elle remarque dans mes yeux à quel point les siens ont perdu de la vitalité. Ses beaux yeux bruns. J'empêche ma foi de se dissiper. Pour ça, je pense au soutien de mon mari. Son épaule chaude. Sa patience et sa disponibilité avec Mark. Et mon grand fils qui participe aux besognes de la maison. Je suis chanceuse! Je me le répète en me retournant vers Mona, qui a l'air malade et qui lutte contre son envie de vomir.

— Bois-tu beaucoup Mona? Tu sais, l'eau aide à éliminer l'accumulation des éléments toxiques dans ton système.

Nous nous traînons les pieds vers un autre banc et nous nous installons près d'un groupe d'hommes qui discutent fort et avec animation. Un bouledogue est tenu en laisse à la patte de leur banc. Un chien sans doute vicieux, hypocrite, l'air méchant. Mona adore les chiens mais n'oserait jamais s'approcher de celui-ci avec ses dents sorties qui rejoignent son nez écrasé. Elle l'appelle de loin pour voir comment il va réagir.

— Pitou, pitou... viens me voir, murmure-t-elle en lui tendant la main.

Le chien se contente de la fixer, immobile. Soudain, elle se frappe dans les mains et éclate de rire. Elle vient d'avoir une idée drôle. Elle décide de mimer une situation. Elle appelle d'abord la bête en lui tendant le bout des doigts. Le chien méchant s'avance, la mord et lui arrache les doigts. Elle recommence alors le même manège, main tendue, mais sans les doigts. Cette fois, le chien lui ampute la main entière. Elle tend alors le poignet, avec la main cachée, jusqu'à ce qu'elle arrive au coude; à la fin, elle ne présente plus que l'épaule toujours en appelant le chien:

— Mon beau pitou, viens me voir...

Tout le temps que dure ce jeu, le chien nous fixe méchamment comme s'il devinait qu'on se moque de sa vilaine face. Après avoir bien ri de la blague, nous rentrons le coeur un peu plus léger dans l'hôpital sombre. Mona me promet en m'embrassant d'essayer de souper. Dans le corridor, la mère du petit garçon qui occupe la chambre adjacente à celle de Mona est toute contente de m'annoncer qu'il prend du mieux. Elle me raconte comment au début elle trimbalait son petit entre l'hôpital et la maison; on la renvoyait chez elle en lui disant que ses maux de tête étaient de simples caprices. Quand ils ont pratiqué une ponction lombaire, ils ont bien vu qu'il s'agissait d'une rechute qui affectait surtout la tête.

Pendant qu'elle me parle, je me dis qu'on perçoit sans doute de la même façon les parents que couvent trop leur enfant. On ne les prend pas au sérieux. La dame m'avoue aussi s'être raccrochée à la religion dans son désespoir et y avoir trouvé un grand réconfort. Pour ma part, je prie pour ne jamais me jeter dans la religion par désespoir, car ce serait comme se marier parce qu'on a peur de rester seule.

*   *   *

La différentielle dans la formule blanche est normale: 70% de neutrophiles et 30% de lymphocytes. Mais sa formule sanguine ne remonte pas. Après deux dimanches passés à rester enfermée dans sa chambre, Mona éprouve un cafard terrible. Elle n'entrevoit plus le jour où elle pourra sortir de là. Malgré d'énormes efforts, elle n'arrive presque plus à avaler la moindre nourriture. Auparavant, elle adorait surtout le déjeuner, le plaisir de tremper le pain grillé dans son jaune d'oeuf. Aujourd'hui, elle n'y a même pas touché. Elle veut pourtant se secouer. Je reconnais à peine sa petite voix triste au téléphone:

— Mom, j'en peux plus. Fais quelque chose. Je veux sortir d'ici.

Elle pleure doucement.

— Je ne suis plus capable de rien manger. Il me semble que si je pouvais mettre le pied chez nous, je dévorerais n'importe quoi. Je t'en prie, mom!

Grand-maman avait tenté de lui remonter le moral en l'accompagnant à la messe célébrée à l'hôpital, lui assurant:

— Prie, ma grande, cela t'aidera.

Coincée une fois de plus dans sa chambre, Mona regarde le dimanche s'égrener par la petite fenêtre. Plus rien ne semble pouvoir la sortir de son désespoir d'enfant. La vie est devenue une lutte trop dure. Comme elle ne peut plus por-

ter ce fardeau, elle me le donne. Tiens, mom! À ton tour!
J'ai été assez raisonnable. Trouve-moi de la force quelque
part. Magasine pour du pep, mom.

Je lui tends la main. Au diable les risques d'infection!
Au diable les dangers de saignements! Je me présente pour
la sauver comme si elle était en train de se noyer. Je la sens
si loin dans sa détresse. Ma fille qui se lamente. Ce n'est plus
la même. Ma gamine, ma «pleine de vie».

— Mom, fais quelque chose, je n'en peux plus!

J'écoute mon coeur: ce n'est pas le moment de raisonner.

— J'essaierai de te faire sortir cet après-midi pour quelques heures. Je te promets, ma chouette. Ne pleure plus. On
va te ramener à la maison, ça te fera du bien.

Je parle comme si c'était déjà fait, pour lui donner du
courage. Je demande le médecin de garde au téléphone. Je
lui explique la situation, espérant lui arracher la permission:

— Une petite sortie lui ferait tellement de bien, docteur.

— Vous avez raison, le maintien du moral est aussi important que les traitements pour obtenir la guérison.

Mon dieu! que j'aime son raisonnement.

— Je signe son congé pour quelques heures. Vous pouvez venir la chercher.

Ouf! J'ai gagné. Je lui crie, transportée de joie:

— Merci.

— Ramenez-la après le souper.

Ayant du mal à me contenir, je téléphone à ma grande.

— Mona, ton père arrive tout de suite avec tes frères et
le chien. Je reste ici pour préparer ton repas favori.

Le souffle coupé, elle reste muette. Elle n'a sûrement
qu'une idée: s'habiller en vitesse.

— Tu as tout ce qu'il faut pour venir?

— Oui, oui. Je t'aime, mom! s'exclame-t-elle enfin.

De mon ventre de mère monte un goût de cuisiner. Un repas que vont partager tous les membres de ma famille enfin réunie. C'est bête, je n'ai que trois quarts d'heure et je voudrais préparer un festin. Voyons, par quoi commencer? Du poulet. À l'autocuiseur: pour gagner du temps. Ah! Et des frites, parce que Mona en raffole. Enfin, des petits pois et beaucoup de sauce. Je me reproche un peu mon menu hautement calorique et pauvre en éléments nutritifs. Mais ma fille mangera, c'est ça qui compte! Un petit dessert vite fait et décoré de crème fouettée pour donner une touche de fête. Ils seront là dans quelques minutes. Je dois mettre le couvert. Oh! ne pas oublier les serviettes de table. Un peu de couleurs pour agrémenter la salade. Ah! les petits pains congelés. Vite, au four! Je suis excitée, comme si je recevais un dignitaire. Mais j'ai raison: c'est quelqu'un de très important! La reine. Ma reine s'en vient. En courant du poêle au réfrigérateur je me fais la réflexion que préparer des réceptions par seul souci de mondanité, c'est complètement dingue. Les enfants comptent avant tout. Ce sont ceux-là qu'il ne faut pas décevoir, ceux qui jugent, ceux qui restent, ceux qui continuent. Quand je vois l'auto s'arrêter dans la cour, j'ai l'impression de ne pas avoir vu Mona depuis une éternité. Comme si elle arrivait de très loin. Elle vient m'embrasser et se blottit dans mon cou. Je comprends par ce geste l'urgence qu'il y avait de la sortir de là. Ses petites tapes dans mon dos traduisent son bonheur de pouvoir compter sur moi quand elle crie au secours.

Je déteste les frites, mais aujourd'hui, c'est comme du caviar, parce que Mona en mange. Passé les premiers instants d'émotion, la conversation s'anime autour de la table et Mona doit parler fort pour se faire entendre. Cette compétition la stimule. Francis ne la traite pas du tout avec ménagement. Pour lui, c'est comme si tout était normal. Mona en oublie qu'elle est en train de manger pendant qu'il raconte ses dernières espiègleries à l'école.

Notre fille est venue chercher auprès des siens de quoi continuer sa lutte et nous décidons, André et moi, d'aller nous ressourcer tous à notre petit lac par ce temps superbe. Nous allons donc nous gaver du soleil de juin. En arrivant, on enfile nos maillots de bain en vitesse. Les amis, de leur terrasse, nous saluent. Mona, pieds nus, marche tranquillement sur le grand parterre.

— Ça sent bon, mamie.

Elle a beaucoup maigri et son maillot qui la moulait comme un gant fait maintenant des poches. Elle sourit à Nancy qui s'avance avec un peu de retenue, connaissant la maladie de sa petite amie. Mais elle la rejoint et décide que tout est comme avant. Elle propose alors à Mona leur promenade favorite dans le sous-bois longeant la rivière. C'est là que depuis quelques années les deux amies vont laver leurs cheveux dans un petit bassin. Comme des petites fées, elles vont s'ébrouer dans l'eau qui cascade aussi fort que leur babillage. D'un commun accord, elles partent. Mona marche avec gêne, les bras collés contre son corps, trop sérieuse. Dès que je vois un sourire se dessiner au coin de ses lèvres, je retiens mes avertissements; je voudrais pourtant la mettre en garde contre les roches glissantes. S'il fallait qu'elle fasse une chute! Nancy n'a pas la grippe, j'espère? Mais je m'interdis la liste de recommandations maternelles et m'empresse de me mêler à la conversation des autres qui nous ont rejoints. Je refuse de m'inquiéter de la blancheur de la peau de Mona et je décide que sa maladie ne sera pas le sujet de conversation. Ils ont d'ailleurs compris, tacitement. J'ai du mal à paraître détendue. Malgré mes efforts, mes mots trahissent la tension dans mon coeur. Mes amis tentent de me communiquer leur bonne humeur. Ils bavardent à bâtons rompus; de mon côté, je ne fais qu'espérer de tout coeur. Mona est sans doute déjà arrivée au sous-bois que toute la famille a minutieusement nettoyé, ébranché. Je pense à la senteur de la bonne terre, à l'eau qui coule tout à côté. Assise sur la grosse roche, Mona trouvera-t-elle la force de continuer, de s'encourager, de se secouer encore une fois? Mes amis n'osent pas s'informer. Je prie intérieurement pour qu'un déclic vital se produise chez ma fille. Ils parlent. Je devine que tout se joue en cet après-midi ensoleillé au bord de la rivière, près de notre petite roulotte, avec le chien qui suit Mona à la trace, avec nos amis qui nous soutiennent si chaleureusement.

Francis joue à la balle avec son père; depuis qu'on lui a annoncé la nouvelle, il a l'air convaincu que sa soeur s'en tirera. On a tellement voulu qu'il y croie qu'il renforce nos propres convictions avec son allure parfaitement désinvolte, presque insolente.

Mona revient par le petit sentier; de ma chaise longue je l'observe. Je devine que ma grande a le goût de revenir passer l'été dans ce coin charmant, à se baigner avec Nancy. Elles font des projets: je peux le voir à leur sourire, à leur démarche. Leurs bras se balancent au rythme de leurs pas. Elles frappent gaiement des cailloux de leurs pieds. Mona a retrouvé un regain de vie dans le vent qui souffle sur sa peau blême, dans le pin majestueux qui se tient fort contre le ciel, dans la fraîcheur de l'eau qui coule sans jamais s'arrêter. Elle a réactivé ses rêves de l'été qui s'installe à travers la caresse de ce soleil radieux, à travers les confidences de Nancy, dans les joies d'une partie de badminton. Parfaitement sûre d'elle-même, elle m'annonce:

— Mamie, je retourne à l'hôpital et je sortirai dans quelques jours. Tu vas voir. J'aurai ce qu'il faut.

*   *   *

Les amis du voisinage se cotisent et offrent à Mona un nécessaire à peinture, avec chevalet et livre d'instructions. Ce cadeau l'aidera à passer à travers cette semaine qu'elle s'apprête à affronter avec courage. Avec du fromage et des «Big Mac», Mona se nourrit un peu et les prises de sang s'améliorent sans nécessiter de transfusion.

Les signes encourageants s'accumulent de jour en jour. On parle de sortie. Une ponction lombaire mercredi et elle pourra être dehors pour la fin de semaine. Mona ne pense qu'à ça.

— DEHORS, mamie, tu t'imagines?

La première fois que la prise de sang indique 500 en neutrophiles, Mona obtient son congé. Seule restriction: ne pas aller dans les endroits publics avant d'avoir atteint le stade sécuritaire de 1 500.

— Promis. Promis. Bye. Merci.

En faisant valser sa valise, elle se dandine jusqu'à l'ascenseur; selon elle, elle n'est plus malade. Peut-être un peu de nausée, mais elle le camoufle très bien.

Pour célébrer notre premier samedi soir ensemble, oncle Robert et tante Mariette nous invitent pour une fondue chinoise spécialement préparée pour notre petite famille. Mona s'habille avec un brin de coquetterie. À tout moment, elle va s'asseoir sur les genoux de son père, comme

pour trouver un peu de courage au creux de son épaule.
Mona s'émerveille de la jolie table, des belles couleurs des
mets étalés sous nos yeux, des plats spéciaux, fruits de l'effort d'un jeune couple heureux et désireux de partager avec
nous leur joie de vivre.

— Comme c'est beau, ma tante!

Mona sait que cette petite fête s'adresse surtout à elle.
Moi, j'embrasse spontanément Robert et Mariette. Par la
pression de mes mains, je tente de leur crier ma gratitude.
Je n'ose pas leur dire: merci de croire en la vie quand on
frôle la mort. Merci de nous aimer surtout quand c'est difficile. Et ils ont leur récompense tout comme nous, en voyant
Mona manger avec plaisir.

*   *   *

— Mom, as-tu de la peinture?

— Pourquoi donc, Mona?

— Je veux peinturer l'entrée du sous-sol.

En fouillant pour trouver quelques vieux fonds de peinture, je réalise, le coeur léger, comme il est bon de voir son enfant manifester des goûts, des désirs, des envies subites. Si j'entends Mona maugréer contre le fait qu'elle ne peut pas faire les emplettes, j'en suis presque heureuse.

Elle adore faire du shopping, ma magasineuse par excellence. Avec tel budget, Mona obtient toujours le maximum. Aussitôt qu'elle se trouve inactive, elle me talonne dans la maison:

— Je m'ennuie...

Elle ne sait pas quoi faire de ses dix doigts. Elle aime bien prendre soin du bébé, mais lorsqu'il dort, que faire?

— Mes amies sont toutes à l'école.

— Tiens, j'ai trouvé de la peinture et un pinceau. Arrête de gueuler, dis-je amicalement.

Au fond, je suis contente de l'entendre rouspéter; je voudrais qu'elle ne s'arrête jamais. Tout en s'appliquant à sa peinture, elle n'arrête pas de jacasser.

— Mes professeurs ont dit que je passerai bien mon année scolaire... Je te jure que je serai présente à la remise des diplômes, mom.

— Mona, sois raisonnable. Il te faut une protection de
1 500 et il ne te reste qu'une semaine.

— Je les aurai. J'irai chercher mes prix moi-même.

Elle fait tourner un disque et continue de peindre minutieusement. Sa bonne forme m'a un peu prise de court, même si j'en rêvais et que je l'attendais de pied ferme. Elle dépasse mes propres attentes.

À l'hôpital pendant que, recroquevillée, elle reçoit sa ponction lombaire ou son médicament intraveineux, elle exprime son but:

— Je serai à la remise des diplômes.

Le médecin sourcille. Il sait bien, lui, que la médication injectée agit sur la formule blanche et risque de la maintenir basse.

— J'ai des chances de finir en tête, vous savez!

On sourit en la regardant.

— J'ai peinturé toute l'entrée de la cave pour ma mère et les chaises de parterre.

Une infirmière qui l'a entendue s'exclamer laisse tomber, en marchant derrière Mona:

— Pauvre chouette va.

Mona se tourne brusquement vers moi et me chuchote à l'oreille:

— Qu'est-ce qu'elle veut dire, celle-là?
— Ne t'occupe pas de ce que les autres disent.

Je baragouine une explication qui aurait pour effet d'annuler l'intonation de pitié qui l'a perturbée.

— Écoute Mo, peut-être que l'infirmière est surprise que tu sois si débordante d'énergie malgré ta chimiothérapie.

Et j'ajoute en souriant:

— En passant, organise-toi pour que je n'aie pas l'air de te mettre aux travaux forcés!

Un jour, une nouvelle infirmière nous reçoit pour l'injection hebdomadaire. Elle procède à la routine habituelle:

peser, mesurer, préparer le dossier. Histoire de meubler la conversation, elle demande à Mona:

— Depuis combien de temps es-tu malade?

Elle voulait dire: depuis combien de temps Mona a-t-elle la leucémie? Mais elle a changé d'idée en cours de phrase. Elle se met alors à tripoter le dossier épais, regrettant un peu sa question.

— Huit ans, répond Mona.

— Ah! C'est beau, ça! s'exclame-t-elle gauchement.

Aucune de nous deux ne réagit. Nous attendons patiemment qu'elle nous laisse seules. Mona a du mal à contenir son indignation.

— Qu'est-ce qu'elle veut dire? C'est beau! C'est beau que depuis huit ans je vienne m'écraser sur une chaise à attendre qu'une imbécile comme elle vienne me poser des questions niaiseuses comme ça!

Mona venait de traduire tout d'un trait ses sentiments. Le soir venu, elle continue devant la famille à épuiser le sujet, imaginant tout ce qu'elle aurait pu répondre à l'infirmière maladroite.

— Youpi! Imagine, je suis malade depuis huit ans! Comme c'est beau! J'en ai de la chance, tralala, c'est formidable! chantonne-t-elle à la fin.

Elle en rit et tous participent à cette parodie. Les moindres défauts physiques de chacun sont grossis, exagérés, déformés, tournés en dérision. Nous nous en prenons bientôt au nez de Francis.

— Mamie, je n'ai pas un gros nez, se défend-il.

— Mais non, mon petit garçon, recule ton nez, maman va mettre la table.

Comme de raison, il me court après pour me talocher. En amplifiant tout de la sorte, les éclats de rire finissent par noyer toutes les susceptibilités.

Quelques jours plus tard, pour célébrer joyeusement la bonne tournure des événements, toute ma famille se réunit dans le sous-sol chez l'oncle Bertrand. Les premiers à se rendre à la mer cette année ont rapporté plein d'huîtres et de homards. Les tantes les font cuire au fur et à mesure et tous s'empiffrent et dansent au son d'une musique bruyante et endiablée. Même Mona, qui avait promis de se coucher vers dix heures, se dandine les bras en l'air.

*   *   *

Après avoir reçu le résultat de la dernière prise de sang, j'annonce à Mona:

— Tu seras capable d'assister à la remise des diplômes. Tu as 1 300 de neutro.

— Je le savais!

Heureuse, excitée, elle pense déjà à sa toilette.

— Je verrai mes amies, mom! Je pourrai recevoir mes prix moi-même. Mom, crois-tu que j'ai des chances d'être première? Même si j'ai manqué quelques semaines... c'est pas grave!... À la fin de l'année, rien de bien important n'est entrepris. On se prépare pour le voyage de la classe, on fait le ménage de nos pupitres et on apprend des chants. Je sais tout, Marie-France me tient au courant.

Elle me défile tout cela sans reprendre son souffle.

— Mom! Laisse-moi conduire l'auto dans le stationnement de l'hôpital.

— Tu te pratiqueras avec ton père. Il est plus calme que moi...

— Je t'en prie, dis oui, mom!

— Seulement le volant, dis-je pour ne pas faire tomber sa grande joie.

— T'es une peureuse, une mère poule! Allez, pousse-toi, mom, et appuie, vas-y!

Pour se voir dans le rétroviseur, elle s'étire le cou.

— Il est rond! dit-elle en se touchant le visage.

Sans que j'aie le temps de répondre, elle ajoute:

— Je sais, la cortisone.

J'essaie de la rassurer de mon mieux:

— Oui, mais il n'est pas vraiment changé. La dose que tu prends est bien raisonnable.

Elle contourne habilement les chemins tortueux de la sortie de l'hôpital le nez en l'air, prête à aller au bout du monde.

— O.K., c'est assez, on est sur la grande route. Assieds-toi à côté et attache ta ceinture.

Au fond, ce qui la rend le plus heureuse c'est d'avoir gagné sa gageure avec ses propres globules. Le soir de la remise des prix, elle exulte: 1 500 neutrophiles la protègent des microbes. Une seule ombre au tableau:

— Mom, je ne sais pas les chansons. Lorsque le groupe chantera sur l'estrade, de quoi j'aurai l'air? se plaint-elle.

Elle déteste qu'on dénote chez elle la moindre faiblesse. Se faire remarquer par des mentions d'honneur, alors là, c'est la joie. Quand elle me voit hausser les épaules, elle trouve elle-même la solution: elle mimera les chants simplement avec ses lèvres.

Et elle reçoit l'honneur suprême, dignement mérité: premier prix de français.

Le présentateur se lance dans une courte allocution pour présenter ce prix nouvellement créé, et qui porte le nom de famille du professeur de français mais avec un prénom différent. Comme c'est le même professeur de français qui avait mis Mona à la porte un mois auparavant, celle-ci se lève un peu surprise et me jette un regard interrogateur tout en s'avançant vers l'estrade. Le prix atribué: une somme d'argent dans une enveloppe. Mona, ravie, imagine déjà son compte de banque avec ce montant en plus. Elle remercie le donateur en passant près de lui, heureuse de constater qu'il ne lui a pas gardé rancune.

Après la distribution des prix, tous les élèves récompensés se laissent aller à leur joie d'avoir été choisis les meilleurs dans l'une ou l'autre des disciplines. Mona jubile: elle a décroché quatre prix. De temps en temps, elle vérifie d'un geste vif ses cheveux, ou encore sa jupe, et se tient les épaules très droites. Je suis à la fois fière et inquiète de cette pose distinguée, ayant l'habitude de la voir plus dévergondée que ce soir. Je me rassure en la comparant à la plupart de ses compagnes. Elles ont toutes l'air angélique. Pourtant, Mona m'a raconté que certaines d'entre elles fument au restaurant le midi. Souvent, elle les accompagnait pour manger un hamburger et me jurait ne prendre qu'un chocolat au lait alors que les autres fumaient et buvaient du pepsi. J'avais hurlé:

— Mona, tu me dis bien la vérité?

— Mom, c'est vrai! Plusieurs filles fument à douze ans.

J'avais enchaîné avec mon éternel discours sur mes propres difficultés à arrêter de fumer. Ce soir, je réalise qu'au premier abord, il m'est impossible de distinguer les vilaines des anges et c'est bien ainsi.

Le professeur de français, dès qu'il en a la chance, se précipite vers nous pour expliquer l'origine du fameux prix. Il nous parle de son frère, en mémoire de qui on a intitulé le prix. Je devine sans peine le reste. Il nous le chuchote:

— Il est mort de leucémie l'an passé. Je tenais à donner ce prix à votre petite fille. D'ailleurs, elle le mérite bien.

Ainsi ce n'est pas de rancune qu'il s'agit, mais de culpabilité. L'un comme l'autre empoisonnent la vie. J'espère que Mona n'entendra jamais cette histoire-là. Du moins, pas ce soir. Je m'inquiète et jette un coup d'oeil autour pour la repérer. Elle félicite Marie-France, la grande championne qui s'est mérité le gros trophée. Le père de Marie-France embrasse Mona avec empressement. C'est pourtant sa fille qu'il devrait féliciter chaleureusement. J'entends ses propos à l'adresse de Mona:

— Tu peux venir chez nous aussi souvent que tu le veux.

Son attitude m'irrite. Il se tourne soudain vers moi et vient me parler. Son haleine m'avertit qu'il a bu. Bon, j'en suis soulagée. Il me serre la main avec fermeté en m'assurant:

— Vous savez, on se sent particulièrement proche de votre fille.

— Bien sûr. Moi aussi, j'aime bien Marie-France. Au fait, félicitations, Marie!

Non, je ne vois pas très bien où il veut en venir. Il insiste beaucoup trop, se met les pieds dans les plats. Je veux le faire taire pour le bien de Mona qui déteste être traitée différemment des autres et recevoir trop d'attention. La limite est largement dépassée et il n'a pas l'air de vouloir en finir. Il me trouble de plus en plus avec sa voix larmoyante.

— Oui, nous avons compris, dis-je après la cinquième déclaration d'amour.

Marie-France le tire par la manche. Elle regrette d'avoir parlé de Mona à la maison, devinant sans doute que son amie refusera à l'avenir de se confier à elle.

À la première occasion, Mona me lance en grimaçant:

— Tu ne trouves pas qu'il est fatigant? Il n'arrête pas de me supplier d'aller chez lui tout à coup.

— Il est réchauffé.

Et je détourne la conversation sur la vie de famille de Marie-France. Elle est raisonnable pour son âge, avec tant de gravité dans ses grands yeux bruns, pleins de rêves et d'ambitions.

— Elle fera bien son chemin.

Chez Mona, pas la moindre lueur d'envie. Elle est la première à proclamer:

— Marie-France mérite bien la première place.

À l'instar des autres parents, je serre la main de la titulaire, en voulant la féliciter pour son discernement, son bon jugement dans le choix des prix, la remercier de n'avoir pas donné à Mona la première place. Devant mes idées bizarres je n'arrive qu'à dire un vague:

— Merci, merci beaucoup.

La religieuse se montre très optimiste.

— Je ne suis pas inquiète pour Mona. Elle fera sûrement bonne figure au secondaire. Nous avons des soeurs qui travaillent à cette école. On se tiendra au courant de tes performances, ajoute-t-elle en regardant Mona dans les yeux.

Mon coeur retrouve sa sérénité. Je me réconcilie en pensée avec les religieuses que j'ai toujours trouvées trop sévères, trop autoritaires. Quand leur autorité vise juste, comment pourrais-je m'en plaindre?

Le professeur de piano nous fait également ses adieux. En embrassant Mona, elle essaie de la convaincre:

— Tes goûts pour la musique reviendront sûrement. Alors, tu viendras me faire un petit concert. Et n'oublie pas: tu devras me remplacer quand je serai vieille.

Elle sourit espièglement malgré ses soixante-dix ans bien sonnés. Pendant que Mona salue ses compagnes, le professeur de piano nous chuchote à l'oreille sa satisfaction d'avoir enseigné à notre fille. Je surveille Mona du coin de l'oeil. Comme elle a l'air à l'aise dans son milieu scolaire. Avant la soirée, elle redoutait la rencontre avec tous ses compagnons et compagnes de classe. Elle avait peur d'être obligée de répondre à trop de questions. Le professeur les avait mis en garde; ainsi, la plupart n'ont montré que de la joie en la voyant de retour.

*   *   *

Le traitement de chimiothérapie tire à sa fin. Un jour, on nous annonce la rémission complète de Mona. Elle présente une formule sanguine parfaitement normale. À part le visage et le ventre un peu trop ronds, tout semble redevenu comme avant. Elle a même conservé ses cheveux; n'est-ce pas merveilleux?

— Pas tant que ça, réplique le médecin.

— Qu'est-ce que vous voulez dire?

— Il lui reste à recevoir le traitement de radiothérapie sur le crâne. On doit protéger les endroits où la drogue ne se rend pas.

Je fais signe que non à l'interne qui m'explique le processus en détail. Non, s'il y a un petit moyen, je ferai en sorte que ma fille ne perde pas ses cheveux à douze ans. Le spécialiste fait vite s'évanouir toute ma vanité et j'acquiesce avant même la fin de ses avertissements: «Tous les grands centres agissent de cette façon». J'ose quand même un petit argument, au cas où Mona pourrait être épargnée de cette épreuve:

— Mona n'a jamais présenté de cellules malignes au cerveau.

— On ne prendra pas de chance, dit-il en me touchant le bras.

Je ne dois pas l'avoir rebuté avec toutes mes questions car il m'assure avant de partir qu'il s'informera et en discutera avec d'autres spécialistes. Je lui fais confiance.

J'ai perdu une fois de plus. Je perds tout le temps quand je n'ai qu'une petite intuition maternelle à opposer à la logique de la science. Le crâne bourré d'informations savantes, il me faudra les faire passer dans celui de ma fille en lui précisant bien que son crâne à elle se dénudera bientôt. Si je me montre assez habile, je pourrai peut-être lui faire croire que cette fois, nous l'avons choisi! Et nous programmons tout le mois de juillet en fonction des quatre jours par semaine à consacrer aux traitements préventifs à la tête.

Je déteste le mot «radiothérapie» parce qu'il évoque en moi une image troublante léguée par une infirmière désabusée. Elle suivait justement des cours en prévision de changer de travail. Depuis le temps qu'elle administrait ses fichus traitements, elle en avait plein le dos de voir des patients arriver d'abord sur leur deux jambes, ensuite en chaise roulante et à la fin, de devoir manipuler leur corps décharné sur une civière. J'ai beau faire, je n'arrive pas à m'enlever de l'esprit cette image qui me hante.

Pour mieux nous prémunir, nous demandons au médecin la permission de prendre quelques jours de congé avant de commencer la série de traitements. Nous irons à la mer. En imagination, je me compose des scènes de tout repos, même si je dois pour cela me démener pendant des heures pour préparer la roulotte, la nourriture, le linge pour trois enfants et deux adultes. Je réussis à ne penser qu'à la détente et à la fraîcheur même si je sais que je crèverai sûrement de chaleur. Et les microbes, y as-tu pensé? me dit ma conscience. Aucun danger! Mon enfant est bien protégé.

À travers mes affolants préparatifs en vue du départ, je goûte le sourire heureux de mes trois rejetons. Nous nous dirigeons vers l'endroit que nos adolescents préfèrent: Old Orchard. En tant que parents, on ne peut compter que sur le soir, (bien entendu, si on a réussi à conserver notre bonne humeur jusque-là) pour s'offrir quelques instants de paix. Les enfants, après une journée bien remplie, dorment enfin et nous avons alors droit à quelques moments de tranquillité. C'est le moment idéal pour faire une marche au bord de la mer rendue noire et encore plus mystérieuse dans la nuit.

Ou bien, on peut en profiter pour magasiner dans les boutiques, dans l'espoir de dénicher à bon compte un petit trésor de bijou, ou une robe. On mange du «fast food» au coin d'une rue trop encombrée avec son flot de lumières agaçantes, de manèges tapageurs et de jeux vidéo qu'on essaye si on se sent le coeur assez jeune. Sinon, on s'en retourne, l'estomac gonflé par une pizza indigeste, vers la roulotte en se demandant: Qu'est-ce que les enfants peuvent aimer là-dedans?

Le seul moment où je peux aprécier pleinement cet endroit c'est très tôt le matin, avant que la famille se lève, alors que les rues se réveillent à peine et que le soleil commence à sortir derrière la ligne d'horizon. Alors là, je me faufile à l'extérieur de la roulotte après avoir enfilé mon survêtement et je m'offre le lever du soleil sur l'océan, seule dans l'immensité de la plage déserte. Plus souvent qu'autrement, il y a une Mona sur mes talons qui me chuchote:

— Attends-moi, mamie, moi aussi je veux y aller.

Elle regrette de déranger ma solitude mais me le fait vite oublier en me faisant part, avec beaucoup de gestes dans l'air frais du matin, de ses nombreux projets: essayer le parachutisme, ou encore les immenses cerfs-volants. Le sable humide, la mer grondante, le vent, le soleil l'inspirent. Par comparaison, elle se remémore la sensation éprouvée la veille dans le redoutable manège qui la faisait culbuter cul par-dessus tête. Je m'empresse de renchérir:

— Ne m'en parle pas, j'en ai mal au coeur rien qu'à t'entendre...

Cette remarque ne la dérange pas du tout. Au contraire, elle s'amuse follement quand elle réussit à me rendre malade de peur. En riant, elle m'explique comment elle parvient à transformer sa peur en un frisson agréable.

— Ça finit par chatouiller, conclut-elle.

Les bras en croix, elle marche plus vite que moi et revient sans cesse sur ses pas: deux en avant, deux en arrière... Dans la lumière du soleil qui monte de plus en plus, elle pirouette en faisant la roue, se relève, son visage rosé tour-

nant à l'orange et ses cheveux mouvants formant une au-
réole brillante sur sa tête. Je contemple ma fille saoule de vitalité.

— Mom, j'adore ça. Puis je crève de faim.

Ma paye de mère, c'est cette joie qui se glisse dans mon
coeur dans un moment inattendu, en regardant mes enfants
dévorer le bacon croustillant et se chamailler à propos des
jeux qu'ils comptent essayer.

— On commence par les «go-kart».
— Hum... c'est bon!
— Tu vas me prêter de l'argent s'il m'en manque, Mo?

*   *   *

Le premier jour de la radiothérapie, nous sommes prêtes très tôt le matin. Nous nous rendons au sous-sol de l'hôpital. Je me prépare mentalement: en quatre semaines, j'aurai sûrement droit au spectacle de tous ces corps mutilés inventés par ma folle imagination. De grands posters sur les murs nous interdisent de désespérer avec leur image des beaux rayons de soleil qui percent la forêt dense. Aie! Si on a besoin de se le faire rappeler à tous les détours des corridors, c'est que c'est vraiment désespérant. Après avoir accepté la perte des cheveux, Mona doit subir les tatouages permanents et les grosses barres rouges et noires qui démarquent sur le bord de ses joues les limites de la radio. Elle les efface avec acharnement; si je lui interdis, elle rouspète:

— J'ai pas envie d'avoir l'air d'un Indien. La technicienne n'aura qu'à les refaire demain.

Une petite fille de quatre ans, la tête bouclée au-dessus de ses marques rouges et noires, attend elle aussi. On a deviné pourquoi. Elle revient d'Europe. Sa mère, toute confiante après le traitement initial, est allée avec sa fillette rassurer les grands-parents angoissés. Avec un plaisir évident, elles jouent toutes deux aux cartes en attendant les sacrés traitements dont on ne parle jamais, pas plus que de la maladie d'ailleurs. Le regard de l'enfant pétille d'intelligence. La maman cache mal la fierté qu'elle éprouve pour son enfant. Quelques phrases échangées avec elle et je sais de quel bois elle se chauffe.

C'est comme si je faisais face à un grand miroir que j'évite de regarder. Devant des parents affalés sur leur malheur, je fulmine d'habitude. Voilà que devant cette mère qui lutte d'aplomb, je suis tout aussi bouleversée. C'est que j'aime mieux ne pas me voir dans le miroir! Dans mon coeur, je devine que la petite Nathalie a de bonnes chances d'obtenir une guérison; sinon, eh bien! elle aura vécu une sacrée belle vie. Sa maman y voit.

L'écran du téléviseur me montre ma fille allongée sur la table avec interdiction formelle de bouger pendant les quelques secondes où les rayons sont actifs. L'autre côté de la tête maintenant. La porte bien fermée, la technicienne parle par l'interphone.

— Je t'aime Mona, dis-je comme une prière. Tu seras bien protégée...

J'ai rarement le temps d'en dire plus long: elle bondit hors de la salle et on doit partir bien vite pour ne rien manquer au lac. Bien sûr, mademoiselle conduit maintenant à chaque sortie de l'hôpital.

— Rien que le volant...

Pour ne pas me décevoir, elle me cache qu'elle préfère que ce soit son père qui l'emmène. Parce que dans ce cas, les provisions pour le chalet sont prêtes dans le panier à pique-nique lorsqu'ils reviennent; aussi, je crois qu'il la laisse conduire toute seule.

Ses traitements ne sont pas douloureux et ne la fatiguent pas. Le seul inconvénient: Mona doit protéger sa tête des rayons du soleil; sinon, leur effet doublerait la dose de la radiothérapie, avec les conséquences qui s'ensuivent. J'en ai déduit que la radiothérapie, qui est comme un condensé de rayons solaires, possède le même pouvoir bienfaisant ou destructeur que le soleil, selon l'utilisation qu'on en fait, comme toute force de la nature d'ailleurs, selon l'utilisation qu'on en fait, engendre le bien ou le mal.

Avec un chapeau sur la tête, Mona profite avec joie des journées ensoleillées. Elle a presque toujours un chapeau sur la tête. Elle en a de toutes les couleurs et pour toutes les occasions: effilochés sur les bords, chapeaux de paille, à la vagabonde, chapeaux de pêcheurs, casquettes de baseball. Elle porte même un chapeau de coton enfoncé jusqu'aux yeux pour nager. Nancy a attrapé la même folie. Les autres enfants du lac prennent cette trouvaille pour une excentricité et les imitent. En un rien de temps, la mode des chapeaux de coton pour la baignade est lancée. Après avoir plongé, si elle ne récupère pas son chapeau assez vite, je lui crie:

— Mona, ton chapeau!

Cette attitude la met en fureur, car elle sait très bien que dans son cas, il ne s'agit pas d'un jeu. Alors, aussitôt le plongeon exécuté, pour éviter le cri avertisseur, elle remonte agilement et soulève de sa tête le chapeau qui flotte à la surface. L'eau ruisselle sur son visage qui reprend vite sa physionomie normal et son sourire ne la quitte pas lorsqu'elle se prélasse sur le matelas pneumatique. Le soir, après le souper, elle lave la vaisselle avec son frère; ils en profitent pour s'arroser mutuellement et souvent des cris s'élèvent. Pour ne pas se mériter de punition, Mona tâche de se contenir, prête à tout pour que son père n'interdise pas le feu de camp après la partie de badminton.

— Tu peux enlever ton chapeau, Mona, le soleil descend.

— Non, je l'aime, déclare-t-elle en s'en allant à bicyclette avec Nancy qui, elle aussi, arbore un chapeau tout coupaillé.

*   *   *

Le jour où ses cheveux commencent à tomber n'est pas très tragique; le fameux chapeau camoufle si bien! On magasine quand même pour trouver une perruque. Parfois, Mona s'amuse à la porter pour le seul plaisir de déjouer les autres. Un bon matin, la maman de Nathalie lui demande en la croisant:

— Mona, comment se fait-il que tes cheveux n'ont pas encore commencé à tomber?

Mona sourit largement. Elle a réussi à tromper l'oeil de cette dame. Elle lui dévoile pourtant son secret, et lui précise même l'endroit où elle s'est procuré la perruque. Vient cependant le moment où il lui faut la porter continuellement car les grosses plaques blanches laissées par la radiothérapie font briller son crâne comme une fesse. Mais ce moment coïncide avec la fin du traitement: délivrée, Mona sautille de joie à l'idée qu'elle n'aura plus à faire l'aller-retour à l'hôpital.

— Tralala, c'est la fin, mamie!

Mona trépigne et pirouette sur la terrasse face à l'hôpital. Elle fait la roue.

— C'est fini, mamie! répète-t-elle.

Elle saute alors un peu plus haut et hop! elle bascule sur elle-même, les jambes en l'air et la perruque par terre! Les grosses plaques blanches maintenant très visibles sautent aux yeux de la dame qui passe tout près et de l'autre monsieur qui regarde la démonstration de son auto stationnée juste à côté. Sans se relever complètement, presque à quatre pattes, Mona récupère en vitesse sa perruque en suppliant, les dents serrées:

— Cache-moi, mamie!

Je la presse sur ma poitrine, je la couvre de mes bras en marchant vers l'auto, tandis qu'elle tente, tant bien que mal, de replacer la perruque toute de travers sur son crâne dénudé.

Le visage rougi, se reprochant son exubérance, elle ne fait que me répéter:

— Cache-moi, mom, je t'en prie.

Je lui donne une tape amicale sur la tête en lui chuchotant:

— Ne t'en fais pas, ma grande!

Nos deux fiertés blessées se confondent et je la tiens solidement par l'épaule.

*   *   *

Ce soir, nous célébrons les noces d'argent d'un oncle et d'une tante que nous aimons bien. Les cousins, les cousines, les amis sont réunis pour célébrer — malgré la volonté des jubilaires — leur vingt-cinq ans de vie commune. Les enfants qui ont organisé la fête s'amusent beaucoup plus que leurs parents qui se sont montrés réticents pour toutes sortes de raisons que les enfants refusent d'admettre. Ils croient au mariage de leurs parents et c'est ce qui compte, pour eux. En somme, les jubilaires n'ont pas l'air si malheureux dans leurs habits du dimanche et avec leurs cheveux fraîchement coiffés. Le photographe les poursuit pour saisir une expression de bonheur sur le vif, une image à conserver pour les descendants.

L'orchestre interrompt sa musique quelques instants pour laisser le couple exprimer avec gêne sa gratitude envers tous ceux qui se sont dérangés pour les fêter. La plupart des invités se montrent touchés et contents; même s'il y en a sans doutes des aigris et des jaloux. Il y en a sûrement qui se sont engueulés juste avant de sortir, et d'autres qui n'attendent que le moment propice pour divorcer. Je me demande aussi à quoi peuvent bien penser, en pareille circonstance, ceux qui ont volontairement refusé les liens du mariage et qui ont choisi le concubinage. Tous pourtant applaudissent les deux conjoints qui ont traversé ensemble les hauts et les bas de la vie à deux pendant un quart de siècle.

— Bravo! Bon anniversaire!

Je ravale pour ma part mes interrogations sur l'amour. Je n'en ai plus le temps. Mon marie m'offre un verre ainsi qu'à mes deux belles-soeurs assises tout près. Je sens qu'il m'aime ce soir. Il ne me l'a pas dit, mais son souffle dans mon cou me le manifeste. Il ne m'a même pas pris la main comme il le fait habituellement en pareille circonstance. Pourtant, je sais qu'il m'aime ce soir. Même quand il discute avec mes frères, je sens qu'il m'aime. Bizarre, ces devinettes! Plus besoin de vérifier, de se répéter des «je t'aime».

Ma petite Mo danse, Francis la regarde. Ma fille bouge de manière distinguée et me lance un sourire complice lorsque je passe près d'elle. Bientôt, elle rentrera à la maison avec Nancy: elle doit se coucher à une heure raisonnable. Francis négocie le droit de rester plus tard. Lorsqu'il l'obtient, il décide alors de suivre les deux filles. Je répète mes recommandations à mes deux beaux adolescents:

— N'oubliez pas de renvoyer la gardienne. Je la paierai demain. Assurez-vous que Mark est bien au chaud sous ses couvertures.

— Mom, va t'amuser, O.K.? me conseille Mona.

Une façon gentille de me dire de leur ficher la paix. Bon, je m'amuserai donc. En compagnie de mes deux belles-soeurs, nous passons au bar pour remplir nos verres. Elles insistent pour me l'offrir et en même temps, d'un commun accord, elles me proposent de m'accorder une semaine de vacances.

— Qu'est-ce que vous dites, les filles? J'ai sûrement mal compris.

— Tu as très bien entendu. On se partage tes enfants et toi, tu pars avec ton mari.

Plus je m'objecte, plus elles insistent et précisent leur plan. Celle qui gardera le bébé aura Mona également.

— Ne t'inquiète pas. Nous en prendrons soin comme si c'étaient nos enfants.

Une semaine de vacances à la fin d'un été aussi occupé me paraît être une récompense inouïe. Touchée de leur offre, les yeux écarquillés de joie et de surprise, je m'exclame:

— Tu parles d'un cadeau! Pensez-y bien, les filles, c'est une foule de responsabilités que vous vous mettez sur le dos.

— On veut t'aider. Nous trouvons que vous le méritez tous les deux.

— C'est beaucoup trop!

Je rejoins bien vite André et lui raconte l'offre alléchante que je compte bien refuser; je suis surtout touchée par l'intention, par la délicatesse du geste. Mes frères qui se trouvent avec mon mari renchérissent:

— Vas-y, André. T'auras pas une offre comme celle-là tous les ans.

Sans qu'on se consulte, en échangeant seulement nos regards heureux, c'est déjà tout décidé: on accepte. Je me précipite au bar avec mes deux belles-soeurs pour arroser cette bonne nouvelle. Jusqu'à ce moment, l'orchestre nous avait laissées plutôt indifférentes; maintenant que nous avons le coeur en fête, nos pieds s'animent pour la danse. Les éclats de rire, les blagues, les jeux d'esprit, les réparties, tout m'apparaît beaucoup plus vif et plus alerte. On se trouve drôles. La barmaid nous reconnaît et nous sert généreusement.

Nous nous tenons par la taille comme trois soldats en liberté provisoire. Trois soldats qui se sont battus pour la vie, pour la liberté. Trois soldats solidaires. Des mains fraternelles de femmes. Vive la famille!

*   *   *

C'était donc vrai: elles ont tenu promesse. À peine quelques jours plus tard, je me prépare en vue de ma semaine de vacances bien méritée. Mona et Mark, leur valise en main au bord de la porte, prêts à partir, attendent leur baiser. J'ai presque envie de tout annuler en les embrassant. L'idée d'abandonner les enfants me torture. C'est Mona qui me convainc:

— Mom, que tu partes ou que tu restes ici, moi je m'en vais chez tante Diane.

Bon, elle a deviné que c'est elle qui m'inquiète le plus. Alors, aussi bien profiter de l'occasion, sauter sur les bons moments, histoire de se gâter un peu et de mettre de côté mes problèmes.

— Tu prendras bien tes médicaments, hein, ma grande? Promis?

Puis, je déverse une série de recommandations en ce qui concerne Mark.

— Tu sais, il va s'ennuyer. Tu devras le cajoler, t'en occuper, n'est-ce-pas?

Je sais bien qu'elle ira davantage jouer dehors qu'elle ne se préoccupera de son frère. D'ailleurs, je préfère qu'elle aille s'amuser plutôt que de s'inquiéter pour tout et pour rien. À douze ans, il ne faut pas prendre les recommandations des grands trop au sérieux, autrement tu auras trop de responsabilités, ma petite Mo. Mais le bébé qui n'a que deux ans? Il va se sentir abandonné. Ma belle-soeur Diane me promet:

— Ne t'inquiète pas, je m'arrangerai très bien.

— Mais ton bébé n'a qu'un an. C'est beaucoup de travail.

— Mona va me donner un bon coup de main.

Oui, mais pas trop j'espère. Elle sera en vacances elle aussi. Ce dilemme ne finira donc jamais! Je finis par partir en essayant d'oublier le plus possible mes inquiétudes à propos des enfants. Il y a tout de même une limite! En m'éloignant, je les regarde me faire des saluts de la main et m'envoyer des baisers et je maudis les peines qui viennent toujours avec les joies. J'essuie avec rage une larme qui coule malgré moi.

Nous nous dirigeons vers le sud avec notre roulotte. Nous ne savons pas exactement notre destination mais nous savons que nous avons toute une semaine rien que pour nous deux. Une semaine improvisée, sans horaire, une semaine d'insouciance, de détente. Quelque part dans le Maine, ma conscience se tranquillise, la paix commence à m'envahir; c'est sans doute à cause des arbres géants, des montagnes puissantes, du ciel d'un bleu si pur... Là-bas, à gauche, il y a un lac et un beau sous-bois tout à côté. Après avoir stationné la roulotte, nous nous déshabillons pour nous lancer à l'eau et nous retrouver dans les bras l'un de l'autre.

C'est à peine croyable: c'est bien moi qui mange ainsi quand j'ai faim, qui boit quand j'ai soif, qui dort quand j'en ai envie, qui peut lire à satiété? Wow! Après un été voué au service de tous, après avoir bien pris soin de toute ma marmaille, c'est le paradis.

André et moi, nous avons traversé cette épreuve avec les honneurs de la guerre. Je suis fière de nous. Nous nous sommes attendus lorsque nous étions à bout de forces. Quand nous ne pouvions nous parler, je lui laissais une note sur son oreiller. Maintenant, c'est notre tour. Nous nous comblons. Et comme c'est bon! Nous nous déplaçons peu et quand cela nous chante, nous arrêtons pour flâner, manger ou visiter. Nous longeons la mer le plus possible pour nager de temps en temps et profiter du soleil. Le soleil, la mer, les bons repas... il ne me manque que la cigarette après l'amour.

— Si tu n'arrêtes pas de dire qu'il ne manque que la cigarette pour que ce soit le paradis, j'irai t'en acheter un paquet, menace en riant mon amant.

Je repousse cette envie stupide qui me paraît de plus en plus alléchante depuis que tout va bien. Je joue même avec ma tentation un petit peu. Flancher en pleine crise, ç'aurait été lâche d'après mon code moral; mais flancher parce qu'on a le goût de s'offrir tout ce qui nous fait envie, tout ce qui nous plaît, c'est plus acceptable, non?

D'une cabine téléphonique, j'appelle une amie qui vit à Boston et nous fixons un rendez-vous. Nous pourrons discuter de nos enfants, de nos écrits, de tout ce qui nous tient à coeur. Pour moi, c'est dans cet ordre que s'alignent mes priorités. Pour mon amie, c'est le contraire. C'est une féministe très active, qui a fait de son émancipation la priorité de sa vie. Moi, mes enfants se gavent de ma vie. Ils peuvent me faire mourir de peur ou de rage. Mon seul argument de taille est invariablement le même:

— Oui, mais je les aime.

Elle me rétorque alors froidement:

— Moi, j'ai horreur des enfants.

Mon amie ne boit pas, ne fume pas. Elle est prête à tous les sacrifices personnels pour se sauver, pour s'affirmer. Moi, je veux sauver mes enfants, au point que j'en oublie de m'émanciper. Elle a le culte des grandes figures de la littérature. Elle pense vedettes, aventures excitantes. Pour ma part, je consacre ma vie à ne pas décevoir mon petit public familial et je crois bien que je suis la vedette dans mon lit.

En sortant de chez elle, j'achète des cigarettes. Comme deux alcooliques qui rechutent après une longue privation, André et moi avalons la fumée avec plaisir. De temps en temps, l'un de nous deux déclare à l'autre:

— Non mais, on n'est pas bêtes, tu penses?

Nous rions dans notre boucane, notre auto pue et nous adorons cette odeur. Je me sens comme Ève.

— Je t'ai fait succomber. T'en veux une autre?

Nous fumons sans arrêt comme si on se disait: plus vite nous nous en débarrassons, plus vite nous oublierons que nous avons osé recommencer.

— Demain, fini. Promis?

New York nous accueille avec ses jeux de lumières à l'infini. Les ponts me paraissent plus gigantesques qu'autrefois. J'avais oublié, depuis le temps... Les buildings grimpent encore plus haut dans le ciel, toujours aussi sale. Les maisons gris foncé, toutes tassées les unes sur les autres, les bruits assommants de l'autoroute me plaisent comme jamais. Nous rejoignons d'autres amis par goût, par plaisir.

Mon plaisir se transforme à mon insu lorsque nous marchons dans le Manhattan des ghettos. J'ai mal pour les petites filles aux lèvres rouges comme des cerises qui vendent leur peau dans l'embrasure des portes sales. Je suis choquée par la vue de tant de misère dans un New York aussi prospère. Quel contraste avec l'autre côté du Time Square où les petites dames élégantes qui s'habillent sur la 5e Avenue promènent leur caniches fraîchement tondus. Subitement, je me sens salie dans cette foule remplie de drogués qui fument leur «joint» en pleine rue. Quand je pense qu'on nous interdisait de fumer de simples cigarettes sur la rue, dans mon jeune temps. Parfois, un Noir se met à danser au milieu de la foule indifférente. Dans son délire, il invoque le ciel en gesticulant. André m'avertit:

— J'ai l'impression qu'on est suivis. Reste près des autres.

Je ne l'entends pas. Je poursuis une femme qui marche devant moi. Elle porte, par-dessus un manteau qui dépasse, une robe en haillons recouverte d'un gilet troué, d'une saleté repoussante. Elle a pris soin de rougir ses joues. Une couche de fard épaisse les colore comme celles d'un clown. Sa bouche mauve détonne. Elle a souligné ses sourcils avec de grands traits noirs qui zigzaguent sur son front. Un cerne bleu entoure ses yeux, ses yeux suppliants. Elle quémande sa drogue, mais ses fournisseurs l'ignorent: elle n'a pas d'argent.

— De grâce, donne-la moi, se lamente-t-elle comme si elle réclamait de l'amour. Je vais travailler fort cette nuit et je pourrai te payer.

Avant tout, il lui faut sa drogue. Elle court presque derrière le «pusher». Il la repousse d'un geste dégoûté et s'esquive. Son chignon, qu'elle avait réussi à faire tenir avec des dizaines de pinces à cheveux, se défait lorsqu'elle oscille la tête de désespoir. Elle voulait avoir belle apparence... pour qu'ils la croient.

André me tire par la manche. Il me montre les petits Noirs, les commissionnaires pour les «pushers». Les policiers passent tout près et ne les remarquent même pas. Personne ne soupçonne ces innocents. Ils sont si jeunes!

— Dépêche-toi, marche plus vite.

Agenouillés au sol entre deux buildings, des Noirs forment un cercle. Qu'est-ce qu'ils font là? En m'approchant, je vois qu'ils jouent aux dés avec frénésie. Leurs dents brillent dans l'obscurité et leurs yeux rient ou s'attristent comme s'ils jouaient leur vie. D'autres Noirs se promènent, leur grosse radio comme une valise sur l'épaule en se dandinant au son d'un rythme insolite pour les Blancs; Blancs et Noirs n'ont pas le même code! Ça sent l'huile de frites et la sauce à spaghetti. J'en ai mal au coeur. Tant de misère. C'est plein de posters de femmes nues que les homosexuels ignorent complètement en s'embrassant dans l'embrasure d'une ruelle sombre. Et les trottoirs sales, encombrés de papiers, de déchets. Un clochard remplit ses poches de vieux journaux qui lui serviront probablement d'oreiller sur le banc d'un parc ou encore qu'il brûlera dans un panier pour trouver un peu de chaleur. Nos amis fument un «joint».

— On ne peut pas marcher ici sans drogue, explique Bernadett.

Quelqu'un, qui la connaît bien, la rejoint et demande:

— T'aurais pas un petit cadeau pour moi?

Elle lui donne son «joint de secours» caché dans une pochette de son jeans. Les panneaux-réclame se battent à qui mieux mieux pour vendre des bonheurs lumineux garantis. Une belle tête d'adolescent blonde, frisée, asexuée, se cogne contre le capot d'une Cadillac rose bonbon appartenant à un Noir, visiblement un proxénète. Celui-ci approche, vêtu de ses habits somptueux, couvert de bijoux, et avertit le jeune:

— Hé, man! Va te faire saigner ailleurs! As-tu compris, man! Déguerpis.

Tout ce cirque m'attriste. Partout où l'on passe, on ne voit que de la destruction. Finalement, nous rentrons à l'appartement de Bernadett. Le portier nous sourit et fait descendre l'ascenseur pour nous. Au quinzième étage, nous pénétrons dans une grande pièce aux immenses baies vitrées garnies de plantes exotiques avec vue sur toute la ville. De cette fenêtre, on ne voit pas la misère d'en bas; New York ne nous renvoie que ses fabuleuses lumières. Nous visitons la terrasse. Même l'air semble plus pur. Ce grand living-room moderne semble vide. Une étagère de verre contient la chaîne stéréo, les disques, les cassettes et quelques livres. De grands tableaux abstraits contrastent avec les murs blancs. Les petites chaises «réalisateur» en jute ont l'air perdues sur l'immense parquet de bois verni. Un lit d'eau grand format occupe tout le centre de la pièce. Le lit trône et ressemble à une piscine. Une couverture zébrée et des dizaines de coussins garnissent l'autel, je veux dire le lit. À côté, un téléphone «princesse», une lampe délicate suspendue au-dessus d'une table rendue invisible sous la plante qu'elle supporte. Tous les objets d'utilité courante sont dissimulés dans des placards. Derrière des jeux de portes coulissantes se cachent des tiroirs et des tablettes par dizaines. La cuisine est grande comme une salle de bains et la salle de bains est grande comme une cuisine. Décidément, si j'habitais ici, je passerais toute ma vie dans les placards. Tout doit donc se passer au lit. Le lit-autel.

La fille qui l'occupe a la chance — ou la malchance — de s'offrir, au gré de sa fantaisie, un homme emprunté, selon ses exigences du moment. C'est là son bonheur. Pour Bernadett, ne pas faire la cuisine, ne pas laver, c'est la libération de la femme. Alors, elle nous sert café sur café, cigarette après cigarette; même la pipe de haschisch passe de l'un à l'autre. Elle reçoit, rien de compliqué, très relax, pas de corvées. Demain, elle pourra faire sa journée au pub où elle est réceptionniste-serveuse avec son sourire habituel et la politesse de mise.

— Tu veux fumer?

— Non merci. Je me sens très bien sans drogue.

La musique tourne, Bernadett parle de ses problèmes. Mariée à un divorcé, lorsqu'il lui a enlevé les enfants, la douleur a été plus intense que s'ils avaient été les siens propres.

— C'est fini, l'amour. Surtout les enfants. Ça fait trop mal.

Roger, son compagnon, discute de son monde idéal. Plus haut! Toujours plus haut! Jusqu'aux étoiles! Pour l'instant, il a l'air de se tenir plutôt vers le bas: de là, il peut toujours rêver d'aller plus haut. Ce sont les moments stables et monotones qu'il fuit. Comme le mariage. Haut, bas, haut et bas, ça l'excite. Ce mouvement de va-et-vient le garde en vie. Ce soir, il voit les étoiles et il communique avec tout le cosmos. Au cas où il rencontrerait Bernadett sur sa lancée, nous prenons congé. Plus tard, Roger nous rejoindra au New Jersey et nous dira:

— Je me sens en grande forme. Mais je ne sais pas si c'est à cause de la drogue, de la musique ou parce que vous êtes là, camarades.

*   *   *

Comme c'est bon de revenir vers notre petite maison propre, dans notre humble patelin sain, sans histoire. Nous avons tellement hâte de retrouver nos enfants. Je réalise plus que jamais combien ils me sont précieux. Je ne me suis pas trompée dans mon choix; je n'ai rien à regretter. De toute façon, je ne peux rien y changer; pas de retour en arrière dans ce métier de mère protectrice, d'enseignante, de directrice, de tricoteuse de nid familial où les oiseaux reviennent se «remplumer». Comment concilier épanouissement personnel, soif du savoir, autonomie, avec ce projet qui me tient tant à coeur: «notre famille»? Comment m'épanouir entre la lessive et la cuisine? Puis-je améliorer autre chose que mes muscles en passant l'aspirateur et en montant à la course chercher un bébé en pleurs à l'étage? Pourtant, comme je voudrais redonner à cette profession méconnue ses lettres de noblesse! Une dignité jamais égalée. Dans un monde où s'affrontent à chaque détour patrons et employés, je serai le médiateur par excellence, je tiendrai les rênes de l'amour sans jamais me sentir amoindrie. Je donnerai gratuitement. Maîtresse gratuite, mère gratuite. Pendant que notre petite roulotte serpente la «trail du Maine», moi je planifie mes mois à venir. J'ai la tête qui déborde d'idées libératrices. Pour un nouveau style de femme au foyer. Heureuses. Une prison sans barreaux. Être la femme qui refuse la compétition mais qui sait garder la première place, en compétition avec elle-même. La femme soucieuse de se cultiver, de se développer au maximum mais sans tout garder pour elle. Se donner sans jamais être possédée. Se donner sans retenue. Par plaisir!

Je pose ma main sur la cuisse chaude de mon compagnon. Il devine à quoi riment mes pensées. Il possède des yeux de félin quand il s'agit de repérer le petit sentier où je pourrai mettre mes idées en pratique.

Le don sans retour est si bon. Jamais d'affection forcée, jadis imposée par des lois, des devoirs régis par une Église d'hommes sans femmes.

— Comment je vais faire avec tout cet amour en moi si je ne fais plus d'autre enfant?

J'adore me sentir ainsi, quand j'ai trop d'amour à donner. J'essaye d'inventer des façons de le répandre et assez souvent, je réussis.

*   *   *

Gonflée à bloc, comblée, je suis en mesure d'affronter mon quotidien. La joie des retrouvailles a vite été remplacée par les courses: il faut préparer la rentrée scolaire. Passer du laisser-aller des vacances à la discipline nécessaire du travail demande une fermeté qui frôle souvent l'agressivité. Sans trop m'en rendre compte, je me retrouve desenchantée: coincée entre les trois repas à préparer, les devoirs, les chicanes, les responsabilités à rappeler à chacun, j'ai bien envie de démissionner. Si j'abdique et me ferme les yeux un tout petit peu, c'est moi qui payerai la note. Si je m'affirme et que je gueule trop fort, je paye de toute manière. Mes bonnes intentions s'envolent et les tensions montent et envahissent les murs de notre maison.

— T'es donc chialeuse!

— Toi, ne viens pas me dire que je suis chialeuse et aide-moi donc plutôt!

Et je continue de maugréer contre Francis qui laisse absolument tout traîner derrière lui.

— Il ne sera pas mariable ce grand fainéant. Penses-tu qu'une autre idiote va tout faire pour toi, hein?

— Tiens! c'est encore de ma faute. Toujours de ma faute. Mona elle, c'est sûr, on l'excuse: elle est malade. Puis Mark c'est le bébé, ce n'est pas de sa faute. Il reste qui? FRANCIS. Toujours la faute du plus vieux. Lui, il a le dos large.

— Bon, arrête de déballer tes complexes, ça ne prend pas. Puis ramasse-toi, pour l'amour du ciel!

Mes enfants partis pour l'école, je reste avec ma tasse de café, à regretter. Je scrute le fond de ma tasse comme si j'allais y trouver la réponse. Je me demande comment je pourrais m'y prendre pour qu'on ait assez de temps pour planifier nos courses du matin sans toujours se chamailler. Une phrase de Francis m'a dérangée. Sa faute. Je ne veux pas croire que je le prends comme bouc émissaire, mais je me propose de faire attention. Mon aîné. Celui qui m'a tout appris, celui avec qui j'ai appris mon métier de mère. J'apprends encore. Mon grand ne sait jamais comment quémander sa part d'attention. Il la vole. Quand je crois deviner qu'il a besoin d'affection et que j'ose m'approcher pour le cajoler, ne serait-ce que toucher du bout des doigts ses cheveux, il crie:

— Aie! Lâche-moi! dans un demi-sourire.

Quand il n'en peut vraiment plus et qu'il a envie de me donner son amour, il me saute dessus comme il le fait avec son chien et me bouscule si rudement qu'on jurerait qu'il veut me battre. Il n'y a qu'une mère pour deviner qu'il veut dire: «Je t'aime, mamie!»

Si je me plains d'être trop débordée, Mona me console:

— Mamie, ne t'énerve pas, je t'aiderai.
— Ce n'est pas ça que je veux.

Surtout pas cultiver cette culpabilité chez ma fille. Ah! et puis j'ai horreur de la culpabilité sous toutes ses formes. Ni chez l'homme, ni chez la femme. Je rêve de voir chacun faire sa part dans la maison. Pas parce qu'ils ont pitié de moi. Pas parce qu'ils sont de bonne humeur et me consentent une petite faveur. Ça n'a rien à voir avec l'humeur. Simplement partager les travaux ingrats. Je ne veux plus qu'il y ait de serviteurs. Plus de hiérarchie, de passe-droit dans notre maison. Qu'aucun d'eux n'apprenne à vivre aux crochets des autres — homme ou femme — dans cette future génération. Alors, qu'est-ce que tu fais à la maison? me reproche ma conscience. Je devrais sûrement mener une carrière. Ça presse! Ainsi mes enfants se débrouilleraient seuls. Voilà la parfaite autonomie. Jamais de la vie! Il est essentiel que quelqu'un soit là pour les accueillir au retour de l'école, les écouter, les encourager.

Bon, je récapitule ma vie de bonne femme. Un homme me demande en mariage. Il m'adore. On s'aime au point de désirer des petits qui nous ressembleront. Alors j'accepte. Je reste à la maison parce que je veux les voir grandir. Comme mon mari est mieux armé que moi en diplômes pour faire des sous, il détient la responsabilité financière. Moi, j'écope de la plupart des autres. Puis, s'il me reste de l'énergie, j'écris. Mon premier devoir: être mère. Ensemble, nous enseignons à nos enfants à devenir non pas indépendants dans le sens de se ficher des autres, mais autonomes, c'est-à-dire capables de se prendre en mains, de voler de leurs propres ailes, de se débrouiller, de faire preuve d'initiative.

Ça y est, je viens de justifier d'un coup ma colère envers Francis. Il doit apprendre à être ordonné, cela fait partie de l'éducation. Je poursuis donc mon bilan personnel. En vaquant à mes tâches quotidiennes, je planifie la fête du futur. L'avenir offrira à nos enfants l'apprentissage à mieux vivre ensemble. À mieux fêter ensemble. Qui décide de la fête? Peu importe. Celui qui en a le goût communique son idée à l'autre. Une vraie fête ne s'impose pas. Elle se prépare.

Je veux écrire dans cet esprit de fête. Mais je n'y arrive pas. Ce n'est pas toujours la fête. Vaut mieux ne pas y penser. Je rôde autour de ma machine à écrire. Pourquoi devrais-je me torturer à parler des choses qui font mal? Exprimer des mauvais sentiments? C'est pas beau. C'est démodé. On ne parle plus de l'enfer.

Le manuscrit que j'ai soumis a été refusé. J'en suis soulagée. J'ai eu ma propre récompense à ressasser mes idées, à en faire le tri, à les mettre sur papier. La maison d'édition a raison: on n'a pas à parler des choses qui font mal. Ça m'apprendra à croire et à exprimer des rêves.

Après avoir passé à travers la rechute de Mona, bien sûr je crois encore qu'elle a des chances, mes convictions ne sont pas menacées mais il serait bon de les garder pour moi, de peur de perdre des forces en cours de route. Il est tellement plus facile de s'asseoir confortablement chez soi, de se taire, de se faire croire que personne ne souffre. Que le cancer n'existe pas. Que le divorce, c'est banal. Pas d'écriture douloureuse. Je frappe les touches de la machine et je me lève. Je ferai autre chose. Je prendrai des cours en attendant que mon bébé aille à l'école. De quoi me garder la tête en forme. Je suis dans une impasse: une mère au foyer qui ne veut pas s'ennuyer. Se déprimer. Il me faudrait de l'argent. Un peu plus, bon Dieu! Je n'arrive pas à être une femme économe. Pourquoi avoir toujours des ambitions pas payantes? Je fais tout par plaisir et ce n'est pas ce qui rapporte le plus. Mon jardin, belle initiative! belle tentative qui m'a coûté deux fois ce qu'il me rend.

Bien entendu, c'était agréable. Bronzer en jardinant. Montrer à mes enfants que la terre peut produire. Un luxe. Voyez, les enfants! on peut même survivre à une catastrophe avec un bout de terrain. C'est une richesse. Une forme d'autonomie. J'ai fait un sport du jardinage, un moyen de bronzer sans paresse et je n'ai même pas récolté de quoi faire des conserves. Au lieu d'écrire, je décide de faire une marche avec mon fils de trois ans. Je suis toujours la dernière à ébaucher des projets pour moi-même et je suis toujours la première à les démolir en cas d'urgence. C'est ce que je souhaite dans le fond. Cette sorte de disponibilité me sert bien.

*   *   *

La peur de perdre sa perruque devant les gens, voilà pour Mona la pire conséquence de cette rechute en pleine adolescence. Malgré tout, elle refuse d'être prisonnière de cette peur. Elle ne veut renoncer à rien. Aller à ses cours de gymnastique, continuer les barres parallèles, exécuter ses sauts périlleux. Tout.

— Mom, fais quelque chose! supplie-t-elle.

Son cri de détresse déclenche aussitôt en moi la dose d'énergie nécessaire pour la soulager. En pareil cas, je ne me demande pas si André pourrait faire quelque chose. Automatiquement je me précipite, là où je pense être capable de faire du bien. Mes trois enfants et mon mari accaparent toute ma vitalité. Nous faisons au fond très ancien couple. Dad va chercher un salaire, donne des cours et les prépare, corrige, lit; le temps qu'il lui reste, il m'aide à faire quelqu'un de bien avec nos trois rejetons. C'est une question de confiance, de foi aveugle. Ils savent que je réagirai au moindre appel. C'est ma mission première.

Mon amie Lina se présente au bon moment et met ses connaissances de coiffeuse à profit pour soulager les angoisses de Mona. Elle nous fournit les diachylons spéciaux, les lotions pour laver la peau afin que le collant adhère bien; puis elle ajuste la perruque plus serrée. Toutes les deux tapies discrètement dans la chambre de Mona, comme pour partager un grand secret, l'adolescente s'abandonne en confiance. Lina y va de ses conseils:

— Quand tu dois faire des sauts ou courir, attache un petit foulard par dessous et tu vas sentir ta perruque plus solide.

Venant de la bouche d'une professionnelle de la coiffure, c'est parole d'évangile pour Mona; elle croit et le tour est joué. C'est-à-dire que je dois «le jouer» tous les matins. Les jours d'école, Mona ne part pas avant que tous les diachylons soient installés: si jamais un flanchait, l'autre pourra lui garantir le maximum de protection. Pas question de prendre de risque devant toute l'école secondaire, le monde des grands. Pour Mona, le gros défi de ses douze ans se ramène à ses cheveux.

Parfois à la dernière minute, après ma course aux déjeuners, aux boîtes à lunch, les pleurs du bébé qui réclame ses céréales et le café chaud préparé pour mon mari avant son départ, Mona se présente avec sa perruque à la main. J'arrête toutes mes opérations et je me consacre alors à coller sa perruque sur sa tête, en la persuadant chaque matin qu'il n'y a aucun danger, qu'ils ne tomberont JAMAIS! Je me rappelle trop bien sa fierté blessée la fois où sa perruque s'est décrochée. De plus, je ne veux pas que ma belle fille de douze ans soit réprimée dans ses ébats fougueux d'adolescente à cause d'un problème de faux cheveux. Qu'elle se détende en franchissant notre porte. Qu'elle soit insouciante. Même si je ne réussis pas tout à fait, j'y mets tout ce que je peux en l'assurant de ma minutie, de mon attention totale en la peignant et en nouant le petit foulard de la couleur de la blouse ou du jeans. Plus personne d'autre n'existe alors.

— Vite, mom, l'autobus arrive!
— Tu es belle ma grande, va. Bonne journée.

À l'école, elle ne parvient jamais à être insouciante mais elle apprend à mentir avec une facilité étonnante. Seules ses grandes amies, ses intimes partagent son secret. À la maison, par contre, nous tâchons de ne pas trop prendre son histoire de perruque au sérieux. On se moque même des cheveux artificiels. Mona devient excellente à ce jeu et finit par nous battre tous. Un jour, elle imite Elvis, tenant dans les mains un objet ressemblant à un microphone. Le disque tourne, elle se regarde, vérifie ses expressions dans le miroir du bout du passage et elle s'exécute comme si elle donnait un spectacle. Elle connaît les gestes d'Elvis par coeur, ayant vu ses films à plusieurs reprises et son tout dernier spectacle l'a particulièrement inspirée. Elle chante «My way» avec des gesticulations accentuées. Pour exécuter sa grande finale, elle vient s'exhiber dans la cuisine pour qu'on l'admire tous, copiant le geste final d'Elvis, le bras levé en chantant à tue-tête, la tête penchée vers son aisselle. Au moment où la batterie cesse de gronder, elle tourne alors brusquement la tête dans la direction opposée et la perruque va s'aplatir contre le mur. Elle se frappe dans les mains et rit aux éclats de voir nos visages surpris.

— T'es folle, la soeur, lui crie Francis.

Et il l'accompagne aussitôt dans son imitation d'Elvis.

Comme toujours, je dois les ramener à l'ordre:

— Pas si fort, les enfants! Baissez la stéréo.

*   *   *

Mona se présente à la maison les yeux brillants avec son écusson *Jeunesse en forme.* Elle le parade sous mon nez, son bel écusson doré.

— Bravo, ma grande.

Et je ne peux que remercier le ciel que ses traitements ne ralentissent pas son développement. Mona est enchantée de l'école secondaire. Passé la nervosité du début (peur de ne pas de présenter au bon local, au bon moment et avec les bons livres), je lui assure que tout va s'arranger.

— Calme-toi Mona, il est permis de se tromper.

— J'aime pas me faire remarquer.

— Mais oui, mais oui.

Le soir, elle me raconte ses journées. Chaque fois le nom d'Angie revient à toutes les deux phrases. Elle dîne avec Angie. Elle se promène avec Angie. Elle regarde les beaux gars avec Angie. Quatre yeux perçants, curieux, qui font toujours leurs travaux à la perfection.

— Tu es minutieuse, ma fille.

Angie en a appris des secrets que je ne connaîtrai jamais! Elles s'épaulent et s'épanchent mutuellement. Mona peigne sa perruque en se racontant. Elle la lave comme si c'était ses propres cheveux avec le désir de la rendre aussi lustrée et souple que ce que montrent des réclames de shampooings à la télévision. Sa perruque posée sur une forme en mousse, elle travaille à donner allure humaine à ce cauchemar artificiel. Elle s'y applique presque avec plaisir, comme si elle jouait à la coiffeuse. J'admire sa capacité d'adaptation et, en mère aveugle, je la trouve belle avec ou sans perruque.

*   *   *

C'est la soirée des parents à l'école secondaire. Je m'y rends pour rencontrer les professeurs et pour recueillir les notes du premier semestre. Mona et Francis m'accompagnent, espérant récolter en même temps que moi des éloges sur leur compte.

— J'espère que ce sont des compliments, dis-je sans pourtant en douter un seul instant.

Je déambule d'une classe à l'autre. Bien qu'attirée par le gymnase, je passe tout droit la première fois: trop de parents et d'enfants. Je reconnais le professeur de gymnastique. Lorsque enfin elle se libère un peu, je m'avance vers elle et me présente:

— Je suis la mère de Mona.

— Mona? Ah! oui, dit-elle enfin, après avoir reconnu Mona derrière mon dos.

Elle me déballe les litanies habituelles et je guette le moment propice pour l'interrompre. Je ne sais même pas quoi lui dire au juste. Mais si jamais Mona avait des problèmes parce que je n'ai rien dit... Mona est trop près de moi. Je dois pourtant me dépêcher. Dès que je vois Mona occupée à discuter avec une compagne, j'en profite pour dire:

— Mademoiselle, Mona est en rémission. Leucémie.

Devant ses yeux hagards, je me dois de la rassurer.

— Elle va très bien. Elle adore votre cours. Mais si jamais elle refusait de faire quelques mouvements...

Elle m'arrête tout de suite:

— Il n'y aura pas de problèmes.

Mona me rejoint et je prends congé:

— Bonsoir, merci mademoiselle.

Mona s'informe immédiatement de ma conversation.

— Qu'est-ce que tu lui as dit?

— Que peut-être tu ne pourras pas faire tous les mouvements en gymnastique.

— T'as pas dit ça! T'es pas allée lui dire ça, mamie!

Mon Dieu, elle va se mettre à pleurer. Me sentant comme si j'avais dévoilé le plus grand secret du monde, j'essaie de justifier mon geste stupide.

— Mona, je ne voulais pas qu'elle te reprenne devant tout le monde si jamais tu hésitais...

— Maintenant, elle ne me traitera plus comme avant. Comme tout le monde. T'es contente là? Hein? C'est ça que tu veux? POURQUOI T'AS FAIT ÇA, MOM?

— Mona, calme-toi!

Je regrette tellement. Désobéir à un enfant, c'est encore plus terrible qu'à un patron. Mona déteste tant dire qu'elle a été malade. Pas à cause de la maladie, mais parce que les gens changent d'attitude lorsqu'ils l'apprennent. Elle veut être la même. Traitée comme tout le monde. Toujours.

— Ton professeur a compris. Elle sera correcte.

Mona fait ses confidences à qui elle veut. Elle parle de ce qu'elle vit avec ses copines les plus proches, ses vraies amies, celles à qui elle peut prouver qu'elle est bien normale. Si elle raconte des scènes vécues à l'hôpital, elle parodie ou se moque et ses histoires prennent l'allure de grosses farces. Ainsi, ses amies apprennent-elles du même souffle qu'elle est malade mais qu'elle est en pleine forme. D'ailleurs, elle les surpasse toutes dans les sports.

Avertir son professeur, c'était infliger à Mona une douleur inutile. D'après l'air surpris de l'enseignante, c'est clair qu'elle ne se doutait de rien. Personne n'aurait pu deviner que la Mona qui exécutait des sauts périlleux était coiffée d'une perruque. Pauvre chouette, elle avait réussi la mascarade parfaite. J'avais gâché son jeu. Il n'y avait qu'Angie, au fond de la salle, qui pariait avec Mona sur le risque d'un mouvement réussi sans que la perruque tombe.

Tout en ressassant mes regrets, je me prépare à rencontrer l'infirmière de l'école. Je dois la prévenir au cas où il se déclarerait des maladies contagieuses. Croire qu'on peut réussir et se débattre contre le destin. Croire aveuglément et voir clair en même temps. Je suis fatiguée de vivre toutes ces contradictions. Comme je voudrais les dépasser! M'en ficher. Alors, je pourrais marcher droit dans la vie. M'accomplir. Vivre comme s'il n'y avait pas de guerre ne supprime pas pour autant toute menace de guerre! Je repousse cette pensée, je me pardonne mon erreur.

À la cafétéria de l'école bondée de parents, je suis impressionnée par la facilité qu'a Francis de communiquer avec les gens. Il fait des blagues à tout propos, même avec les adultes. La dame de la cafétéria le taquine et il se défend bien. Elle lui refile un beigne en plus, gratuitement, avec son verre de lait. Tout en me servant un café, j'observe particulièrement mon gars. Il travaille à la cafétéria tous les midis pour se faire des sous. Souvent, il arrive à la maison en maugréant contre la dame qui lui a fait reprendre les sacrés chaudrons. Il a fini par devenir un expert dans le récurage des grosses casseroles. La même dame lui lance un clin d'oeil en lui remettant son beigne tout chaud. Je devine le dilemme dans le coeur de mon fils: il s'en veut de lui rendre son sourire mais ne peut s'en empêcher.

Je parle avec des parents. Je fume. Bah! Rien qu'une petite cigarette en passant. Je ne suis plus convaincue du tout des bienfaits de me priver de fumer. Mon désir de fumer est plus puissant que la joie que j'éprouve d'avoir cessé. Je suis en pleine contradiction. Je n'avance à rien. Je piétine sur place en faisant de la boucane. Mona me distrait en faisant la folle avec son frère. Ils s'aiment tous les deux, mais comme ils ont une drôle de manière de se le démontrer. Ils font des farces ensemble à propos du «coin des amoureux de l'école»! Ils deviennent complices quand il s'agit des blondes et des «chums». Bien entendu, ils m'excluent.

— Mom, tu fumes? Tu vas finir par recommencer pour de bon, m'avertit Mona.

Moi, j'ai le cafard. Mon coeur crie: Hé! les enfants, ne me rejetez pas de votre monde. Je veux être votre amie moi aussi. Vous avez grandi trop vite. Puis, je me ravise: non, je dois être votre mère, prendre des décisions, comme celle d'interdire de fumer. Je jette ma cigarette, déçue d'avoir cédé. Ce n'est même pas bon! Je ne dois pas laisser en héritage à mes enfants ce triste exemple.

— Mom, c'est moi qui conduis pour sortir du stationnement, commande Francis, en marchant vers l'auto.

— Non, mom, c'est mon tour. Ah! oui, on sait bien, toujours les gars, se dépêche d'ajouter Mona pour gagner le pari...

— Stop! J'ai des petites nouvelles pour vous: c'est moi et moi seule qui conduirai.

— T'es vieux jeu! T'es croûlante.

Finalement, ils se mettent à deux pour gueuler contre mon manque de compréhension à l'égard de la triste condition des adolescents. À tel point que j'en oublie complètement de les féliciter pour leurs belles notes. À la maison, leur père, parfaitement décontracté devant son match de hockey préféré, leur distribue abondamment les compliments attendus. Je ne saurai donc jamais m'accaparer le beau rôle! Gauche! Gauche!

Parlant de mon rôle, le mien devra se transformer un peu. Les enfants sont plus indépendants et si je ne veux pas devenir étouffante pour eux, je dois réorienter mes énergies. Il me semble que les femmes ne font que ça, rajuster leur tir selon les besoins de la famille. On n'a plus autant besoin de toi? Disparais! On a très besoin? Réapparais! Yo-yo féminin. Bouche-trous. Bon, je m'interdis de céder au sentiment de victime et je reviens à mon choix de départ. Dans mon for intérieur, je l'endosserais encore. Pas d'apitoiement. Et allons-y! vers d'autres projets!

Comme si quelqu'un m'avait entendue, quelques jours plus tard je reçois par la poste une lettre disant que mon manuscrit est accepté. Je passe du rire aux larmes, de la joie à la terreur la plus réelle. Lorsque mon monde revient de l'école, je leur dis avec aplomb:

— Touchez-moi, je suis un auteur. Bientôt publié.

— Pas vraie, mamie?

— OUI!

À leurs yeux, leur simple maman-maison-gâteau est maintenant quelqu'un qui a réalisé un projet.

Ils me fabriquent de belles cartes de félicitations, me réitèrent leur confiance en moi depuis toujours. Jamais, ils le jurent, ils n'ont douté de moi, j'étais une gagnante.

Tu parles! des ténèbres à la lumière. Ils m'éblouissent. Mais je n'ai qu'à réfléchir une petite seconde pour me ramener bien vite sur la terre bien ferme et bien réelle. Tout ce que j'ai écrit me revient à l'esprit et me chavire le coeur. Les gens vont le lire pour de vrai. Ce n'est pas un rêve! Ah! je me promets de retoucher chaque chapitre. De reprendre tout le livre. Je le réécrirai au complet. Énervée, apeurée, je compose le numéro de mes amis:

— Hé, je suis acceptée, je...

Comment arriverai-je avec tout ça à protéger Mona? Les médecins qui la soignent vont-ils la traiter différemment? Je me cacherai sous un nom de plume. Non! Ce serait comme crier dans un oreiller. Chaque fois qu'une personne lit mon manuscrit c'est un déchirement. Je vais me sentir déchiquetée en le voyant sur le rayon d'une librairie. J'ai froid à l'âme rien que d'y penser. Exposer mes entrailles. Mon mari me lit: une véritable torture. Il m'approuve et m'appuie. Son jugement me remet en confiance. Dans les yeux admiratifs de Mariette, je lis ce que je me propose de faire: accepter, publier. Une femme d'affaires me met en garde contre l'impact négatif que peut avoir le livre sur Mona. Ma propre défense me convaincra davantage:

— Pourquoi ne pas lui offrir le livre comme une arme pour son combat, pour sa vie?

Lorsqu'il est question de changer le nom des personnages du livre, je propose à Mona de l'appeler Sandra. Elle refuse carrément:

— Jamais!
— Pourquoi?
— Parce que c'est moi qui ai vécu cette histoire, c'est moi ta «pleine de vie», lance-t-elle avec fierté en courant m'embrasser.

*   *   *

C'est déjà la veille de Noël. Devant son miroir, Mona se coiffe sans perruque. Elle s'exerce pendant les vacances des Fêtes et se promet d'oser se présenter à l'école et de lancer la mode des cheveux très courts. Admirant ses longues boucles d'oreille en bois délicat, elle lève bien haut sa tête garnie de cheveux d'à peine un demi-pouce, frisottants déjà, avec une fierté évidente. Ses yeux brillants, ses joues roses, éclairées d'un large sourire satisfait, sans vanité, donnent l'image d'une adolescente amoureuse de la vie. Elle n'attache aucune importance au prix des cadeaux. La moindre babiole la surprend, l'étonne, l'émerveille. Un rien la comble. Elle participe à toutes les réceptions tantôt en s'amusant avec les tout-petits ou en jouant les grandes filles sophistiquées lorsqu'elle se mêle aux adultes pour raconter sa petite histoire ou danser avec les oncles. Le réveillon a lieu chez nous; le brunch, chez oncle Robert. Il nous faut faire attention pour ne blesser personne, depuis que les grands-parents sont séparés. Chacun leur tour, ils sont invités. Nous faisons en sorte de bien vivre ces réjouissances familiales. Moi, j'ai l'impression de goûter des moments très importants avec mes grands enfants et ma joie s'alimente à la leur.

Lorsque le livre MONA titré en gros caractères sort de l'imprimerie, mon héroïne se précipite sur la copie que j'apporte à la maison. Je la vois dévorer son histoire page après page. Je me meurs de savoir ce qu'elle en pense et je m'interdis de la cribler de questions. Je m'occupe de mes tâches domestiques à la manière d'un robot, plus certaine du tout qu'il soit bon pour Mona de connaître en détail le mal qu'on a eu à la garder en vie.

Bon Dieu! va-t-elle dire quelque chose? Elle ne fait que tourner les pages les unes après les autres, j'en deviens folle. Tiens! elle essuie une larme. Merde! Je sors faire une marche. Je ne vais pas rester là à me torturer pour savoir si j'en ai trop dit ou pas assez. Je m'impose la patience; il lui faudra peut-être deux jours avant d'avoir tout lu. Je ne vais pas courir comme un chien fou autour d'elle comme ça tout ce temps. Mona a l'habitude de lire. Des romans d'aventures. Ce n'est pas si différent: c'est son roman, son aventure. Cent fois, je me le redis: non, je n'ai pas exagéré, oui elle comprendra. Elle comprendra clairement le message: lutte, bats-toi, ne désespère pas, ma grande. Et par-dessus tout elle lira entre les lignes tout l'amour inséré à chaque page de sa vie.

Les nouvelles de six heures sont terminées depuis un bon moment. J'ai couché le bébé. Mona assise, sur le divan, près d'une lampe, se prépare à refermer le livre, elle en est à la dernière page. Ça y est, c'est terminé; elle me regarde, les yeux brillants.

— Puis?

Elle se lève d'un bond, se met à pirouetter, des bras ou des jambes me passent au ras du nez.

— Vas-y. Parle-moi.

— J'ai adoré ça, crie-t-elle, les bras en l'air, après quatre ou cinq culbutes... C'est triste, n'empêche. Mais c'est beau.

Comme je tourne les talons sans insister, elle me poursuit dans la cuisine et me donne quelques détails par-dessus l'épaule. Elle a lu comme s'il ne s'agissait pas d'elle. Elle voyait une autre petite fille, se souvenait de tout et devinait constamment la suite. Malgré elle, elle se laissait souvent prendre au jeu et se mettait à avoir peur avec la maman pour la vie de la petite Mona.

— C'est étrange, mom, non?

Elle m'appuie et m'encourage pour la promotion du livre, tâche pour laquelle je me sens absolument inapte. Pour que le livre marche, il faut que j'en parle; je dois m'y résigner. Je le ferai donc le plus sincèrement du monde, comme si je m'adressais à une seule personne dans le but de lui communiquer un peu d'espoir. Je ne crie plus dans un oreiller mais sur tous les toits. Parents, amis, mari me poussent dans le dos à coup de:

— Allez, tu vas y arriver!

Mona, tout excitée par le spectacle de gymnastique qu'elle prépare, essaye son maillot noir. La veille, je reçois un appel de l'école. L'infirmière m'avertit qu'on a détecté des cas de rubéole. Je m'informe au médecin de Mona; il me dit de la retirer immédiatement de l'école et de lui faire donner un vaccin mort, précaution visant à diminuer les effets si jamais elle développait le virus.

Moi, habituellement si scrupuleuse sur les avis médicaux, je décide, en prenant sur moi toutes les responsabilités de ne rien dire à Mona afin de ne pas gâcher son spectacle.

Sous les lumières, avec ses cheveux bien à elle, en forme, son corps harmonieux exécute gracieusement les figures. Tantôt en groupe, tantôt seule, sur les barres parallèles ou asymétriques, elle tourne, pirouette, se balance agilement et en cadence. Son regard me touche droit au coeur quand, au dernier saut, elle bondit sur ses jambes et lance son corps en arrière les bras en l'air. Elle semble crier:

— Dad et mom, j'ai réussi!

Son père et moi, on se tient par la main, on n'applaudit pas, on se retient pour ne pas pleurer en public.

*   *   *

Nous recevons une invitation de George, le frère d'André qui organise une grande réunion de famille en Californie. Ça tombe bien, nous avions l'intention de faire la traversée du Canada avec les enfants cet été. Ils sont à l'âge idéal et à la limite en quelque sorte. D'ici quelques années, ils ne voudront sans doute plus nous suivre. Les enfants, exaltés par le projet, insistent pour que nous acceptions. Francis a écrit dans les centres touristiques pour recevoir de la documentation et des posters sur les endroits à visiter et Mona économise ses sous depuis un bon moment. Mais André redoute des conflits avec notre adolescent actif, rétif, arrogant, qui a son mot à dire à propos de tout. Comment va se comporter notre homme de quatorze ans, confiné dans une roulotte toute petite ou dans l'auto pendant des semaines?

Nous établissons notre budget et planifions les distances à parcourir par jour. Chacun assumera la responsabilité de son argent et de son linge. On me promet que ce sera pour moi une vacance au même titre que les autres. Tout en voyant aux derniers préparatifs, je me demande bien ce que donnera ce supposé partage. Après une dernière nuit où je n'arrive presque pas à fermer l'oeil, nous partons de très bonne heure avec notre roulotte pleine à craquer. J'essaie de me détendre:

— Mona, t'as apporté tes médicaments?
— Ne t'inquiète pas, j'ai tout dans mon sac à dos.

Son regard heureux, et l'enthousiasme de Mark qui me donne une grosse bise mouillée en m'accrochant les cheveux me rassurent. Je me recoiffe avec mes doigts et vérifie mon maquillage dans le rétroviseur. Dire que j'avais pris le temps de me faire belle pour que mon mari ait l'impression de partir avec une femme séduisante, pas une mère de famille!

Très vite nous devons nous adapter à voir notre itinéraire chambardé par un problème mécanique ou encore, un camping introuvable. Nous sommes à l'étroit et devons faire chacun des efforts pour que la tension qui s'accumule ne dégénère pas en querelle. Heureusement, notre couple est bien équilibré sur ce plan: quand l'un de nous deux s'emporte, l'autre déploie des trésors de calme. Comme l'alternance entre la marée haute et la marée basse, nous recréons ainsi une sorte d'harmonie.

Nous apprécions la nature sauvage près des Grands Lacs et j'oublie vite mes attitudes de citadine parmi les épinettes qui poussent dru dans l'Ontario. Un vieil Indien nous regarde passer, debout dans l'embrasure de sa petite maisonnette de bois rond. Les bras croisés, comme un chef, le regard dur, impassible, il semble dépassé par le temps, braqué devant une autoroute ultra-moderne. Un peu plus loin, un jeune peau-rouge attiré par la ville fait du stop avec sa chemise jaune orange et ses cheveux rebelles, noirs jais.

Mes adolescents ne parlent que d'aller se baigner; ils ont chaud en ce début de juillet. Quand un panneau vert indique un lac, c'est là qu'on se dirige. Aujourd'hui, nous découvrons un site absolument enchanteur avec des chutes qui cascadent. Mona et Francis s'amusent ferme à traverser le rideau d'eau et à sauter dans l'étang. Je me débrouille pour cuisiner avec des moyens de fortune et toute la famille apprend à apprécier la frugalité des repas simples, vite faits, grâce aux vertus de l'autocuiseur. Après la baignade, les enfants se font des trempettes de pain frais dans le bouillon riche du ragoût du souper et se délectent.

— Mom, comme c'est bon!

Si nous roulons le soir, les grands s'enroulent dans leur sac de couchage et Mark, dans son pyjama, dort allongé entre nous deux, la tête sur la cuisse de son dad. Nous nous habituons à dormir un peu n'importe où et les enfants font toujours la vaisselle même s'ils n'en ont pas toujours envie.

Nous traversons les frontières du Manitoba. Après avoir constaté que les pneus s'usent d'un seul côté, André se rend dans un garage pour faire balancer les roues tandis que je repère une buanderie. Il était temps, tous nos vêtements sont sales. À Winnipeg, nous visitons quelques églises ukrainiennes. Un vieux prêtre nous explique très simplement les particularités de cette religion: de la même souche que la nôtre, ils ont évolué différemment en adaptant leur art de vivre selon les coutumes et les climats. Il s'inquiète du désintérêt des jeunes à l'égard de l'Église. Les miens, pendant ce temps, me pressent d'en finir pour aller jouer dans les «arcades». Francis et Mona font souvent la pluie et le beau temps. Ils se chamaillent pour des banalités et l'instant d'après redeviennent les meilleurs amis du monde, dans la complicité des plaisirs partagés: les attractions, les manèges du «Stampeede» de Calgary, les spectacles de chevaux, de boeufs, les pirouettes des avions dans le ciel. Moi, à travers le vacarme de cette foire à l'américaine, comme un film de cow-boy servi à la moderne avec hot-dogs et bière, je ne vois que les Indiens sans plume, déchus, avec dans leurs yeux noirs comme du charbon la nostalgie de leur fierté, comme s'ils avaient vendu leurs arcs pour les cannettes de bière qu'ils portent à la taille. André jase avec un homme qui porte un chapeau de cow-boy et des bottes comme Francis rêve d'en avoir. Sa roulotte est deux fois plus grande que la nôtre et la camionnette qui la tire rutile de ses enjoliveurs brillants.

— Mom, regarde!

Ce monsieur Sheaffer et sa femme Bea nous invitent à terminer la soirée avec eux, André et moi. Ils nous expliqueront la signification des courses de wagons. L'idée de sortir sans les enfants me plaît. Ils me poussent à y aller:

— Vas-y, mom, nous garderons Mark.

Le site du «Stampeede» est tout près de notre stationnement. André promet de venir voir aux enfants si je suis inquiète. À coup de mille promesses, après m'avoir traitée (avec raison) de «mère poule», mes deux grands me convainquent.

Je me laisse gagner par la détente et le plaisir de communiquer avec ce couple sympathique. Nous découvrons délicatement nos différences. Ils nous invitent à prendre un dernier verre à leur roulotte. Après avoir jeté un coup d'oeil par la fenêtre et vérifié que nos trois rejetons dorment à poings fermés, nous acceptons. André est intarissable et discute de politique pour deux. Il se sent à l'aise dans cette conversation et comprend mieux que personne l'ambivalence des problèmes canadiens: de langue anglaise, avec un nom français et d'origine américaine, il a intégré toutes ces influences. Je l'écoute faire sa gymnastique mentale tout en pensant aux Indiens. Entre les Anglais, les Français et les Américains, qui sont les responsables? Pendant que les femmes, nous nous inquiétons de l'intégration des enfants des autochtones dans les écoles, les hommes parlent de pouvoir. Nos adieux à nos nouveaux amis ont un goût d'au revoir car ils nous affirment qu'ils seront là demain soir. Nous ne comptons cependant pas revenir ici, curieux de découvrir un autre coin de la ville.

En rentrant nous trouvons Francis couché avec son poignard.

— Pourquoi le couteau, Francis?

Les deux grands nous déballent l'histoire en même temps. Des Indiens sont venus pendant qu'ils jouaient au «Freezbee». Ils voulaient du pain. Francis en a donné deux tranches à chacun. Ils ont demandé de la viande pour mettre dessus. Il a ouvert le réfrigérateur et sans regarder leur a dit:

— Nous n'en avons pas.

Mona a ajouté pour ne pas les contrarier, parce qu'ils avaient des yeux très méchants:

— Nous n'avons pas fait notre magasinage.

Pendant que l'un grugeait son pain, l'autre quêtait de l'argent. Mona a sorti vingt-cinq sous de sa poche en faisant bien attention de ne pas montrer ses dollars. En le mettant dans sa poche, l'Indien a fait sonner sa monnaie et elle a compris qu'il mentait comme elle. Bien avant qu'il fasse nuit, les enfants se sont enfermés dans la roulotte pour écouter les mêmes types assis autour d'un petit feu au bord de la rivière, qui fumaient et buvaient beaucoup de bière. Francis a monté la garde jusqu'à ce qu'il tombe de fatigue. Ma culpabilité augmente au même rythme que leur fierté d'avoir vécu une vraie aventure avec des vrais Indiens comme dans les films de cow-boys. Moi qui me proposais de leur montrer une autre image des Indiens, je n'en ai plus envie.

Le lendemain, Mona se réveille avec un mal de gorge et un feu sauvage fleurit sur sa lèvre. Je lui donne de l'aspirine et lui interdis de prendre ses médicaments pendant deux ou trois jours, le temps de combattre l'infection. Je la fais se gargariser dans la journée et j'essaie de la ménager au cours des visites. On ne cherche pas vraiment un terrain de camping et d'un commun accord, nous retournons au stationnement de la veille. Nos amis d'un soir nous accueillent. Non seulement sont-ils heureux de nous revoir, mais ils nous invitent à rentrer dans leur ville avec eux et à stationner dans leur cour. Ils insistent parce qu'ils veulent nous montrer la meilleure image possible du Canada anglais. Incapable de refuser une telle offre, nous sautons sur l'occasion et nous les suivons, tard dans la soirée, jusqu'à la porte de leur grande et coquette maison. Ils nous fournissent toute l'eau chaude dont on a besoin. Leur maison comporte plusieurs salles de bains. J'installe les enfants pour dormir après un bon lunch et du café.

Ce n'est que le lendemain, alors que je fais la lessive avec Mona dans une buanderie automatique, que je me rends compte qu'elle ne va pas bien du tout, qu'elle traîne la patte. Je la scrute de près, la touche.

— Pourquoi tu ne l'as pas dit?

Elle bout de fièvre et voulait me le cacher, espérant ainsi ne pas avoir à subir tous les tests et les précautions habituelles. Je cherche immédiatement à trouver l'hôpital de cette petite ville. Pendant que mon linge sèche, je fais part au médecin du traitement d'entretien suivi par Mona. J'appelle nos hôtes pour ne pas les inquiéter, puis je passe reprendre mon linge. Les tests sont prévus pour l'après-midi. Mona a laissé tomber sa défense et se laisse soigner. On doit prendre beaucoup de précautions. Les médecins entrent en communication avec celui de Mona. La prise de sang est normale; on prescrit des antibiotiques et on fait une culture de gorge pour identifier le virus. Le médecin veut revoir Mona demain pour d'autres tests et pour surveiller de près l'évolution de l'infection. Je suis à la fois mal à l'aise et drôlement soulagée d'envahir la grande maison climatisée de nos hôtes au lieu de coucher ma fille dans la roulotte. On transforme en lit le divan de la salle de séjour et Mona, amorphe, dort ou regarde la télé. Souvent, je la lave à l'eau froide pour baisser sa température, la réveillant pour l'aspirine, ou les antibiotiques. Elle se laisse manipuler sans se plaindre, l'air misérable.

J'arrive même à me mêler aux visites des environs, grâce à Maxim, leur grande fille de 16 ans, qui fait la garde à la maison. J'appelle de temps en temps pour m'informer de ma petite malade. Je me garde bien de prendre panique et je veux croire à un simple virus, me persuadant que tout rentrera dans l'ordre en quelques jours. Sinon, je pourrai toujours sauter dans un avion et revenir chez nous. Le deuxième contrôle sanguin indique une infection bactérienne. Le médecin change les antibiotiques et m'assure d'une amélioration d'ici deux ou trois jours.

Alors, je peux souffler un peu et m'en donner à coeur joie pour visiter la commune des descendants russes, les Mennonites. Être introduite dans cette communauté retirée très stricte, sans télévision ni radio, me fascine. Je n'ai pas assez de mes yeux ni de mes oreilles pour tout capter. Partout, la propreté éblouit. L'équipement ultra-moderne contraste avec leur habillement d'une autre époque.

En arrivant, on nous enlève nos maris, qu'on entraîne du côté des hommes: à barbe s'ils sont mariés, sans barbe s'ils sont à marier. Les jeunes femmes à jupe longue et à bonnet qui nous font visiter nous disent en riant qu'elles rateront l'heure du souper. Toute joufflue et rougeaude, l'une d'elles ose dire:

— Bah! je volerai quelques tranches de pain en rentrant.

Je crois qu'elle ment; alors je continue à les bombarder de questions. Je les suis partout dans leurs maisonnettes propres, meublées par le charpentier. Les mêmes chaises carrées et les bancs de bois austères se trouvent dans toutes les maisons. Je cherche en vain un salon. Ils ne connaissent pas ça. Je visite leur cave. Leur garde-robe déborde de costumes tous identiques: un pour chaque jour de la semaine. On porte au lavoir collectif le linge de tous les membres de la communauté. La cuisine, comme un restaurant, fonctionne à longueur d'année. La première cloche appelle les hommes. Deux autres coups avertissent les femmes que c'est leur tour. Les petits enfants mangent en dernier. La garderie enlève tôt le petit à sa maman, pour l'habituer très jeune à la discipline. Aucun jouet, pas de plastique multicolore. Que des petits bancs de bois. L'école, avec son maître diplômé selon la loi de l'Alberta, enseigne le programme que les Mennonites ont établi: en allemand le matin et en anglais l'après-midi. Très peu de livres garnissent les tablettes. Les enfants les plus taquins osent s'approcher de nous et je n'arrive pas à deviner qui est leur mère; toutes les femmes se permettent de les rabrouer. La vie entière de ces individus est rigoureusement programmée. Dès l'âge de sept ans, les jeunes ont la responsabilité de l'entretien du jardin. À douze ans, on a la charge du poulailler, et ainsi de suite pour toute la vie. Toute la vie!

— Vos jeunes ne s'enfuient pas?

On me répond que ça se produit à l'occasion, les jours de marché; mais la plupart sont incapables de survivre à l'extérieur de la commune et ils reviennent. Les mariages s'organisent avec d'autres communes. Aucune pression n'est exercée sur les filles cependant. Elles écoutent leur penchant, affirme-t-on. L'union fait la force et le sens de l'organisation est leur plus grande richesse. Les lopins de terre cultivée s'étendent à perte de vue. À mesure que la commune grandit, le patron s'approprie une autre terre plus grande et implante une nouvelle commune avec à sa tête un autre patron. Les Mennonites ne sont guères aimés en Alberta parce qu'ils s'accaparent les plus beaux terrains. Ils sont pourtant très généreux et s'ils apprennent qu'un voisin tombé malade ne peut rentrer son grain, ils arrivent en bon nombre et rendent gratuitement ce service à la famille éprouvée.

À la fin de notre visite, nos maris nous rejoignent, une bouteille de vin à la main. Ils ont trinqué avec le «patron». Bea refile un petit roman d'amour à l'une des filles de la commune. À voir la lueur complice dans leurs yeux, on se doute qu'elles n'en étaient pas à leur première cachotterie. Bea raconte qu'à sa dernière visite, les filles avaient nettoyé des poulets pour eux et pour les remercier, Bea leur avait offert de la bière et du chocolat. Les filles, sous leur bonnet de religieuses, buvaient la bière et se partageaient le chocolat. En travaillant, elles chantaient en russe à tue-tête. Ma conception de la liberté en prend un coup en sortant de la commune. Tant d'ordre m'effarouche. Je me révolterais si on m'interdisait de lire ce que je veux, j'étoufferais si j'étais incapable d'inventer, de garder mon petit passé un an et demi sous prétexte qu'il n'est pas bon pour un enfant de trop s'attacher à sa mère. Cette forme d'étatisation, de socialisation, m'effraie.

*   *   *

Au retour, je suis soulagée de voir Mona jouer dehors avec les enfants et comme elle a enfin déjeuné ce matin, nous nous proposons de continuer notre route. Je cuisine un lunch pour la famille Sheaffer, je promets de rappeler le médecin au cas où la culture de gorge indiquerait d'autres complications dans les vingt-quatre heures. Nous leur faisons nos adieux en les invitant à nous visiter au Québec. Incapable de contrôler ma tristesse, je pleure dans l'auto. Les enfants demandent:

— Pourquoi tu pleures, mom?

En plus, il va me falloir expliquer mes larmes:

— Sais pas! Leur grande générosité m'a touchée. Le partage vécu avec eux... L'ouverture vers les autres.

Et je tais la suite: je devine que nous nous reverrons jamais. Je suis inquiète à l'idée de nous éloigner davantage. Je me sens à l'autre bout du monde quand je regarde Mona couchée, la tête sur un oreiller, qui dort trop souvent à mon goût. Et quand mon pif maternel, précis comme un thermomètre, teste la température et peut lire 101 – 102 – 103, j'accuse les nouveaux virus, le surcroît de fatigue, les microbes étrangers, tout quoi! Et je deviens tendue comme la corde d'un arc. J'insiste pour qu'on s'arrête tôt, je prépare des bouillons pour ma chouette, je l'installe à l'ombre et le soir, elle couche avec nous. Souvent, dans la nuit, elle transpire et se réveille brûlante. Mes hommes nonchalants n'ont pas l'air de comprendre mon inquiétude. Quand je leur reproche, André rouspète:

— Qu'est-ce ce que ça va donner si on s'énerve tous autant que toi?

Nous traversons Banff en évitant les foules et les centres touristiques et nous grimpons les montagnes pour nous réfugier à Miette Hot Springs. Ici, je reprendrai mon souffle. Je ne veux plus rouler sans arrêt mais camper tant et aussi longtemps que je n'aurai pas trouvé la PAIX à travers les sentiers pleins de mouflons qui broutent et mangent jusque dans nos mains.

La fièvre de Mona a baissé et elle mange un peu au souper. Francis s'est fait des copains et joue à la balle avec eux. Je fais des marches dans la montagne, je respire l'air frais et tente de rattraper en moi quelque chose qui s'échappe de partout, qui s'agite. L'eau trop chaude de la piscine me rend lasse au lieu de me ravigoter et j'interdis à Mona d'y rester, de peur que sa température grimpe. Après le souper, pour la première fois, je prends du bon temps. Je flâne. Ah! J'adore cette sensation. À la brunante, les enfants s'amusent autour de la roulotte et nous les quittons, André et moi, pour quelques minutes: nous allons à pied au petit magasin dont on peut voir d'ici l'enseigne illuminée. J'achèterai du lait et des oeufs. En passant près des cabines téléphoniques, j'éprouve une envie folle d'appeler au Québec. Je résiste. Je fais mes achats et nous rentrons. Je fais part à André de mon envie soudaine d'avoir des nouvelles et il répond:

— Pourquoi n'appelles-tu pas?

Nous faisons demi-tour et je compose le numéro de ma mère. Échange banal au début et peu à peu, je me mets à parler pour vrai.

— Mona m'a inquiétée. Mais là, ça va mieux. J'ai dû l'amener à l'hôpital.

Mauvaise nouvelle pour mauvaise nouvelle, elle enchaîne:

— Tu sais, ta cousine Danielle a été très malade, ils n'ont pas pu la sauver.

— Danielle est morte subitement!

Je raccroche, assommée, après avoir demandé quelques détails. Nous revenons tristement vers la roulotte et apprenons la nouvelle aux enfants. Nous portons ensemble, à 2 000 milles de chez nous, le deuil de Danielle. Nous parlons de son sourire espiègle, de sa vitalité, de son art de nous communiquer sa bonne humeur. Nous parlons bien sûr de la veine qui a éclaté dans sa tête.

Mais surtout, nous parlons de sa vie. Avait-elle été heureuse? Elle désirait un bébé et après deux fausses couches, on avait tenté une opération pour pouvoir rendre un enfant à terme. Elle n'a pas eu le temps de vivre son rêve. Encore une fois, la mort me donne une leçon sur la vie. Une leçon sur le devoir qu'on a de ne pas empoisonner nos journées avec l'angoisse. Je me calmerai, j'ai été particulièrement survoltée dernièrement. Je sais bien que je ne pourrai reprendre mes journées gâchées pas plus que celles que je gâche aux miens. Il me faut apprendre à écouter l'impulsion, la peur qui pousse à réagir mais ne pas entretenir l'angoisse. Il me semble percevoir la fine ligne à ne pas dépasser. La mort de Danielle nous donne un avertissement à mieux vivre le présent. Nous prenons un petit goûter avec les enfants. Nos tartines de beurre d'arachides et de confiture aux fraises avec nos verres de bon lait nous consolent un peu. Entassés à l'étroit dans notre petite roulotte éclairée d'une faible lumière, nous parlons bas pour ne pas réveiller Mark, endormi sur le divan. Les grands restent encore longtemps avec nous et ne semblent pas vouloir nous quitter. Francis, tout apeuré, dit sentir une pression dans sa tête et craint que ses veines n'éclatent.

— Mon coeur bat dans ma tête, mom.

Je le calme et l'avertis de ne pas laisser son imagination lui jouer de mauvais tours. Mona propose d'aller coucher avec lui dans l'auto. À deux, leur tristesse sera moins lourde. Après avoir longtemps parlé, ils finissent par s'endormir.

Le lendemain, j'expédie un télégramme aux proches de Danielle et tout en haut des Rocheuses, lorsque nous touchons la neige dans nos habits d'été, nous parvenons à refaire la paix avec la vie, si cruelle parfois. La vue grandiose des glaciers qui semblent se toucher nous coupe le souffle et nous le redonne à la fois. Un souffle nouveau dans les hauteurs. Francis, premier rendu au sommet de la montagne, crie de joie et lance des balles de neige vers son père qui le rejoint. Ils se chamaillent amicalement, se bousculent dans la neige et mouillent leurs cuisses nues. La roulotte, en bas, a l'air d'un jouet miniature. Mona rit aux éclats parce que Mark a perdu pied et pirouette comme une poupée de chiffon. Après que je l'aie rattrappé, il est furieux parce que sa soeur continue de rire et de se moquer. Je lui lance un regard réprobateur, mais elle ne peut s'en empêcher, dit-elle:

— Mom, c'était tellement drôle de le voir.

Son rire m'a irritée sur le coup mais subitement il me met la joie au coeur. Quand Mona rit, c'est un excellent signe. Elle taquine maintenant tout le monde et ne se plaint plus que ses jambes fatiguent vite comme au début de la semaine. Je crois bien qu'elle est complètement remise de son infection. À mon tour de lui lancer de la neige.

— Mom, tu n'oseras pas?

*   *   *

Arrivés à Vancouver nous constatons que nous avons enfin appris à nous organiser pour ne pas nous envahir l'un l'autre. Nous devinons quand nous rapprocher, quand nous éloigner. Chacun respecte chez l'autre les moments de silence, de lecture, de paix. Nous ne roulons pas aussi vite, du moins, il me semble. Pour l'organisation matérielle, nous pensons en fonction du groupe. Nous magasinons ensemble: chacun a la responsabilité de certains achats. Nous lavons ensemble; chacun ses machines à surveiller, à vider, le linge à plier, à ranger. Tout marche rondement, au-delà même de mes aspirations. Tous impliqués dans la même situation, il nous faut fonctionner et aussi bien le faire avec plaisir. André transporte donc le panier à linge avec humour et me jette des regards entendus. La seule tâche que j'accomplis seule, c'est la cuisson des repas parce que ça me convient mieux. J'apprécie ce moment de solitude dans mon petit coin pendant que les enfants jouent avec leur père. Le soir, autour de la table, nous mettons au point l'itinéraire des visites. Demain, j'aurai de quoi satisfaire mon désir de mieux connaître les Amérindiens. Nous passerons des heures, au grand désespoir des enfants, au Musée anthropologique de l'Université de Vancouver. Puis nous découvrons les jardins japonais. J'ai beaucoup de difficulté, au début, à habituer mes yeux à ce monde miniature si délicat. Le savoir-faire des Orientaux m'étonne et me fascine. Les enfants apprécient les gros poissons rouges et moi, j'admire surtout les splendides vases peints. L'atmosphère de recueillement qui se dégage finit par nous gagner et en quittant, nous parlons tout bas, et marchons sur la pointe des pieds pendant quelques minutes.

Pour terminer la journée, nous allons manger dans le *Chinatown*. Nous partageons tous les plats. Toute la famille adore la cuisine chinoise. Pour mieux digérer, nous allons nous promener à pied dans un quartier de Vancouver qu'on a restauré en lui conservant son cachet d'antan. Une affiche annonce une lecture de poésie. André et moi demandons aux grands de se promener autour des boutiques en nous attendant et de bien surveiller Mark. À peine quinze minutes après être entrés dans la salle, on entend des hurlements qui proviennent du dehors. Moi, je reconnais les cris des miens: ce n'est que du chamaillage sans conséquence. André est furieux. Finalement, on s'excuse et on marche d'un pas ferme vers nos rejetons.

Et notre colère contre eux se passe dans un flot de paroles. Sur le chemin du retour, les grands subitement redevenus amis, marchent en se traînant les pieds et se tiennent le plus loin possible derrière nous. Ils n'ont pas le choix; nous non plus. Il faut se trouver un terrain de stationnement et coucher tous ensemble.

Un policier à qui on s'informe nous répond en français: «Heureux de nous servir». Il nous invite à le suivre et nous conduit à un terrain entouré d'arbres, avec trois piscines, des toilettes, en plein coeur de Vancouver. Il nous promet que nous ne serons pas dérangés; il avertira l'équipe de nuit de notre présence dans ce parc. Il cause un bon moment avec nous. Il vient du Lac St-Jean et ici, à 3 000 milles du Québec, c'est comme s'il avait rencontré ses propres voisins. La présence du policier nous a forcés à retrouver notre bonne humeur.

Francis et André s'affairent à installer notre campement de nuit: brancher les tuyaux, glisser les supports pour stabiliser la roulotte, etc. Le tout se passe dans le plus plat silence. Après une bonne demi-heure de cette atmosphère lugubre, André propose aux enfants une partie de «Freez-bee» avec des éliminatoires.

Moi, je m'occupe de Mark, je le baigne. Ce n'est pas qu'il soit tellement sale, il a nagé cet après-midi mais je réalise que j'ai besoin de ce rituel. C'est relaxant de laver un enfant. Nos mains parlent. Content de me sentir de nouveau gaie, il me tient par la main. Nous sortons une chaise pliante et il s'assoit sur mes genoux pour regarder les prouesses des joueurs.

* * *

En descendant la côte de la Californie, nous rapprochant de notre but, nous relâchons un peu le budget tenu jusque-là serré. Nous nous achetons des souvenirs, des pièces d'artisanat. Nos casse-croûte se composent souvent de *tacos* ou de hamburgers achetés au bord de la route, que nous mangeons en contemplant le bleu foncé du Pacifique. Nous admirons les étoiles de mer agglutinées par milliers sur les gros rochers. L'eau trop froide de la mer nous empêche de nous baigner. En traversant les forêts de Redwood, nous nous sentons minuscules lorsqu'on lève la tête vers ces arbres géants qui se déploient tout autour de nous.

Comme nous approchons de la maison de George où doit se réunir la famille, nous répétons aux enfants nos recommandations. J'appréhende l'excitation légitime de nos adolescents si contents de pouvoir enfin se soustraire quelque peu à notre autorité trop assidue. Pouvoir enfin voler un peu de leurs propres ailes! Je réitère nos avertissements sur leur comportement: ce que nous attendons d'eux, à quelle heure nous nous réunirons pour le coucher, les jasettes et les mises au point quotidiennes; je n'oublie rien, il me semble.

Mais ils échappent vite à notre surveillance! Nous avions conclu une entente: dans les restaurants, on devait discuter des prix avant de passer la commande. Eh bien! ça n'a pas duré longtemps. Oncle George, sans enfant, se moque bien de notre discipline:

— Comment ça, il n'a pas droit de manger ce qu'il veut, cet enfant-là? Francis, tu commandes ce que tu veux.

Notre autorité en a pris pour son rhume. Ils se couchent à des heures impossibles, mangent à toute heure. Quand je veux m'en mêler, on me traite de «mère poule». Plus je veux regrouper mes moineaux, plus ils me fuient. À San Francisco, ils suivent les oncles célibataires «dans le vent», se font offrir tous leurs caprices; tee-shirts, ballons multicolores, animaux en peluches gagnés dans les foires, jeux dans les «arcades», spectacles en plein air, etc. Ils s'étourdissent, se dévergondent, entraînés par la famille américaine.

Initiés à la liberté californienne, mes enfants ne se surprennent plus de rien. En une semaine, ils ont vu les homosexuels s'afficher publiquement, les lesbiennes se faire la cour, découvert les camps de nudistes. Mes adolescents se propulsent sur des skis nautiques à la vitesse enivrante des canots-moteur. Ils s'épuisent aussi à nager. Derrière leur dos, certains s'échangent un «joint», d'autres boivent du gin. Ils passent des baignades familiales dans le bain tourbillon aux visites dans le désert, ils sont témoins des relations entre gens mariés, comme non mariés. Pas de différences. Un moment s.v.p., les enfants, je veux vous parler. «California, the free world, the dream land».

Tout est excessif ici. Les croyants ne jurent que par leur religion. Les végétariens proclament les vertus exclusives des légumes. Les adeptes du conditionnement physique suent de bonheur comme si Dieu les guidait dans leur course à pied. Rien n'est modéré, rien n'est ordinaire. Plus haut! Toujours plus haut! C'est la recherche effrénée du bonheur absolu. Tout ce que mes enfants voyaient à la télévision avec réserve devient réalité sous leurs yeux émerveillés. Le culte du moi? Quand ça me chante! Les adeptes du «prends tout mais ne donne rien». Nous venions de passer trois semaines à s'exercer au «NOUS», à partager, à coopérer. Tout s'écroule d'un coup. George flirte avec toutes les filles qu'il rencontre et sa future épouse attend patiemment qu'il se décide au mariage.

Pendant que l'un est accroché à sa bouteille, l'autre au chocolat, les autres à la «mari» et au sexe, moi je m'accroche à mes enfants. Je les ramène à l'ordre de force, avec la matraque maternelle comme si j'étais d'une autre époque. Je n'en peux plus:

— C'EST ASSEZ! FAUT SE PARLER!

Je veux les protéger, leur expliquer ce que nous, adultes, avons du mal à assimiler nous-mêmes. D'un côté, j'ai toujours refusé que mes adolescents se moquent des homosexuels; mais de là à trouver tout normal!

— Mom, t'inquiète pas, j'aime les femmes, affirme Francis pour me calmer.

Je regarde Mona qui cache bien son jeu. Comment l'avertir que les beaux compliments sur ses cheveux bouclés, les «I love you» lancés en l'air, peuvent la faire se sentir aimée, admirée, mais risquent de l'étourdir, de la leurrer. Quand son ego sera privé de ces nourritures artificielles, ce sera la déception. Voulant leur inculquer un brin de discernement, j'ajoute:

— Vous ne devez pas accepter n'importe quoi!
— Bien sûr, mom! lancent-ils pour se débarrasser.

Un peu rassurée, je vais rejoindre les autres. Le départ approche. Une dernière fin de semaine de camping réunira tout le groupe: quelques-uns sous une tente, d'autres dans la camionnette, et nous dans notre roulotte. Si on manque de place, deux pourront coucher dans la cabine du bateau.

Décidée à ne pas laisser envahir mon petit coin, je monte la garde devant notre porte. Mark est couché, tout le monde a pris sa douche, les grands sont allongés dans leur sac de couchage; par les portes ouvertes de l'auto, ils entendent les conversations autour du feu. Finalement notre plus belle soirée s'achève, sans alcool, sans drogue, dans le calme de notre roulotte que je n'ai pas réussi tout à fait à protéger cependant. En effet, les membres de la tribu, un à un, se sont glissés à l'intérieur; la communication s'engage aussitôt sans qu'on l'oriente, facilement. Nous jasons jusqu'aux petites heures du matin et au moment de se quitter, tous paraissent contents. Chacun repart satisfait de cet échange, rassuré quant à ses différences et sans regret quant à ses choix de vie.

*   *   *

Pour le retour, on s'entend pour emprunter le plus court chemin vers la maison. Fini, les visites! On rêve d'être chez nous le plus tôt possible. Entretemps, j'ai de quoi m'occuper l'esprit, faire le bilan, trouver peut-être le juste milieu entre la liberté sans frein côtoyée en Californie et la rigidité étouffante entrevue dans la commune des Mennonites.

La tête couchée sur la cuisse de mon homme, les pieds sortis par la fenêtre, je me sens comme une «free spirit» en amour avec les autres, j'ai même perdu mes sandales et j'ai oublié d'en acheter d'autres. Nous avons un sac de chaussures dans la valise de l'auto au cas où la petite enseigne de certains établissements «no shoes no service» nous force à en porter. En maillots de bain, en shorts, en survêtement, une famille de va-nu-pieds heureux.

De temps en temps une main me caresse doucement, intimement. Je conduis à mes heures; le partage se fait au-delà de mes attentes. Francis lave les toilettes, essuie le plancher aussi bien que moi, André fait la vaisselle. On s'entend presque à merveille. Tout est facile, c'est le paradis. J'en regrette presque de voir arriver les frontières de l'Ontario. Plus nous approchons, plus je profite des vacances. Les grands nous offrent avec le reste de leurs sous un lunch chez McDonald.

— C'est notre tour de vous payer la traite!

Je suis heureuse; le père et le fils échangent un regard

amical. Au dernier arrêt, on avait eu droit à un affronte-
ment orageux. André avait dit à Francis qui parlait sans
arrêt d'aller faire un tour:

— Je t'entends à longueur de journée dans l'auto.
Quand on s'arrête tu ne pourrais pas aller dehors un peu?

J'ai vu le regard blessé de mon adolescent, presque un
homme. Il avait claqué la porte et les yeux de son père! fâché de n'avoir pas réussi à se faire comprendre sans dire
«tais-toi». Incapable de tout régler à l'amiable, de prendre
la chose à la blague. Ils se sont pardonnés chez McDonald;
alors mon «Big Mac» goûte bien meilleur!

— Merci, Mona, merci Francis. C'est un beau cadeau.

En arrivant à la maison, nous sommes particulièrement
fatigués: Mark a fait de la fièvre la nuit dernière et nous
avons dû aller à l'hôpital. Nous avons réussi à dormir à peine
quelques heures. Nous vidons la roulotte et une montagne
de linge sale et d'objets épars s'accumulent dans l'entrée de
notre maison. André et Francis vont remiser la roulotte sur
le terrain du chalet et tous les parents et amis viennent les
accueillir, les aider. Un petit verre chez l'un, une petite bière chez l'autre; quand ils reviennent, j'ai commandé une
pizza. Leurs portions refroidies attendent sur la table pendant que je prends ma douche, de mauvaise humeur. André
devine mon état d'esprit et en rentrant, il crie:

— Si t'es fâchée, défâche-toi car la «gang» du lac s'en
vient veiller.

*   *   *

Reprendre la routine m'apparaît pénible comme jamais. J'aimerais prolonger les bonnes habitudes développées pendant le voyage. Nous nous couchions en même temps; sans lecture, sans télévision, nous échangions sur notre journée. Maintenant, personne ne vient plus au magasin avec moi. Personne ne lave plus avec moi; pourquoi aller à deux au sous-sol? Personne ne reste après le repas; pourquoi se casser les pieds pour quelques assiettes dans le lave-vaisselle? Les enfants sont toujours partis chez leurs amis pour raconter encore leur voyage. Je ne vais pas chialer pour si peu!

À peine trois jours se sont écoulés que mon mari me fait déjà des allusions sur ma chaleur soudain disparue. Nous sommes le 20 août. Il prépare ses cours, fait ses lectures et moi je vois à l'organisation de la maison, des préparatifs pour l'école.

Je vais à l'hôpital pour les examens réguliers de Mona et pour son injection. Le médecin écrit joyeusement sur sa formule sanguine: «Bravo Mona!» Je souris, mais en regardant bien, je vois que les plaquettes sont à 200 000 au lieu du 300 000 des mois précédents. Le médecin réplique:

— Il n'y a pas de quoi s'inquiéter.

Dès la dernière semaine d'août, André est rentré à l'école et moi je planifie des travaux pour mes deux grands: repeindre la galerie défraîchie. Pleine de mes souvenirs de vacances, de mon expérience de partage, je suis convaincue qu'après s'être bien amusés ensemble, nous pouvons maintenant travailler ensemble. Mais j'ai du fil à retordre. Francis s'objecte:

— Je vous connais, toi et Mona; vous allez m'aider un peu et ensuite je vais être pris pour finir seul.

Je m'y prends d'abord doucement, j'argumente, je parle de mes corvées à moi à l'intérieur; en évitant de le dire je veux ménager discrètement Mona qui vient de recevoir son traitement. J'achète la peinture et je sors les grattoirs. Mais il rouspète toujours, ne veut pas s'y mettre. Je passe de la douceur à l'autorité mais en vain; une demi-heure après, le voyant encore accroché à la télé, je change de tactique: cris, menaces, tout y passe. Il se résigne, enragé, obligé, parle de privation de liberté dans cette maudite maison. Tant dépenser d'énergie à convaincre un enfant qui ne veut rien comprendre m'a vidée, je me demande si ça vaut la peine; j'en ai attrapé un mal de tête. Pourquoi faut-il toujours se fâcher pour aboutir à quelque chose? Pour comble, quand je veux le modérer parce qu'il en a assez fait aujourd'hui, il m'envoie promener, il préfère se dépêcher.

En deux jours, aidé un peu de moi et de Mona, il a tout gratté et repeint le mur, les barreaux, la galerie. À la dernière marche il me lance, satisfait:

— T'as bien fait d'insister, mom. C'est vrai que c'est agréable d'accomplir quelque chose ensemble.

J'hésite entre l'étouffer ou l'embrasser. Je me suis sentie comme une marâtre qui met son fils aux travaux forcés et là, il me remercie. En lavant les pinceaux, je murmure entre mes dents:

— Petit chenapan! et il me tape une fesse en ricanant.

*　　*　　*

Mona est la première à partir magasiner pour ses cahiers, ses cartables, sa règle, ses gommes à effacer, son sac. Le retour à l'école l'enchante. Tout la fascine: les amis qu'elle reverra, les blouses qu'elle portera; même la discipline lui sourit; la sécurité de l'école, l'encadrement, le groupe aussi la stimulent. Elle jubile, tout sent le neuf dans sa chambre, ses effets bien rangés dans ses tiroirs.

Elle choisit ses vêtements pour la première journée, ses boucles d'oreilles: tout s'harmonise. Elle réussit des tours de force avec un petit budget. Parfois, c'est la ceinture qui va assortir les couleurs, ou encore le petit foulard, ou la veste. Elle n'exagère pas la coquetterie et je n'ai pas à la brimer. Je lui demande même son opinion quand je m'habille et elle me donne de bonnes idées. Je mets un hola seulement sur le nombre de bagues. Quand j'en vois plus de trois sur la même main, je crie. Il y a une chose que je me suis habituée à tolérer, c'est son bracelet de cuir, cette espèce de lacet noué à son bras. A force d'insister, elle a enlevé celui à son cou mais le fameux bracelet, pas moyen de lui faire enlever. Avec ses ongles bien taillés, ses cheveux brillants, son chemisier immaculé, je la regarde grimper dans l'autobus jaune le coeur heureux et d'attaque pour une année scolaire enrichissante, la tête pleine de projets. Elle s'est juré de réussir à se classer pour les compétitions de soccer inter-cité. Elle doit penser à ses cours de gymnastique et à tous ses profs qu'elle reverra ce matin. Même ceux qu'elle aimait moins l'an dernier lui semblent plus aimables aujourd'hui. Son coeur palpite, c'est sûr, à la vue de la grosse école. Angie sera la première à qui elle parlera. Elle en a des choses à lui raconter! Comme de raison, Angie sera encore plus grande que Mona. À chaque automne, les deux amies se mesurent et Angie la dépasse toujours de quelques pouces. Francis suit derrière sa soeur en faisant tout pour que ça ne paraisse pas. Il balance nonchalamment un sac de sport bleu criard à bout de bras, aussi vide que possible, tandis que Mona, d'une démarche réservée, tient ses livres précieusement comme si elle portait un bébé.

Enfin! les vacances finies, j'ai l'impression que les miennes commencent. Non pas que j'aie envie de me reposer, mais pour le seul plaisir d'organiser mon horaire en fonction de moi. L'été, mon emploi du temps est déterminé par la famille. Je m'inscris donc à un cours pour me meubler l'esprit, me faire plaisir. Une demi-journée par semaine rien qu'à moi, ce sera ma sortie. Ça prend de l'organisation pour quitter la maison à huit heures trente en même temps que tous les autres et revenir à midi, m'asseoir à table pour manger avec les miens comme si j'avais passé la matinée à cuisiner. Quatre personnes pressées se partagent la douche, les déjeuners, les boîtes à lunch. M'habiller, conduire Mark chez la gardienne, André à l'école et arriver à temps pour le début du cours tout en n'ayant pas l'air d'une pauvre bonne femme à bout de souffle.

À propos, il va falloir que je m'aime assez pour encore une fois arrêter de fumer. L'idée de troquer l'argent gaspillé en cigarettes pour payer les frais d'université me semble un motif valable. Les premières semaines, les plus difficiles, je les passe avec Mark; à chaque fois que la rage de fumer me prend, je sors faire une marche. Le petit n'a jamais autant vu le pont et l'eau de la rivière que pendant le mois de septembre. Il regarde les trains avec fascination et moi, je scrute le ciel en pensant à l'air pur qui envahit mes poumons et je reviens ensuite à la maison pour gruger une carotte.

J'étire l'été de mon mieux en rentrant plusieurs plantes dans la maison. Les inscriptions aux divers sports pour les membres de la famille sont terminées. Cette année, je ferai du squash avec la femme d'un collègue de mon mari. Les soirs où nous jouons, nos maris gardent les enfants, et vice versa. Tranquillement, nous apprenons à nous connaître Monique et moi et souvent, après la partie, nous soupons ensemble. En bonne forme mentale et physique, satisfaite de l'amour reçu et distribué à ma famille, je me sens bien et je me récompense par d'agréables lectures. Je prends doublement conscience de mon bien-être pendant mes cours sur «l'écriture des femmes». Je me fais casser les oreilles par ces pauvres-femmes-victimes, sans pouvoir, sans langue, sans sexe, et mon poil se dresse. Je suis prête à me battre, non contre les hommes, mais contre les femmes pour qu'elles refusent cette image de fragilité, de personnes sans défense et pour qu'elles osent tout braver et jouir de leurs grandes valeurs, sans pour autant se priver des hommes et des enfants. Comment marier mes goûts de respect de la liberté avec l'amour inconditionnel?

*   *   *

Au début d'octobre un samedi matin, j'amène Mona à la salle d'urgence; bien entendu elle n'a pas voulu manquer l'école pour une petite toux insignifiante. Nous attendons le résultat de sa prise de sang en feuilletant les revues qui traînent sur les tables. Je vois soudain arriver un spécialiste en hémato que je connais bien. Il entre en courant, sa petite fille en pleurs dans ses bras, blessée. La porte électrique du garage a coincé la tête de l'enfant qui jouait tout près. Le médecin que j'ai toujours vu si calme en présence de ses patients n'est plus qu'un papa angoissé, affolé à l'idée que son enfant soit en danger. Pendant que sa fille passe aux rayons-x, il arpente nerveusement le corridor. En tant que médecin, il doit appréhender plus que quiconque les conséquences de cet accident.

Les résultats arrivent enfin pour nous et le médecin qui a examiné Mona nous appelle. La formule blanche est au-dessous de 2 000. Je sais trop bien ce que cela veut dire. Je m'adresse alors au spécialiste en hématologie qui attend toujours les résultats à propos de sa petite fille.

— Docteur, vous n'allez pas me laisser attendre toute la fin de semaine?

Sans que j'aie besoin d'insister, il demande qu'on lui prépare un nécessaire à ponction. Mona s'installe comme d'habitude sur la petite table blanche. La ponction sera faite cette fois au sternum, sous anesthésie locale. Le docteur s'excuse, en lui triturant l'os:

— Je n'aime donc pas ça faire mal à des enfants.

Dès qu'il voit le regard de ma grande fille, il se reprend:

— Je veux dire des plus petits que moi.

Mona trouve sympathique son effort de gentillesse. Habilement, il aspire la moelle et l'étend sur la petite vitre. Il a l'air plus serein maintenant: on vient de lui apprendre que son enfant est hors de danger: aucune fracture du crâne. En attendant les résultats de l'analyse, il me prépare au pire, si jamais...

— Qu'est-ce que vous voulez dire?

— Bien, avec Mona, il ne faudrait pas se surprendre...

Avant même que j'aie eu le temps de réagir, le résultat m'est jeté à la face: le technicien revient et le médecin fait des signes affirmatifs de la tête.

— On fait quoi aujourd'hui, docteur?

Il lui administre une injection de «Vincristine» et l'inscrit pour un rendez-vous à la clinique externe. Les spécialistes envisagent cette deuxième rechute survenue au cours d'un traitement d'entretien avec pessimisme. Moi, je suis assommée. Je réagis comme un ballon: je rebondis seulement parce qu'on me frappe dessus. Bong! Bong! Bong!

Je fonctionne en respectant le plus possible l'organisation de notre vie normale. Entre les cours que je suis à l'université et mes loisirs il me semble que je me tiendrai debout. Soutenue par nos bonnes habitudes. Je me pince et je répète: GRAVE. C'EST GRAVE! Réagir, ne pas paniquer. Mais réagir, il le faut! Heureusement que j'ai déjà couché sur papier ce que l'on doit faire lorsqu'on ne voit plus clair. Regarder en soi. Voilà! Je regarde et ça crie: sauver les enfants. VITE! Il y a le feu.

À la clinique, on administre à Mona une autre dose de «Vincristine» trois jours plus tard; vendredi, on passsera à un nouveau médicament, plus puissant celui-là. Mona va à l'école comme si elle soignait un simple mauvais rhume. Elle tient à participer à son premier match de soccer et en fait part au médecin. Étant sûr qu'elle en sera incapable et n'en aura aucunement envie le jour venu, il lui dit:

— Appelle-moi avant.

Elle ne réalise pas la gravité de son cas et se comporte comme si elle recevait un traitement d'entretien. La veille du match, son survêtement de jogging plié, ses espadrilles et son chandail mauve bien prêts, elle téléphone au médecin. Devant son insistance, il consent; à la condition qu'elle arrête lorsqu'elle se sentira fatiguée. Elle trépigne en raccrochant le téléphone:

— Tu vois, mom, lui, il me laisse aller!

Et elle me fait un pied de nez parce que j'ai perdu. Moi, pour atténuer sa déception, je l'avais préparée à un refus, lui répétant que ce n'était pas prudent... et toutes les damnées recommandations qu'une mère s'acharne à donner à sa petite fille pour ne pas qu'elle se fasse du mal pour rien.

Les médicaments n'agissent pas: c'est pour ça qu'elle poursuit si facilement ses activités. Au bout de deux semaines, le Dr Lemieux lui parle très sérieusement:

— Écoute, Mona, je crois que je peux t'offrir une rémission qui vaut la peine. Je te propose un traitement difficile mais je suis persuadé d'obtenir des résultats.

— Pas à l'hôpital!

— Oui, pour quelques jours, dit-il fermement.

Pour diminuer l'impact de la triste nouvelle, il lui offre de lui administrer le premier traitement sans l'hospitaliser pour la fin de semaine. Il parle comme si cela allait de soi.

— Je vous attends en pédiatrie, demain à 4 heures.

Il baisse le pied amovible de la table blanche et Mona saute par terre.

Elle rentre à la maison avec moi et nous gardons le silence. Que dire et comment le dire? Ça fait une semaine et demie que je me le demande. La garder le plus longtemps possible dans son insouciance? Aujourd'hui, les médecins doivent abandonner la médication plus douce qu'elle a réussi à apprivoiser. Ils doivent passer à un traitement plus agressif. Mona réalise brutalement, à treize ans, que sa vie est en danger. Je vais et je viens dans la cuisine, poussée par mes obligations maternelles, tenue debout malgré ma peine par un petit garçon de trois ans entre les jambes qui crie:

— J'ai faim, mamie.

Mona s'assoit à la machine à écrire de son père et déverse sur une page blanche son état d'âme:

À qui de droit

Je viens d'apprendre que ma maladie est revenue. La leucémie. Je vais me sauver, prendre une marche pour toujours. J'en peux plus. Je suis écoeurée. Si je pleure, ma mère va pleurer aussi. Alors je m'en vais dans le petit bois où on va chercher l'eau de source et je reviendrai...je ne sais quand. J'ai besoin d'être seule, je suis découragée. Le médecin veut m'hospitaliser, j'haïs tellement ça, je ne veux pas.»

Adieu!
Mona

Après l'avoir aperçue marcher entre les arbres derrière la maison, je passe près du bureau de son père et je découvre la lettre. Heureusement, André arrive et je peux me laisser aller à pleurer. Mais je dois me ressaisir bien vite car ma chouette rentre soudain par la porte de la cuisine. Son père et moi, nous nous précipitons sur elle et nous la prenons dans nos bras, en répétant comme des perroquets: «Tout ira bien. On t'aime, tu verras... ça ira!»

Le lendemain, jour de la première injection, je décide d'offrir à Mona la paire de bottes de cow-boy qu'elle désire tant. Le prix est raisonnable. Elle les porte fièrement pour faire son entrée à l'hôpital, avec ses «gauchos» et sa veste de velours. Le cuir neuf brille jusque dans ses yeux. Elle s'allonge sur le lit en gardant ses grosses bottes dans les pieds. Au lieu de la disputer, l'infirmière a la gentillesse de s'exclamer:

— Dis donc! T'as de belles bottes, toi! J'en voudrais des pareilles.

Mona sourit et en oublie toutes les fioles sur la table de chevet à côté de l'appareil à pression. Le spécialiste se penche très professionnellement au-dessus de la grande fille aux belles bottes neuves. Il lui parle tout en surveillant attentivement le liquide pénétrer tranquillement la veine. Il guette la réaction redoutée. Les effets secondaires doivent être très menaçants, si j'en juge par le visage crispé du médecin. Enfin, il se détend:

— Reste couchée quelque temps. Nous te surveillerons, ajoute-t-il en regardant l'infirmière.

Il s'adresse ensuite à moi:

— Ça ira, elle semble l'absorber sans problème. Je la laisse sortir et vous revenez lundi matin pour continuer le traitement.

Mona accepte le compromis et on revient à la maison en bavardant gaiement. En arrivant, comme la veille, elle s'installe à la machine à écrire de son père et elle tape:

À qui de droit

Cette lettre que j'ai écrite hier était vraie hier; mais plus maintenant. Je suis très heureuse aujourd'hui. Tout s'est bien passé à l'hôpital et je n'y retournerai que lundi. Même si je dois rester une couple de jours pour dormir, ça me fait rien parce que je ne resterai pas longtemps. En tous cas, je veux dire à qui lira cette lettre que je me sens heureuse, très heureuse aujourd'hui et que je crois fermement que je reviendrai bien. Ça prend du temps c'est tout et j'ai beaucoup de temps à attendre. J'attendrai trois ans s'il le faut, mais j'attendrai. Et plus de pleurs et de découragements et de tristesse. Je prendrai ce qui vient comme une grande personne et je ne me lamenterai plus. Vous pouvez compter là-dessus. Je suis très très heureuse et je resterai heureuse, no matter what...

Au revoir,
Je vous aime tous
Mona

Mona nous communique son courage et toute la famille, nous allons souper chez oncle Robert et tante Mariette qui ont déménagé à Mégantic. Encore une fois, autour d'une bonne table on reprend goût à la vie. Mais le dimanche matin nous ramène une Mona blanche comme un drap qui se couche à tout moment sur le divan. Elle a l'air misérable, les yeux troubles. Pour l'encourager, je dis:

— C'est signe que les médicaments agissent.

Et comme ils ont agi! Après la deuxième injection, maintenant hospitalisée, Mona atteint le point zéro dans la formule blanche. Les gencives enflées, la bouche tachée avec du bleu de méthylène pour empêcher l'infection. Tout est soigneusement stérilisé dans sa chambre et personne n'y pénètre sans les précautions maximums. Un jour, en arrivant, j'aperçois une technicienne sortir de la chambre de Mona sans masque et le sarrau ouvert. Je l'avertis du danger qu'elle ne transporte des microbes vu qu'elle se promène de chambre en chambre. Elle m'envoie promener:

— Bah! avec la maladie qu'elle a...

Au lieu d'être atterrée par sa réaction, je la signale aux autorités de l'hôpital.

Mona a l'habitude de s'arracher les cuticules autour des ongles. Personne n'a remarqué la petite infection qui est apparue, et qui se transforme en véritable martyre pour Mona, sans globules blancs pour se défendre adéquatement. Son doigt est devenu énorme, purulent. Un moment, les médecins ont craint qu'elle ne perde le bout du doigt.

Et la douleur atroce qui élance sans arrêt! Je cherche désespérément comment la soulager. La glace, les médicaments, rien à faire: elle continue de gémir. Pas question de manger non plus. Le médecin m'encourage:

— Ça remontera, on ne sait pas quand, mais ça viendra.

Il semble si convaincu que son optimisme me donne le courage de réconforter ma chouette en douleurs. Dans un état aussi pitoyable, Mona lutte quand même pour rester en vie. Le soir, avant de la quitter, je la baigne pour faire baisser sa température. Elle se glisse dans l'eau, fiévreuse, le doigt tenu haut sous un énorme pansement et la main attachée à un tube de soluté. Si j'entends un cri de douleur, je

ne pleure pas mais je serre les dents. Avec d'infinies précautions, en surveillant chaque mouvement, je lave son
corps doucement. Elle ferme les yeux, allongée dans la baignoire, le doigt en l'air, respire profondément, se prélasse
dans l'eau douce, s'enfonce la tête entière dans l'eau,
immergée comme pour un baptême, et je crois bien que je
murmure des prières. Je l'enveloppe d'une grande serviette
et elle se traîne péniblement jusqu'à son lit. Je l'essuie
comme un poupon, la poudre, lui enfile sa jaquette en passant d'abord le soluté et ensuite le doigt énorme prêt à aboutir. Le mal que je me donne pour ne pas même le frôler! Son
sourire satisfait apparaît ensuite, puis nous collons nos têtes
comme quand elle était petite et nous disons: «Notre Père
qui êtes aux cieux»...

Ainsi nous pourrons dormir, elle à l'hôpital et moi à la
maison, après s'être communiqué un peu de confiance.

Le lendemain, une bonne tante dévote qui veut accomplir son devoir de chrétienne décide de venir préparer Mona
pour le grand voyage. Elle s'introduit dans la chambre.
Mona dort enfin paisiblement, le médicament injecté
contre la douleur a agi et elle ne pleure plus. Je viens tout
juste de la calmer. La bonne tante se met à parler. Je chuchote pour lui faire comprendre de baisser le ton. Elle chuchote à son tour:

— Elle ne peut plus faire bien long... ta grande, va falloir la préparer.

— Ma tante, tu veux sortir dehors? Il ne faut pas la
déranger, elle peut t'entendre.

À l'extérieur de la chambre, je la regarde bien en face
et je lui demande de ses nouvelles.

Elle me parle de sa certitude que Dieu va lui venir en
aide et l'éclairera dans le choix du bon entrepreneur qui lui
construira la maison de ses rêves.

— Tu as la foi, ma tante?

— Bien sûr, ma petite fille. Moi, un jour je ne pouvais
plus marcher et j'ai dit à Dieu: «Il faut que tu m'aides, t'entends, je veux aller travailler». Et il m'a envoyé un «chiro»
extraordinaire qui m'a fait marcher.

— C'est important d'avoir confiance, hein ma tante?

Elle est partie en boutonnant son vison, le sourire aux lèvres, rapportant avec elle ses prières des mourants. Je me félicite de ma victoire et j'interdis à mon coeur de s'affoler en pensant à la mission que s'était donnée cette tante. Le soir, en revenant vers la maison, je scrute les étoiles comme pour trouver réponse à mes efforts et à mes peines; une fois de plus, mon instinct de mère m'assure que j'ai bien fait.

* * *

Mona reçoit une transfusion sanguine que lui administre une infirmière enceinte qui se comporte de façon extraordinaire. Son amabilité, sa jovialité nous réconcilient presque avec le traitement. Avec sa grosse bedaine pleine de vie, elle nous communique son optimisme. Mona la regarde manipuler le sang épais qu'elle réduit avec du soluté pour réussir à l'introduire sans qu'il chauffe la veine. Une main habile, ferme, guidée par une pensée tournée vers la vie. Jamais nous n'avons dit «merci» avec autant de chaleur.

Mona ne mange toujours pas et semble enfoncée dans un univers lointain. La main qui la tire de là est celle de Jean-Pierre, un cousin qui passe la voir après avoir reconduit son amie à l'hôpital, où elle est infirmière. C'est dimanche après-midi, Mona a très mal au doigt, nous sommes à bout de souffle André et moi. Ce cousin du lac s'amène, enjoué, et taquine Mona:

— T'as l'air fine, la «tannante»!

Elle se redresse et ses yeux s'illuminent un brin. Le plateau du repas arrive et Jean-Pierre le prend, l'installe en face d'elle. André et moi, en choeur, l'avertissons:

— Elle n'a pas bien faim ces temps-ci.

Jean-Pierre lance en riant:

— Voyons donc, laissez-moi faire, allez-vous en, elle va y goûter au moins un peu.

Mona nous regarde pour nous faire comprendre que nous avons tort de la traiter comme un bébé et de la chouchouter tout le temps. Nous partons en la saluant plutôt qu'en l'embrassant comme un enfant... pour ne pas insulter mademoiselle. Une bouffée de sang lui a rosi les joues et elle nous lance un «Salut!» presque insolent.

En pressant le bouton de l'ascenseur, j'ai la certitude que Mona s'en tirera. Deux jours plus tard, elle joue à la «bataille navale» électronique que son oncle Bertrand a apporté de Las Vegas. Elle s'amuse aussi à battre tous les visiteurs au jeu de hockey offert par grand-maman.

Elle ne traîne pas longtemps à l'hôpital. Dès que la formule blanche remonte, le doigt reprend sa forme et la moelle analysée indique «normal». Mona n'écoute pas les recommandations du médecin, les insinuations; les mises en garde, elle les balance par-dessus bord et repart, heureuse d'avoir treize ans et de pouvoir retourner à l'école bientôt. Elle n'a même pas perdu ses cheveux et à part ses joues rondes, rien n'y paraît.

Moi qui avais goûté au paradis durant l'été, on me l'a arraché comme un tapis sous les pieds, et j'ai trébuché et travaillé très fort pour me tenir debout. Le danger passé, je me sens complètement vidée. Il me faut reprendre mon souffle, reprendre foi. Trouver une solution qui offre de la permanence. Tout va trop vite et je suis si fatiguée.

J'ai trop fourni d'efforts aussi. Pourquoi la maladie est-elle revenue? Pourquoi on ne réussit jamais à la vaincre pour de bon? Qu'est-ce qui a changé depuis que Mona était petite? On a bien réussi à cette époque? C'est elle ou moi qui mène le bal?

J'ai tellement de questions, je voudrais aller chez un analyste savant qui nous expliquerait le désir de vie et le désir de mort. La maladie, c'est un langage qui exprime quoi? Un jour Mona me demande anxieusement:

— Ça se peut, mom, que je me rende malade moi-même?

J'ai réalisé que ces questions étaient trop graves pour son jeune âge.

Dans cet état d'extrême urgence, ne sachant pas où me jeter, absolument incapable de voir clair, j'écris. Pendant deux semaines, je fais garder Mark l'avant-midi et comme une enragée, je noircis des pages et des pages. Je fouille en moi, pour trouver mes angoisses refoulées. Je crache, je jure, je vomis des mots comme si je croyais qu'en extirpant tout le mal, toute la douleur accumulée, je pourrai trouver une réponse et sauver ma fille. Lui offrir de quoi vouloir vivre. J'empile les pages sans relire, ça vient et ça court, ça déculpabilise la femme, la libère dans son ventre jusqu'à ce que je n'aie plus rien à crier; je suis essoufflée, déboussolée mais calmée.

Après un mois d'interruption de médicaments, Mona est appelée à subir un traitement d'entretien. Le médecin, son ton d'optimisme mélangé à ses connaissances scientifiques, lui dit gravement:

— Mona, nous avons réussi à éteindre le feu. Il y a encore de la fumée. Nous allons tâcher de ne pas laisser le feu reprendre avec du «Cytozor».

Pour Mona, un nom ou un autre, ça n'a plus d'importance. Elle n'a pas le choix et elle se couche docilement. Elle absorbe sa chimiothérapie comme une grande en pensant à l'école et en se concentrant sur ses projets.

À la maison, elle n'avalera pas une bouchée de la journée. Malade comme un chien, elle vomit comme si elle allait chercher jusque dans les orteils ce qu'elle doit rejeter. Pour oublier et pour se divertir, elle regarde ses émissions de télévision favorites en gardant un récipient de plastique près d'elle. On l'entend rire, puis soudain, ce sont les efforts qu'elle fait pour vomir qui nous parviennent. Toute la famille a un haut-le-coeur en même temps qu'elle et personne ne s'en plaint. Quand le récipient est plein, je le vide et le rince. Ce traitement, elle le reçoit toutes les trois semaines. Un soir, après avoir vomi toute la journée, Mona a le cou raide et croche, à la suite de tous ces efforts. Paniquée, elle me crie:

— Mom, je ne peux pas redresser mon cou.

J'essaie de la masser, de la faire se détendre et finalement, j'appelle le médecin chez lui. Il suggère de lui donner du valium; c'est de l'angoisse, explique-t-il.

— Je n'en ai pas.

— Vous devez bien avoir quelque chose pour calmer les nerfs?

— Non! Mais je peux en trouver.

Au prochain rendez-vous, Mona rouspète tellement que je vais rencontrer le spécialiste pour lui demander de prescrire un substitut à ce médicament. Mais je ne marchande pas longtemps. Le spécialiste m'apostrophe:

— Écoutez, madame, vous avez le droit d'interrompre les traitements. Si elle n'en peut plus, on n'a qu'à tout laisser tomber et elle ne fera pas long. Quelques semaines...

Je repars, complètement anéantie. Mona m'attend à l'étage inférieur. Je n'ai que la longueur d'un escalier pour me refaire un courage et trouver une façon de faire accepter le traitement à ma grande, si lasse. Je lui suggère de prendre les médicaments tard le soir, juste avant de dormir. Ainsi, elle ne manquera pas l'école, elle pourra goûter en arrivant de ses cours et un médecin de notre ville lui administrera le «Cytozar». Je prends tous les renseignements, on me remet les fioles, les seringues, et la liste des instructions à suivre. Aux trois semaines, Mona se rend courageusement prendre son poison et se couche aussitôt pour vomir le moins possible.

C'est trop pénible; ça ne peut plus durer. Ça presse. Je téléphone à un de nos amis qui est médecin et il me conseille la transplantation au plus vite. Il me prévient: des énergies énormes à investir, des coûts exorbitants. Il me pousse à agir très très vite. «Commencez au moins les démarches pour trouver un donneur.» Au rendez-vous suivant, je parle à l'hématologiste de mon idée de transplantation de la moelle. Il m'interrompt tout de suite:

— J'ai pris l'initiative d'en parler à un spécialiste de Montréal, et il est intéressé par son cas.

Il me donne jusqu'à Noël pour convaincre Mona et le reste de la famille. Il semble si emballé et si content! Il insiste sur la chance qu'on a de pouvoir faire cette opération à Montréal et de ne pas avoir à en défrayer le coût. J'ai beau essayer de comprendre ma chance, mais je n'y arrive pas. La force ne me vient pas non plus.

Je retourne consulter notre ami médecin. Il m'explique je devrais faire confiance, m'abandonner, compter sur la compétence de toute une équipe qui nous épaulera. Je réalise que je ne suis plus seule à croire qu'on a des chances, que je n'ai plus à me débattre comme un pauvre diable, que les autres vont s'y mettre avec moi maintenant. Je peux me détendre un brin et respirer: l'aide arrive enfin. Cette perspective me stimule. Toute une équipe de médecins s'occupera de ma chouette, il me faut leur faire confiance. Tranquillement j'aborde Mona qui me répond simplement:

— T'as pas besoin d'avoir peur, mom, je ne mourrai pas.

Je donne à Francis une brochure sur les transplantations, au cas où il serait le donneur. Il y jette un coup d'oeil et m'envoie promener:

— Qu'est-ce que tu veux que je fasse avec ça?

Je déteste faire peur aux enfants mais cette fois, je n'ai pas le choix:

— Francis, ta soeur est en danger. Il faut faire quelque chose et vite.

Entre temps, ma mère a reçu une très mauvaise nouvelle. Après avoir subi un test «pap», le médecin lui a brutalement signalé la présence de cellules cancéreuses et lui a conseillé l'ablation de l'utérus le plus tôt possible. Elle pleure en m'expliquant son désespoir. Je lui dis calmement:

— Maman, t'es chanceuse, on ne t'a pas dit après t'avoir ouverte qu'il n'y a plus rien à faire.

Elle s'arrête net.

— On t'a dit ça, toi? Pour ta petite Mo!
— Presque. Va te faire enlever ton utérus et compte-toi chanceuse qu'on te traite avec précaution.

Le tableau est réjouissant: entre une mère et une fille qui font du cancer, je me regarde et me demande comment il se fait que je sois épargnée...

*   *   *

Personne ne veut entendre parler de la transplantation avant Noël. Je me sens encore incapable d'affronter ce stress. Le médecin d'ailleurs avait conseillé d'attendre: «Passez Noël, nous verrons après. Ainsi, la préparation psychologique se fera.» Dans l'état d'esprit où je me trouve, je refuse même le réveillon avec nos deux familles, n'ayant même pas la force de décider qui inviter de l'un ou l'autre des grands-parents divorcés. Pour éviter d'éparpiller mes rares énergies, André et moi choisissons de passer la soirée de Noël seuls avec nos enfants. Comme ça, le problème est vite réglé. Nous nous ferons une petite fête très intime, je le promets aux enfants. Compréhensifs, ils entrent dans le jeu. Ils vont magasiner avec leur père tandis que moi, je cuisine et planifie le réveillon. En cachette, ils emballent leurs boîtes et Mark est autorisé à faire ses propres paquets. Ils sont déçus du petit nombre de cadeaux sous le sapin. Mona s'ingénie à arranger et déplacer les boîtes pour donner l'impression qu'il y en a plus. Au cas où la solitude nous pèserait à la dernière minute, Monique nous invite à passer la soirée avec eux. Je la remercie pour sa délicatesse. Faire la fête à cinq, c'est se prouver que l'on se suffit entre nous. Nous nous rendons à la messe de minuit. La distribution des cadeaux habituellement si longue, ne prend que quelques minutes. Mais je regarde plus longtemps l'expression sur les visages des enfants. On prend le temps de se raconter comment on a trouvé l'objet qui ferait plaisir, qui a eu l'idée. Moi, je reçois un sac pour le squash. Ils ont pensé à me donner un sac de sport pour moi toute seule. Je suis tellement contente, je peux deviner dans les yeux de mes enfants comme dans un miroir, celui ou celle qui l'a payé, celui qui l'a emballé et celui qui a amené ses enfants magasiner partage avec joie ce moment. Le téléphone sonne et j'en suis soulagée; je pourrai essuyer une larme qui perle et brouille mon regard.

— Papa! Joyeux Noël.

Je commence à m'excuser de fêter Noël seule avec mes enfants, et il m'arrête en disant:

— Nous aussi, quand vous étiez petits, à un moment donné on a senti le besoin de rester en famille pour la veillée de Noël... juste avec vous. Joyeux Noël, ma petite fille. Embrasse toute ta famille et nous nous verrons au Jour de l'An.

Ma mère passe Noël avec mes frères et nous leur faisons nos voeux par téléphone.

Et nous continuons notre réveillon à la dinde chaude dans la salle à dîner. Je me sens un peu moins coupable et j'arrive à bavarder avec mes grands tout en passant les plats. À trois heures, tous montent se coucher et même si j'ai la certitude que notre famille est une cellule qui peut fonctionner seule, je devine que le groupe habituel a manqué à nos enfants.

Après nos efforts pour réinventer le bonheur à Noël, un vague sentiment de déprime nous attend au sortir de cette belle nuit. Au matin, je me prends à scruter les yeux de Mona et à souhaiter qu'elle reçoive son «Vincristine» au plus tôt. Je me démène pourtant dans l'espoir de ramener de la joie pour le Jour de l'An. Mais je n'y arrive pas, l'inquiétude me ronge. Une amie nous reçoit en cette veille du Jour de l'An; le beau repas, les savoureuses boissons, tout est réussi. Mais j'ai la tête qui bourdonne, une douleur aux oreilles, je crois que je commence une infection. Je pense à l'urgence de convaincre la famille de recourir à la transplantation le plus tôt possible. J'ai peur qu'on ait déjà trop attendu. Au bout du compte je gâche le plaisir de tout le monde avec mon air triste tout en ne voulant pas leur parler de tout ce qui me préoccupe. Je crains de leur gâcher encore davantage leur soirée.

*   *   *

Comme la tension ne cesse de monter, notre vie de couple s'effrite. Je n'arrive plus à tout dire parce que je ne sais plus par quoi commencer. Si j'aborde Mona pour lui parler de transplantation, elle rechigne. Francis avec qui je veux me liguer, ne parle que de ses buts au hockey et André ferait n'importe quoi pour éviter, contourner tous les problèmes que nous apportera une telle opération. Personne ne s'oppose vraiment mais personne ne fait rien pour précipiter les choses. Je pousse toute seule et pire, dans le vide! Franchement, je m'affaisserais moi aussi si je m'écoutais.

Bien sûr la tentation dorée de s'asseoir, et d'attendre qu'un miracle se montre le nez. Croire à l'incroyable. Mais espérer dans des situations sans issue, est-ce bien raisonnable, comme je l'ai déjà préconisé? Cette fine différence entre le rêve et la réalité. Ne pas laisser mon rêve voiler la réalité et ne pas laisser la réalité nuire à mon rêve. C'est le temps de mettre mes croyances en pratique. Je cherche à réagir. Notre ami médecin ne m'incite pas à la transplantation, mais si on veut le faire il répète qu'il faut agir vite. Objectivement, statistiques à l'appui, il m'informe. Pas pour me préparer à la mort, pas pour me décourager, mais pour me faire bouger. Le seul médecin qui ne fait pas «clic-clic» avec la carte d'assurance-maladie de Mona et il me consacre gratuitement son temps au téléphone. Son désintéressement, sa disponibilité me donnent la poussée nécessaire pour bouger. Alors, je me sers de la peur qui me noue le ventre pour me faire avancer. À mon insu, je suis aidée par un documentaire sur la leucémie que Francis et André regardent un soir que je joue au squash. À mon retour Francis panique:

— Mom! Dépêche-toi de faire les démarches!

André accepte de prendre congé pour se rendre avec toute la famille au laboratoire à Montréal, afin de faire les analyses nécessaires pour déterminer lequel d'entre nous serait le donneur le plus compatible. On nous apprend qu'un jumeau identique serait le donneur par excellence; sinon, c'est un frère ou une soeur et en dernier lieu, les parents avec de faibles chances. J'espère que ce ne sera pas Mark. Aurait-on le droit de lui enlever de la moelle? Il est si petit à quatre ans.

C'est bizarre mais je suis certaine que l'un de nous fera l'affaire. Francis acceptera-t-il s'il est choisi? Je le regarde se prêter au test en jouant à l'homme fort devant son frère. Il lui montre comment on prend une prise de sang avec aplomb. Il camoufle bien sa peur, et j'apprécie sa bravoure. Ses joues toutes rougies et ses yeux angoissés témoignent de l'effort qu'il fait. Mona, presque insultante dans sa nonchalance au moment de la piqûre, donne son bras aux veines durcies tout en jasant. Elle a l'air parfaitement calme. Je me demande si elle se souvient des crises qu'elle faisait petite et de la leçon de son père, lui dont les palpitations cardiaques augmentent seulement à sentir l'alcool avant l'injection. Pour réussir à se calmer lui-même, André répète sa petite leçon à Mark: «Pense très fort que ça ne fera pas mal.»

En sortant on décide de faire de ce voyage un plaisir en nous rendant au restaurant.

— Vous prenez ce que vous voulez aujourd'hui. Vous avez le choix.

Les enfants, surpris de notre générosité, font la fête. Personne ne parle de la raison, mais comme on la sent.

Nous refusons de nous inquiéter. Il ne nous reste qu'à connaître le nom du donneur. Satisfaite d'avoir enfin pris une décision, je peux jouer au squash, me détendre, refaire mes forces le plus possible. Convaincue que ça ne donne rien de m'en faire outre mesure, je me détends. Ce sera bientôt l'anniversaire de Mona. Comme de raison, c'est l'événement de l'année. Elle nous le rappelle longtemps d'avance et s'assure que personne ne l'oubliera. SA FÊTE! Pour cet événement extraordinaire, Angie a organisé une réception chez elle. Mona sera l'invitée spéciale et pourra coucher chez son amie toute la fin de semaine. Excitée par cette sortie, Mona me rabâche ses projets en détail: nous ferons du ski, nous nous promènerons en moto-neige, nous... nous... Elle me poursuit tant et si bien que malgré les démarches pour la transplantation, malgré les médicaments, malgré la petite toux qui recommence, malgré et surtout à cause de... je dis:

— Vas-y et amuse-toi bien!

Elle tourne sur elle-même, exécute quelques pas de danse pour me montrer sa bonne forme, et part faire ses bagages. Moi, je reste à la cuisine, harassée de toujours devoir prendre des décisions. Pourquoi je ne me croiserais pas les bras? Parce que je dois me préoccuper de mes enfants. C'est ça, la vraie réponse. Le fonctionnement de mon ordinateur maternel se remet en branle. Sa pâleur des derniers temps qui contraste avec la bonne forme que j'ai remarquée lorsqu'elle jouait au hockey et patinait sur le lac dimanche dernier. Conclusion: ça lui fera du bien de se divertir avec Angie et ça n'aggravera pas son état. Elle me couvre de baisers sur les joues avant de partir et je lui souhaite de tout coeur qu'elle s'amuse bien. Je refuse de me laisser envahir par l'inquiétude pour ne pas lui communiquer.

— Amuse-toi bien. Je penserai à toi.
— Moi aussi.

*   *   *

C'est Francis qui a la moelle la plus compatible avec celle de sa soeur. Il crie en l'apprenant:

— Je le savais. On n'avait pas besoin d'aller se faire piquer toute la famille. J'aurais pu vous le dire d'avance que c'était moi.

— Es-tu d'accord?

— Mom! En voilà une question!

— Tu n'es pas obligé, tu sais.

— Mom, tais-toi!

Nous devons d'abord rencontrer le spécialiste qui fera l'opération. André ne prendra pas une journée de congé.

— On n'a pas à être dix pour recevoir l'information.

Je mets ma déception sur le compte de mon manque d'autonomie et je pars avec mes deux grands enfants: le donneur et le receveur. L'hôpital me paraît au bout du monde. J'ai de la difficulté à reconnaître ma route et, bien entendu, à trouver un stationnement.

Maintenant, il faut repérer le département avec la pancarte: ONCOLOGIE. Tous les gens alignés le long des murs et souffrant du même mal me donnent envie de m'enfuir. Le médecin nous accueille sans nous avoir fait attendre longtemps. Il nous explique les risques, les procédures, les effets secondaires et insiste de nouveau sur les risques. Pour appuyer ses dires il nous lit une lettre d'une petite patiente de Seattle. Elle décrit les complications qui l'accablent depuis la transplantation de sa moelle. Elle souffre du «graft vs host disease». Le médecin nous explique cette complication à l'aide de dessins. Il nous fait voir les cellules du receveur comme de petits insectes agressifs qui attaquent les cellules du donneur. Celles-ci veulent envahir et proliférer dans les os de leur nouvel hôte. En pensant aux caractères batailleurs de Francis et Mona, j'espère que leurs cellules sauront s'unir et combattre solidairement les virus et les infections. Les deux taquins trouvent le moyen de se jeter un regard malicieux. Ils sortent et le médecin me garde encore un peu. Il va droit au but. Les statistiques de réussite: un sur deux. Il m'explique les techniques utilisées pour débarrasser le corps des cellules malignes et le blanchissage des os à la radiothérapie. La durée approximative: deux mois. Mon corps fatigué imagine avec peine le combat mais mon coeur et ma tête l'acceptent. Je voudrais être convaincue que j'ai fait le bon choix, pris la bonne décision. Pourquoi ne pas aller dans un centre qui en fait depuis longtemps? Mona sera la troisième patiente du Dr Ribka et recevra le traitement à Montréal. Un coup de téléphone interrompt notre entretien. J'entends, bien malgré moi, le Dr Ribka convaincre une dame qui hésite à faire un long voyage en train parce que l'avion lui est interdit à cause de la maladie qui l'affecte. Il a organisé un itinéraire pour elle. Des plaquettes seront disponibles dans certains hopitaux le long de son trajet. Ainsi elle pourra se rendre à destination et recevoir à l'autre bout de l'Amérique le traitement qui la sauvera.

— Ça vaut la peine, madame, je vous assure.

Non seulement il la convainc mais moi, il me communique par la même occasion la certitude que ma fille sera entre bonnes mains, des mains qui croient en leur pouvoir.

Comme il s'excuse de m'avoir fait attendre, je lui annonce:

— Ça va docteur, vous déterminez la date.

Mona se fait examiner encore une fois. Francis n'en peut plus d'attendre. Il se plaint continuellement, bouge, ne tient pas en place. Aussi agité, il détonne parmi les pauvres figures blêmes qui attendent leur traitement. En sortant de l'hôpital, je me souviens que j'ai deux promesses à tenir: trouver le manteau pour Mona que je voulais lui offrir pour sa fête, et ramener Francis à temps à la maison pour sa partie de hockey. Il me pousse dans le dos: «Vite mom, je suis tanné, mom.» Comme Mona n'insiste pas, cela m'incite davantage à aller magasiner pour elle. Nous visitons quelques boutiques de la rue Sainte-Catherine. Finalement, elle trouve un manteau qu'elle aime mais il est cher. Je refuse de traiter Mona trop spécialement et de faire cette dépense exorbitante à un moment où nous aurons plus que jamais besoin d'argent. Dans quelques semaines, il y aura les soldes de fin de saison. Mona se laisse convaincre d'attendre et nous revenons à la maison les bras vides. À force de me faire bousculer par Francis qui me rappelle tout le temps que cinq heures approche, je finis par me tromper de chemin. Après avoir cherché, s'être informés, nous arrivons finalement à temps à l'aréna.

Épuisée, je m'affale, satisfaite des démarches entreprises. Les médecins sont en communication entre eux et ont en main un dossier complet des injections, réactions, effets des médicaments que Mona a reçus depuis l'âge de quatre ans. La roue tourne maintenant seule et je peux m'évader un tout petit peu en jouant au squash avec Monique. Je lui parle de ce que je vis et elle m'écoute. Elle donne rarement des conseils. Par contre, ce soir elle insiste:

— Tu ne peux pas prendre cette décision seule.

— Qu'est-ce que tu veux dire? André ne s'y oppose pas, mais il ne s'implique pas autant que moi.

— Il devrait. Tu ne peux pas assumer toutes les conséquences seules.

— Merci... Tu sais, on en vient à ne plus voir clair. Merci bien!

J'en parle à André et l'idée fait son chemin. Le lendemain le Dr Ribka demande deux nouvelles prises de sang de Francis et Mona. André offre d'aller lui-même porter les échantillons à Montréal ce qui lui permettra, par la même occasion, de rencontrer le spécialiste et de recevoir l'information. Au même moment Mona et moi avons rendez-vous à Sherbrooke avec son médecin.

Il nous reçoit en disant:

— Mona, on doit faire une ponction de la moelle osseuse.

— Encore, disons nous en choeur.

Nous devinons ce qu'il a vu dans le sang prélevé plus tôt le matin et nous ne disons rien. Un silence de mort règne tout le temps que dure l'intervention. Mona à elle seule tente de meubler la conversation pour alléger l'air, si pesant. Elle parle des techniques de transplantation et le médecin lui dit gravement:

— Il y en a qui en reviennent, d'autres pas.

Pour encourager le pauvre médecin tout abattu, Mona dit:

— Vous en avez le tour avec les ponctions!

Ma chouette et moi, on ne sait plus comment se comporter en attendant les fameux résultats. On a bien lu tous les «Rions un peu» du Reader's Digest. On a même trop peur pour se parler. Le médecin va et vient. Je ne sais plus lequel de l'équipe va m'assommer et je m'en fiche. Le Dr Lemieux nous appelle enfin:

Je pense qu'il doit détester son métier par moments, surtout quand il doit annoncer à une petite fille de quatorze ans qui vient tout juste de célébrer son anniversaire.

— Mona, tu ne voulais pas aller pour la transplantation avant d'avoir une rechute, eh bien! tu l'as.

Il l'examine et n'arrête pas de parler.

— Là, t'as pas le choix!

On dirait qu'il a envie de nous engueuler. C'est qu'il est très déçu parce que chaque rechute réduit les chances de succès. Il s'en veut, il nous en veut de ne pas nous être dépêchés. En vitesse, il fait des appels à Montréal, met sur pied une équipe de médecins qui entreprendront de remettre Mona en rémission. Il récupère des dossiers, force sa secrétaire à faire des heures supplémentaires à cause de nous. Il a l'air épuisé. Combien de patients a-t-il rencontrés aujourd'hui? Je le suis dans son bureau près du labo. Il parle au Dr

Ribka au téléphone en insistant sur le faible échantillonnage de médicaments qu'a reçus Mona. Il semble en faveur de la transplantation malgré tout. Il suggère fortement de tenter d'obtenir une rémission avant la transplantation. Plantées là, nous prenons conscience, Mona et moi, de tous les préparatifs et des démarches qu'on fait pour nous. Tout est planifié minutieusement et en me remettant le gros dossier, le docteur ajoute:

— Dites à votre mari que le Montreal Children est tout près du Forum.

Et le grand patron du département, lui habituellement si professionnel, prend Mona, sa patiente depuis dix ans, par les épaules et lui souhaite bonne chance! Il l'embrasse paternellement sur la joue. Il se tourne vers moi et nous nous serrons la main avec vigueur. Il oublie qu'il est médecin et toute sa chaleur humaine passe par son étreinte sensible. Déçu, fragile, perdu autant que moi. Il laisse de côté quelques secondes les exigences de sa fonction et me rejoint dans ma peine maternelle. Il a tout essayé et regrette d'avoir échoué lui aussi. Tous les deux, avec peine, nous retenons nos pleurs et je n'arrive même pas à sortir le «merci beaucoup» que je veux crier. J'essuie mes larmes dans le corridor. Ma chouette et moi, nous marchons parce qu'il faut bien marcher avec au coeur l'incertitude, l'impuissance du médecin qui vient de nous dire adieu. Il nous a laissé sa chaleur quand il a vu qu'il ne pouvait plus nous donner autre chose. On n'a même pas quelqu'un contre qui gueuler. Désarmées, sans rage même. Mona me regarde me barbouiller le visage de mascara et tente de saisir l'intensité du moment. Je décide de l'épargner un peu en parlant de l'attitude du médecin.

— Il a été bon pour toi hein, Mo?

Elle fait signe que oui et n'a même plus envie de se fâcher, de crier. Une douleur douce, sans violence, qui appelle la soumission. Soudain, je me rappelle que je n'ai pas d'auto. Je téléphone à mon mari.

— André, tu peux venir nous chercher?
— J'arrive tout juste de Montréal.

— Je sais. Ça va, toi?

— Oui, j'ai compris. Le médecin a raison, nous devons faire la transplantation.

Je l'interromps et lui annonce:

— Ça ne va pas du tout ici.

Il devine tout et organise avec moi notre départ pour Montréal. Mark sera confié à sa gardienne. Elle et son mari en prennent soin comme de vrais parents. Francis, qui a quinze ans, désire rester seul: il préparera lui-même ses repas et fera les courses nécessaires. Une tante l'invite à manger de temps en temps pour couper la routine de ses repas sommaires.

Le samedi après-midi, nous ouvrons un dossier au Montreal Children pour Mona. Ensuite, on nous envoie attendre le médecin à l'étage de l'oncologie dont les corridors sont vides durant la fin de semaine. Mona ne parle pas. Dans la pénombre, nous attendons. Attendons. André essaie de nous divertir avec des anecdotes ou des réflexions banales. Comme on ne réagit pas beaucoup, il nous prend l'une et l'autre par les épaules et nous secoue en disant:

— *Come on!*

Un médecin chinois s'avance et nous tend la main. Je lui rends la politesse avec un peu d'hésitation car je croyais qu'on aurait affaire à une femme médecin. Il s'adresse plus à Mona qu'à nous. Le docteur Wu explique en détail le processus qu'il entend mettre en branle pour la remettre en rémission. Il nomme un médicament expérimental et nous écarquillons les yeux. Il est très convaincant avec ses yeux brillants, son petit nez plat et ses cheveux raides qui bougent à chaque parole prononcée; il m'est déjà sympathique. Il semble si patient que je pose la question qui me hante:

— Pourquoi vous? Qui vous a choisi pour avoir soin de Mona?

— Dr Côté me l'a confiée parce que j'aime bien les gros défis.

Son sourire large et confiant gagne mon coeur.

Pour ne pas décourager Mona avant la transplantation,

les médecins promettent de l'hospitaliser le moins souvent possible. Nous l'installons dans une petite chambre stérile, près du poste. Moi, habituellement si dérangée par la vue des petits patients qui souffrent du même mal que Mona, eh bien! je suis servie. Rien que de ça. Des jeunes filles, des très jeunes, des petits de trois ans, de cinq, de sept, qui traînent leur poteau de soluté dans la salle réservée aux parents. Des petits êtres qui se font bercer en attendant que s'arrête cette sacrée misère. Forte de mes propres expériences, je me garde bien de dire des niaiseries ou encore de poser des questions. Si les parents veulent parler, ils sentiront mon coeur ouvert. Une maman en prenant son café dit:

— Au moins, on se bat. On peut encore se battre.

Elle me refile sa formule sans le savoir. Bien sûr, si on se bat c'est que l'enfant est encore là. Il y a encore une guerre à mener. Me voilà redevenue guerrière et fière de l'être. Je m'aperçois que je suis sortie de ma solitude. Ce nouveau partage me rendra-t-il plus vulnérable? Auparavant, j'arrivais à dépasser certaines misères en transposant au-delà de la réalité. Continuer à rêver d'un monde meilleur. Agir comme si on avait des chances. D'ailleurs on en a, puisque toute une équipe travaille à nous aider. Je ne suis pas seule. André est là, il joue avec sa fille au «backgammon» en y mettant du coeur. Je le remplace: c'est son tour d'aller fumer et de prendre du café. Mais je refuse de jouer et Mona rouspète:

— T'as peur, hein, mom?

— À chaque fois que tu es hospitalisée, je dois apprendre un nouveau jeu et tu me bats à plate couture. Pas cette fois.

Je regarde la petite télévision au-dessus de nos têtes. Je replace son oreiller, bien enveloppée dans ma jaquette et mon masque pour ne pas transporter de microbes dans sa chambre. On est tellement habitués à tout cet attirail que rentrer dans une chambre de malade sans toute cette protection me semble maintenant presque impensable.

Pour dormir, nous dénichons une minable chambre pour touristes située tout près de l'hôpital. Nous prévoyons devoir nous installer pour un bon bout de temps. Nous nous informons à la dame si elle ne nous ferait pas un prix spécial dans le cas où nous habiterions ici quelques semaines. Elle nous propose un rabais dérisoire. Je crois bien qu'elle n'est pas intéressée et moi non plus, ça tombe bien. Ça sent le moisi là-dedans et c'est très humide. Une chaufferette placée entre une penderie en bois foncé et un lit de fer coupe un peu le froid. Une table garnie de fleurs de plastique est adossée à un mur couvert de papier gris, plein de taches foncées. Des tentures fleuries ont perdu leurs couleurs. Derrière, une grande fenêtre sale qui donne sur un édifice tout gris. L'escalier craque, la télé de la propriétaire enveloppée dans son châle noir résonne jusqu'à la toilette commune au bout du corridor. Le réfrigérateur et le poêle trônent au haut de l'escalier.

Un pauvre diable arrête de parler à son chien pour me saluer. Lui, il vit ici, il n'est pas de passage comme moi. La dame, en faisant notre lit, nous met en garde contre un tel au troisième.

— Bizarre! Barrez bien votre porte!

En pensant à protéger notre argent, on réalise qu'on n'en a pas et que pendant la fin de semaine, il nous sera impossible de changer des chèques. Et bien entendu, les endroits où on prendrait notre carte de crédit seront beaucoup trop chers pour nos moyens. Vaut mieux nous mettre au pas de l'économie dès le début. À l'hôpital, nous tentons de changer un chèque et on nous offre des jetons pour manger à la cafétéria. Nous refusons fièrement, nous ne sommes pas si dépourvus. Une amie de ma mère vient me porter cent dollars dans son beau manteau de vison entrouvert sur sa robe de pure soie. Moi qui chante à mes enfants que la vraie richesse est dans le coeur, j'avoue que l'espace d'une seconde je me suis sentie pauvre dans mon petit manteau de drap et mon foulard tricoté à la maison.

Quand arrive neuf heures, on a le goût de sortir de l'hôpital, de marcher un peu à l'extérieur, d'explorer les environs, mais pas d'aller se coucher dans la chambre minable louée plus tôt dans la journée. Je dors très mal, tout me

répugne ici, je ne veux pas me laver dans le lavabo commu-
nautaire et j'ai une folle envie de rentrer chez nous parce
que j'ai quitté les deux autres enfants trop brusquement et
parce que je ne vaux absolument rien ici. Devant ma mine
basse, André m'offre de me reconduire au train et promet
de voir au moral de Mona.

Aussitôt arrivée à la maison, je regrette de les avoir
abandonné. Comme un lion en cage, je tourne en rond et je
suis incapable d'imaginer passer des semaines à Montréal
avec Mona, et de vivre dans cette chambre. Louer un
appartement?

Une tante me reçoit à manger avec mes deux garçons.
Une autre fait des appels pour nous trouver un hébergement
quelconque. Une autre organise discrètement une collecte
pour nous renflouer. Des amis m'invitent à dîner au restaurant. Au bout de vingt-quatre heures, on me repousse vers
Montréal pour remplacer André qui doit revenir travailler.
La tante qui voulait absolument aider a trouvé une place
pour nous. Les pères Clarétains ont un centre pour les nouvelles vocations. Il n'y a que deux membres qui y habitent
présentement.

On accepte de nous rencontrer. André s'y rend. Il me
raconte par téléphone l'accueil chaleureux, la gentillesse du
Père Yves. Une chambre sera mise à notre disposition, même deux pendant la transplantation. Mes supporteuses se
réjouissent pour moi, parlent de la chance que j'ai. Moi, je
ne suis pas à l'aise ailleurs, mais j'avance, poussée par les
gens qui m'entourent. Ma mère me prête sa voiture, mes
frères et mon père me donnent de l'argent.

J'ai travaillé toute ma vie à gagner mon autonomie, une
forme d'indépendance. Là, mon autonomie en a pris un
coup, j'ai besoin des autres. Tous les autres. À la merci de la
terre entière. Je me sens si petite avec ma valise en me pré-
sentant à l'adresse du Centre Clarétain. Je sonne timidement. Le Père Yves m'ouvre sa porte et son coeur, en bon
samaritain. Il m'introduit dans l'appartement et me renseigne sur la façon de vivre et de partager des Clarétains. Ça
sent le cierge et le propre. C'est simple mais gai. Le Père

Yves a mon âge, partage plusieurs de mes intérêts et a un coeur aussi stable et fort que ses épaules.

Il me donne la plus belle chambre, la plus chaude, la plus ensoleillée, tout au centre de la maison. Même si on a évité de me le dire, je découvre qu'on a déménagé le bon Dieu tout au fond du couloir dans la buanderie assez vaste pour contenir temporairement un mini-autel et deux petits bancs. Ainsi, Mona et moi avons droit à l'ancienne chapelle. C'est gênant!

— Mais non, le bon Dieu est partout, dit le novice en m'offrant sa télévision portative.

On m'explique l'horaire du matin et du soir. Le partage de la cuisine, de la salle de bains, l'heure de la messe. On me montre les armoires, le réfrigérateur. Je cuisinerai quand je veux et j'achèterai mes provisions. Le Père Yves a préparé du café et des biscuits pour mon arrivée. C'est la première fois que je suis maternée par un homme.

De son côté, André joue à la mère avec ses deux garçons. Pendant le jour, Mark reste chez la gardienne mais dès qu'il aperçoit l'auto de son père qui revient le prendre, il arrive en courant. André attend jusqu'à cinq heures trente avant de commencer le souper dans l'espoir d'avoir une invitation surprise. Il trouve pénible de se faire la surprise lui-même, surtout qu'il ne sait faire que deux menus. À ses yeux, si loin de lui, je redeviens la femme idéale, la perle rare. Je peux sentir son affection au téléphone quand je l'avertis que je viens de déménager Mona avec moi.

Il m'inonde de «Je t'aime», «Tu me manques», et rompt soudain ce moment poétique avec un «Je fais mon lavage le soir si Mark n'a plus de linge.» Il parle à sa fille qui change de ton dès qu'elle prend le récepteur. Il aime la sentir enthousiaste et pour ne pas le décevoir elle s'applique. Elle répète les promesses faites au cours de la dernière fin de semaine passée avec lui.

— Je serai gentille. Promis, je vais manger.

Avec moi, elle se laisse aller à rouspéter, crier, chialer qu'elle a mal à la gorge et qu'elle n'est pas capable d'avaler de nourriture. Ce matin, le Dr Ribka est venu visiter Mona au Montreal Children. Il suit l'évolution de près et ensemble les médecins ont décidé d'essayer pendant deux mois d'obtenir une rémission. Sinon, ce sera la transplantation, sans rémission. Nous avons obtenu une ordonnance pour anesthésier la gorge ulcérée de Mona afin qu'elle réussisse à manger. Comme elle ne peut pas aller au restaurant à cause des microbes, je vais acheter des «Big Mac» et nous mangeons dans l'auto chauffée stationnée sur la rue Sainte-Catherine. Elle se gèle la bouche et la gorge en avalant un peu d'anesthésique. Chaque bouchée est une torture et elle abandonne après deux essais. Même le «milk shake» passe difficilement.

Nous rentrons à l'appartement et dormons un peu dans l'après-midi. Je perds au «backgammon» deux fois d'affilée. Je cuisine un bon steak tendre, comme je n'ose pas en acheter à la maison, des pommes de terre aussi légères qu'un soufflé et Mona refuse même d'y goûter. J'avale tristement mon repas, seule. Vers neuf heures, en regardant la télé, elle réussit à avaler des huîtres fumées avec une tasse de thé. Tout heureuse, elle appelle son père.

André fait chez nous exactement comme moi à Montréal. Il chouchoute son Mark et ensemble ils laissent leur esprit se faire divertir par la boîte parlante, pleine de récits aux images bruyantes qui endorment les douleurs physiques et morales. Je déteste la télévision, mais je l'écoute avec la plus grande attention ces temps-ci. Je désire me laisser prendre. Mais ça ne marche qu'à demi. Pour m'intéresser davantage, j'imagine le travail de l'auteur, j'examine sa façon de présenter son héros. Même si le héros fait des erreurs il les tourne habilement en sa faveur. Être un héros c'est tourner une catastrophe en un avantage. Ce qui me dérange le plus, c'est tout cet amour instantané qu'on vante à la télé. On s'aime, c'est bien, on ne s'aime plus, c'est encore bien. Amour instantané, séparation instantanée. Je voudrais bien voir ces beaux héros et belles héroïnes dans mes bottines. Ils verraient que l'amour n'est pas toujours facile. C'est même le travail de toute une vie.

*   *   *

C'est samedi. André vient passer la fin de semaine avec ses deux femmes et il emmène Mark pour l'habituer tranquillement à l'appartement de Montréal car il habitera avec nous tous pendant la durée de la transplantation. Mona et moi, nous nous rendons à l'hôpital pour un contrôle sanguin. Inquiétant: 4 000 plaquettes, pas de neutrophiles pour combattre les infections, un petit 500 en lymphocytes et pour comble, une hémoglobine de 7. Ça donne une Mona apathique avec des centaines de petites taches bleues sur les jambes. Je la transporte en chaise roulante le plus possible et son mal de gorge n'est pas endurable. Elle n'a rien avalé depuis le matin. De retour, elle se couche après avoir évacué un peu d'urine rosée. J'avertis le médecin de garde. Pendant qu'elle se repose, je prépare un bon steak avec des champignons frais dans l'espoir de lui faire avaler quelques bouchées remplies de protéines. Depuis le temps qu'elle n'a pas mangé! À mes supplications, elle ne fait que répondre par des petits signes négatifs dans son demi-sommeil. J'avale le steak toute seule. Il le faut. André m'a disputée lorsque je lui ai dit que je ne faisais que grignoter en attendant que Mona ait faim. Même quand elle me prévient qu'elle ne mangera pas, je prépare quand même son repas et elle s'obstine à refuser.

— J'ai mal à la gorge, tu comprends pas ça? Laisse-moi tranquille!

Parfois, c'est en pleurant qu'elle me le dit. Je fais semblant que je n'entends pas et j'offre autre chose, de la crème glacée, du «Jello», je récite une litanie d'aliments. Après la vaisselle que je range toujours, Mona se précipite à la toilette.

Je lui rappelle:

— Attends, le médecin veut que tu le fasses dans un petit pot.

Cette fois, elle crie:

— Mom, mon urine est rouge.

Je me prépare à la reconduire à l'hôpital après avoir averti le médecin. Mais voilà, Mona a le goût des huîtres fumées avec sauce tartare. Sachant ses goûts dérangés par la chimiothérapie, je prends le temps de lui en préparer. Ses premières bouchées depuis le matin et il est trois heures! Elle en avale six en se plaignant et en buvant un thé sucré. Je regarde le pipi rouge dans le petit pot et je refoule ma panique.

— Mange, ma chouette, ça te fera du bien.

Et pour prouver à Mona que le liquide pour anesthésier la bouche et la gorge est efficace, j'en avale une bonne gorgée. J'en ai de la peine à avaler tellement ça réussit et elle l'ingurgite en grimaçant. Dans l'auto, en route pour l'hôpital, je crains que le liquide ait engourdi tout mon corps. Ce n'est pas normal, je ne suis pas énervée; c'est pourtant bien du sang que j'ai vu dans le petit pot. Suis-je gelée? Calmement, je continue de rouler jusqu'à la rue Dorchester.

— T'as pas mal?

— Juste à la gorge.

— Ils vont bien te donner une transfusion de plaquettes.

— Je ne reste pas à l'hôpital!

— Dad nous rejoindra lorsqu'il verra la petite note dans la vitre.

Le médecin de garde nous accueille en disant:

— Tiens, c'est la première fois que je reçois de l'urine dans un petit pot de fromage «cottage».

Le petit bâtonnet indique «positif». La chambre est préparée, le médecin installe un soluté et retire un peu de sang. La commande des plaquettes est passée ainsi que celle des globules rouges. Ces dernières arrivent presque immédiatement de la banque des donneurs. Le sang épais pénètre difficilement dans la veine et Mona se plaint que ça chauffe dans son bras. L'infirmière essaie de voir ce qui ne va pas. Elle pousse le liquide et l'aspire avec une seringue. Mona hurle à chaque montée du sang.

— Arrête, tu me fais trop mal!

L'infirmière s'énerve, répète le mouvement avec la seringue en disant:

— Je ne comprends pas, le sang est bien dans la veine.

Mona pleure.

— Fais pas ça, que je te dis!

L'infirmière laisse le sang couler et court chercher un médecin. Elle ne le trouve pas. Mona pleure toujours et je résiste à l'envie d'arracher l'aiguille moi-même. Elle crie:

— Mom, arrête le sang de couler dans ma veine. T'es sourde, arrête-le!

J'essaie de tourner le machin et je ne sais pas de quel côté, je n'y arrive pas. Mona se dresse avec raideur, me pousse la main.

— Ôte-toi! hurle-t-elle.

Et prestement, elle arrête le sang de couler, se recouche épuisée et essuie ses larmes, furieuse.

Au cas où il y aurait danger, je cours au poste avertir. L'infirmière arrive en disputant Mona puis se met à crier à son tour:

— Ne touche jamais aux instruments, tu pourrais te faire du tort.

— Vous avez rejoint le médecin?

— J'attends son appel.

Finalement, le médecin arrive très calme au beau milieu de cette hystérie générale.

— Mona, je veux bien te l'enlever mais il me faut voir ce qui ne va pas avant, pour ne pas te piquer inutilement, tu veux?

Mona, sachant qu'elle sera prise au sérieux, la laisse faire en retenant ses cris. Le médecin arrête le sang et installe un soluté dans le tube. Mona se calme dès que le soluté lave la veine. Les deux couleront en même temps; ainsi, la densité des globules rouges se trouvant réduite, la sensation de brûlure s'estompe, et ça fonctionne. Mona la remercie. Le médecin m'invite à la suivre pour prendre un café. Je panique déjà. Elle veut me parler seule. Danger! Dans la salle réservée aux parents, elle s'assoit en disant:

— C'est une dure journée pour vous.

J'ai toujours peur qu'on m'annonce des nouvelles épouvantables, des menaces imminentes et de ne pas être prête. Son ton sympathique m'apprivoise. Elle ajoute:

— C'est un temps critique.

Poser une question me paralyse. J'attends, sans respirer.

— Vous savez qu'après la destruction des cellules, on frappe un creux. Bien sûr, vous savez tout ça, reprend-elle comme si elle s'adressait à une vieille pro.

Peu à peu, je me calme quand je m'aperçois qu'elle veut strictement m'informer. Les petites conversations en privé avec les médecins ont toujours abouti à des nouvelles atroces. Je les redoute au plus haut point. Je me ressaisis et pose les questions qui me hantent. Qui a décidé des transfusions? Le Dr Ribka est au courant? Pourquoi le sang coule des reins? Une rupture? Un coup? Elle me rassure. Tout rentrera dans l'ordre dès qu'elle recevra les plaquettes. On nous signale qu'elles sont déjà arrivées. Sept donneurs de l'hôpital même ont fourni à ma fille sept petits sacs qu'on a injectés très rapidement dans ses veines absolument sans problème.

André arrive avec Mark au moment où règne un calme serein. Il ne peut me cacher sa déception. Il s'attendait à être reçu avec un bon petit souper aux chandelles et au vin. Complètement vannée, je lui lance:

— Tu ferais mieux d'aller te chercher un hamburger et à Mark aussi.

S'il ne cache pas mieux sa déception je vais m'enrager. Il reste passer un bout de soirée avec sa fille tandis que je rentre à l'appartement avec Mark. Je le serre contre moi. Il s'est ennuyé. J'oublie Mona pour un instant et je me consacre à lui. Donne, donne, donne, t'es une mère.

— Raconte-moi, mon trésor, tout ce que tu as fait depuis que je suis partie.

Je lui donne un bain, l'assois sur moi, le cajole. André l'a bien préparé, il lui a décrit tout l'appartement en détail. Dès qu'il dort, j'appelle l'hôpital.

— Comment ça va?

André me raconte d'un ton jovial sa conversation avec Mona. Elle rit.

— Elle rit?

— Oui, et elle accepte de coucher ici tant que son urine ne sera pas claire. Ce ne sera pas long, je rentrerai bientôt, chuchote-t-il sur un ton tendre.

J'attends une heure en combattant le sommeil, en marchant de la fenêtre à la télévision. André rentre. Je m'efforce de sourire. Je suis contente de le voir là, je l'apprécie. Il me prend tendrement dans ses bras.

— Tu m'as manqué, petite.

— Moi aussi.

Quand j'en ai trop à dire ou que je ne sais quoi dire je répète comme un perroquet: «Moi aussi, moi aussi». Je ne ressens que lassitude pendant son étreinte. Je n'ose pas analyser ma lassitude. Pourtant je veux goûter son affection. On dirait que pour avoir moins mal je couvre ma sensibilité avec une trappe pour diminuer la douleur et quand je veux ouvrir la trappe à la bonne sensation, elle reste coincée.

— Tu veux un café, mon amour?

Je montre la cafetière de fortune, je souris et j'ai mal... Mes yeux se ferment de fatigue pendant qu'il regarde les dernières minutes de la partie de hockey. Je m'excuse, je vais me coucher.

— Vas-y, je te rejoindrai.

Il me réveille en se collant à moi dans le petit demi-lit. Peu importe la posture que je prends, lui accroché à moi ou moi accrochée à lui, je dors mal, j'ai la tête pleine d'inquiétudes. C'est lui ou moi qui ronfle, je ne sais plus. À six heures trente, je n'en peux plus et j'appelle le poste de l'hôpital.

On m'informe qu'il y a de moins en moins de sang dans l'urine de Mona. Soulagée, je me recouche dans l'autre lit en me jurant que demain, je serai de la dynamite. C'est déjà demain car à peine une demi-heure plus tard, Mark réclame son oeuf.

— Maman, ça fait longtemps que je n'ai pas mangé mon coco comme tu le fais, toi.

Un bon déjeuner à trois avec le soleil qui nous attend dehors. Je prends une douche. Énergiquement, je fais un peu de rangement et je planifie la journée.

Je me rends la première à l'hôpital. Je me sens déjà chez moi dans Montréal. Je suis gaie en entrant dans la chambre de ma fille et elle me rend mon sourire. Ses joues sont rosées et aux dernières nouvelles, plus de sang dans l'urine. Elle me bat admirablement vite au «backgammon» et arrogante, elle se moque de moi.

— Si tu avais des plaquettes, tu sais je te pincerais.
— Sauvée par les plaquettes! Joue encore! Pauvre mamie, je vais te laisser gagner pour te remonter le moral. Pauvre p'tite mamie!
— Je n'ai pas le moral bas, je suis enragée. Tu me bouches toutes les cases puis je ne peux plus jouer.
— C'est ça, le jeu. Braille donc!

Quand le dîner arrive, je m'exclame:

— Comme ça l'a l'air bon!
— Pas faim!
— Goûte au moins.

J'ignore ses lèvres fendillées, ses gencives enflées et les ulcères sur la langue.

— Gèle-toi avec ton médicament, Mo!

Je la supplie, j'écrase les aliments en purée comme pour un nouveau-né, je déchiquette la viande. Je prépare tout comme si j'étais certaine qu'elle goûtera. J'avale quelques bouchées de ce mélange foireux, pour l'encourager. À peine si elle y touche. Son père nous rejoint et propose gentiment d'aller manger dans un restaurant italien. Dans une heure, si le prochain test est négatif, Mona pourra sortir.

Comme de raison, je n'ai pas faim. Mark partagera une portion avec moi. André insiste pour que je me garde en forme. Je mange mes mets préférés sans les apprécier. Moi qui jouis habituellement de chaque dépense au restaurant, aujourd'hui je trouve que c'est de l'argent gaspillé. Mark s'agite, je m'impatiente. Habituée à la tranquillité de ma fille malade, les gesticulations de mon fils en santé m'irritent. Je me ressaisis et je souris, un peu coupable.

Mona monte dans la voiture réchauffée avec ses protections habituelles: masque et gants. À l'appartement, le Père Yves est de retour après quelques jours d'absence. Il nous invite à partager avec lui un plat congelé, cuisiné par sa ménagère. Je fais une salade et j'ouvre le vin acheté pour la veille. Et on réussit à bien manger, bien parler, bien s'apprécier malgré les cris de Mark et les lamentations de Mona. Entre les urines que j'examine, le thé servi à Mona, ou encore un toast qu'elle croît être capable d'avaler, je m'assois et j'avale le verre de cognac offert par le Père Yves. Mark dessine, empile des coussins par terre et ses petites voitures jonchent le plancher. Mon bien-être me surprend.

— Ça va, Mona? Ne te couche pas sur le divan, va dans ta chambre.

La voyant fatiguée, fiévreuse, je prends sa température, lui donne des médicaments et je retourne à table.

— André, tu fais la vaisselle ou tu préfères coucher le petit?

Il sourit du mince choix que je lui propose et essuie la vaisselle en placotant avec le Père Yves. Je mets Mark au lit. Vers 9 h 30, l'appartement est rangé. Nous nous coucherons de bonne heure. Espérant trouver quelque désir au fond de moi, je prépare nos lits collés ensemble cette fois. Je cultive mes bonnes intentions et dès que ma tête touche l'oreiller, je sens une main qui frôle mon sein. Je relaxe pour l'instant, je récupère, les bras le long du corps. Bientôt mes mains s'animeront et feront les gestes de l'amour. Mais mes membres sont si lourds, si lourds. Je dors presque et la main sur mon sein se détend; il n'y a plus qu'un petit courant affectueux qui nous unit.

Dès le lever, c'est la course pour refaire les valises, répéter les recommandations:

— Mark, mange bien. Fais penser à papa: des légumes deux fois par jour. Des fruits aussi. Beaucoup de lait. Bonne semaine mes amours!

Je referme la porte, je retourne dans l'appartement si vide tout à coup et j'entame avec Mona notre plus dure semaine.

Tous les matins, pendant que le Père Yves fait sa méditation ou lit son bréviaire, moi je fais mes exercices de yoga en priant. Aujourd'hui je serai détendue, j'orienterai mon esprit vers le positif. Je respire profondément en étirant mes membres, j'apprécie mon corps sain.

Nous nous rendons presque quotidiennement à l'hôpital pour des contrôles. Péniblement, Mona se traîne sur les trottoirs. Ma «pleine de vie» devenue lente comme une tortue. Chaque mouvement semble lui coûter un effort suprême. Je lui offre tous les «Big Mac» qu'elle pense pouvoir avaler. Souvent après une bouchée, le hamburger rejoint le sac à déchets. J'essaie d'être drôle, stationnée en bordure de la rue Sainte-Catherine. Je passe des commentaires sur l'allure des homosexuels, sur l'accoutrement des gens, n'importe quoi pour amuser ma fille qui se lamente dans cette voiture prêtée par ma mère. Elle fait des efforts et avale trois frites avec beaucoup de «milkshake». Je suggère d'aller magasiner. Elle approuve de la tête. Je me gare le plus près possible des boutiques de la rue Saint-Hubert. À l'intérieur, je la débarrasse de son manteau neuf, et je le porte pour elle. Nous nous trouvons de jolies blouses. La vendeuse craint que Mona ait une maladie contagieuse lorsqu'elle la voit avec un masque; dans un «pet shop», le garçon demande carrément:

— Qu'est-ce que c'est que ce masque?

Mona répond d'aplomb, expliquant à propos de ses globules blancs, trop bas. Il ne comprend rien mais est rassuré. En effet, ce matin le test indiquait si peu de globules blancs: 100, c'est piètre. Par contre, 15 000 plaquettes. Ça remonte, mais le docteur ne cache pas son inquiétude et pense qu'il ne s'agit pas des siennes mais de celles des donneurs. De la patience, j'en aurai!

Mardi, je suggère d'aller voir un film: *Kramer contre Kramer*. Cachées dans un coin de la salle de cinéma, éloignées des autres à cause des microbes, nous pleurons toutes les deux sur cette histoire; ça fait du bien, on oublie de pleurer sur nous.

Je sors de là la tête pleine de projets pour changer la condition des femmes en commençant par leurs attitudes. Mona s'assoit à chaque fois qu'elle le peut au cours du trajet entre le cinéma et l'auto que je vais chercher pour l'amener près de la porte d'entrée. J'aide Mona à marcher en la soutenant par le bras.

Mercredi matin, le test indique les plaquettes à 40 000. Donc, c'est bien elle qui les fabrique! Le médecin, encore très inquiet, n'a jamais vu une patiente dans cette état non hospitalisée et moi, je m'encourage.

Je me fais aux habitudes de la maison, aux autres membres de la communauté. Je continue à préparer des petits plats au cas où Mona aurait faim. Jeudi, le Père Yves doit recevoir des gens importants de sa communauté: quelqu'un venu de Rome, un Américain, et deux autres membres de l'extérieur. Ils se réunissent à Montréal pour des décisions importantes concernant leur mission au Canada. J'ai peur de déranger. J'en fais part au Père Yves.

— Tu veux que je parte?

— Mais non!

— Ils savent que tu héberges une femme et sa fille? dis-je en souriant.

— Bien sûr. Et quand bien même ils ne le sauraient pas, ce n'est pas la fin du monde.

— O.K. Alors, je cuisine pour toi. Je te prépare un repas complet pour sept personnes. Tu me fais confiance?

— Seulement si ça te fait plaisir, dit-il.

Mona craint d'être un peu négligée à cause de mon projet. Je la rassure en lui disant que nous mangerons dans la chambre à l'écart pour ne pas que les microbes des autres l'atteignent. Avec fébrilité, je fais mes emplettes et je cuisine comme pour une fête. Dans le couloir des Clarétains, un poster sur le mur suggère en grosses lettres: «Si tu veux être heureux, pense aux autres». Je devrais à ce compte me trouver la plus heureuse sur la terre ces temps-ci. Après un rapide survol je décide que c'est vrai après tout: je suis heureuse. La chance inouïe d'être accueillies par cette communauté où notre intimité est respectée tout en vivant avec les autres. Leur présence chaleureuse, leur partage gratuit. Tu parles! Où j'aurais pu trouver pareil nid? De plus, je viens de recevoir des droits d'auteur pour mon livre *Mona*. Et pour l'instant je n'ai plus à m'inquiéter pour les sous et sans les gaspiller, on peut s'adoucir la vie un brin, ma chouette et moi.

Je me prépare à faire d'un repas simple un véritable festin. Je crois bien que c'est réussi car le Père Yves reçoit des compliments. De notre chambre, près de la salle à manger, on peut les entendre même si on se concentre sur la télé pour éviter d'être indiscrètes. Je jette un coup d'oeil vers Mona; elle mange.

— Tu manges?

— Oui, c'est bon.

L'atmosphère de fête nous gagne. Je me sens un peu prisonnière de cette chambre. J'ai envie d'aller aux toilettes, mais je ne voudrais pas déranger en traversant la pièce. Finalement, j'y vais. On m'arrête. On me présente. Mona, voyant que je ne reviens pas immédiatement, met son masque et vient me rejoindre. Père Yves la taquine devant le groupe:

— Elle est bilingue, à part ça.

Mona sourit, les yeux pétillants. Soulagée, encouragée par sa vitalité, ravigotée par ses yeux brillants, me voilà invitée à me joindre au groupe. Comme par magie, nous échangeons comme si nous nous connaissions depuis longtemps. Sans qu'on fasse le moindre effort, la communication s'insinue d'abord par nos cerveaux pour vite rejoindre nos coeurs. Father James, habitué à l'austérité du Vatican, apprécie l'atmosphère familiale et nous parle de sa soeur. Elle vient de perdre son mari mort du cancer, malgré les prières des charismatiques. Father James, sceptique, refuse de cautionner cette foi irrationnelle, dangereuse, tandis que Père Jacques croit que ces fidèles ont besoin d'avoir confiance. C'est comme si on devinait mes préoccupations. J'adore la conversation, je traduis pour l'un et l'autre, et bien entendu je mets mon grain de sel et je pose des questions. On parle de foi, de miracle, de logique. J'ai la nette conviction de vivre un destin bien tricoté et ce soir, je passe l'encolure ou l'emmanchure et ça devrait mener quelque part. Un jeune Clarétain lave la vaisselle avec moi et je reçois ses confidences: il me parle de sa mère, fausse, hypocrite, qui rabaissait constamment son père,

— C'est pour ça que tu es devenu prêtre?

— Non, j'ai dépassé ce malaise dans ma vocation. Je ne m'entends toujours pas avec elle.

— Encore maintenant? Même prêtre?

— Aucune communication n'est possible.

Les manches retroussées, les mains dans l'eau savonneuse, il poursuit. Il travaille du mieux qu'il peut à la mission. Il sublime, imitant son modèle, le Christ.

Nous échangeons une poignée de main chaleureuse comme un baiser.

Ainsi nous passons, Mona et moi, à travers la semaine cruciale du plus creux de son traitement de chimiothérapie. Nous avons trouvé une nouvelle perruque, Mona l'aime

bien. Ce matin, la prise de sang indique une bonne remontée des plaquettes, signe que Mona commence à refaire son
sang. Alors nous recevons un congé pour quelques jours.
Nous retournons à la maison, pour prendre soin des autres
membres de la famille, remettre un peu d'ordre, faire du
ménage, remplir les armoires.

Il est quatre heures trente, nous sortons de Montréal, la
circulation est déjà dense. Mon énergie s'est envolée depuis
l'attente à l'hôpital, après avoir mangé sur le pouce, préparé
nos valises, fait le plein et attendu ma Mona si lente. Quand
je la vois traîner comme une petite vieille, ça prend une foi
spéciale pour ne pas en être affectée. À force de «bientôt,
ça ira mieux», j'avance et je la fais avancer.

À peine engagée sur l'autoroute, je m'aperçois que je
viens de perdre un enjoliveur. Comme c'est la voiture de ma
mère, je m'arrête sur l'accotement et je pars à sa recherche.
Mona, couchée sur la banquette arrière, essaie de dormir.
L'ayant retrouvé, je démarre et reprends la route. La circulation est lente et j'aimerais bien arriver pour le souper.
Je prends donc le couloir de gauche pour doubler quelques
voitures. J'ai beau accélérer, je n'arrive pas à revenir sur ma
droite. Je continue de rouler à gauche et pour ne pas tricher
davantage avec la limite de vitesse, je cesse d'accélérer; je
me trouve donc à empêcher les voitures qui me suivent de
doubler à leur tour. Dans mon rétroviseur j'aperçois une
voiture qui roule sur l'accotement et qui me rejoint très
rapidement. Le policier au volant klaxonne et me fait signe
de me ranger à droite. On me laisse alors passer et je m'arrête presque soulagée de pouvoir interrompre ma course
forcée. Le policier accomplit son devoir et me semonce fermement. Je me sens comme une petite fille grondée et je ravale le sanglot dans ma gorge. À peine est-il reparti sans me
donner de contravention que je mets à pleurer comme un
enfant. Assez! J'en ai ras le bol. Je suis écoeurée. Mona s'inquiète.

— Mom, qu'est-ce que t'as? Dis-moi, je t'en prie!

Je ne peux pas sortir un mot de ma bouche. Le policier,
voyant que je ne démarre pas, s'inquiète à son tour et avant

que j'aie le temps de redémarrer, il fait marche arrière et vient frapper à ma vitre.

— Madame, qu'est-ce qu'il y a?

La tête dans mes mains, je ne peux que soulever les épaules. Il pose les questions et donne les réponses lui-même. Il s'excuse presque pour la remontrance. En désespoir de cause, il dit:

— Vous avez d'autres problèmes, hein, madame?

Il s'allonge alors le cou pour regarder Mona blême et embêtée. Il cherche à deviner ce qui a bien pu me mettre dans cet état. Je lui jette un regard au lieu de lui crier «Si j'en ai... des problèmes». Le pauvre policier ne sait trop comment me consoler, caresse la porte de la voiture du bout des doigts, n'osant pas me toucher. Il me recommande de m'arrêter au restaurant le plus près. «Calmez-vous, allons». Je fais signe que j'y arriverai; des oui, des non, à volonté entre mes sanglots. Penaud, il retourne à sa voiture et j'espère surtout qu'il fichera le camp. Mona m'ordonne:

— Mom, arrête! Voyons! Mom, c'est assez!

Étant parvenue à me calmer, je me mouche et je repars. Je dois rouler encore plusieurs kilomètres, aussi bien les attaquer. Quelques gros soupirs et je peux verbaliser un peu ma réaction, me l'expliquer.

— Mona, tu te souviens cette semaine, un soir, tu t'es fâchée après moi? Tu ne voulais pas avaler tes médicaments. Tu criais: «Je suis écoeurée, fatigue-moi plus!» Quand, le lendemain tu t'es excusée, j'ai compris. C'est mon tour aujourd'hui, c'est tout.

Cette violente crise m'a soulagée, libérée, mais aussi inquiétée. Va falloir me défouler à mesure si je ne veux pas risquer les éclats démesurés et si je compte rester utile. Dès mon arrivée à la maison je raconte ma mésaventure devant les enfants. Question de leur donner la chance d'expérimenter leurs émotions, s'ils en sentent le besoin. Je ne récolte qu'un «Mom, tu m'inquiètes» de Mona, un «Pauvre mom!» de Francis. Quant à André, tout ce qu'il dit c'est: «Pauvre policier, il n'est pas prêt de donner une contravention à une femme».

*   *   *

Les semaines suivantes, je fais la navette entre l'appartement des Clarétains et la maison. Nous nous rendons à Montréal pour des contrôles sanguins et des prélèvements de moelle. C'est encourageant: on se débarrasse tranquillement des cellules malignes. Mona, à la maison, semble prendre du mieux. Les injections de «Vincristine» sont espacées pour donner une chance à la moelle de se refaire. Mona rêve d'essayer ses skis neufs. Elle vient avec moi, par un bel après-midi de fin d'hiver, flairer les bois menant à notre petit lac. Nous deux sur nos skis de fond, avec le chien qui rôde autour en gambadant, nous glissons tranquillement comme si c'était la première — ou la dernière — fois. Par prudence, nous évitons les pentes et nous admirons le soleil couchant qui se faufile entre les branches dénudées des arbres tordus, les bras vers le ciel.

— Mom, comme c'est beau!

Mona prend des forces et retrouve des goûts. Elle se fabrique une jolie blouse qu'elle porte fièrement à son prochain rendez-vous. Elle annonce aux médecins:

— C'est moi qui ai fait ma blouse cette semaine.

Dr Côté, en femme forte et douce à la fois, écoute, encourage, discute avec nous de politique, des moyens de combattre la maladie, de sa vie personnelle, de ses petits patients. Elle a une vie pleine, riche et vouée à sa profession.

Mona rouspète:

— Pas encore une ponction!

Dr Côté réagit calmement, fermement, sans complaisance.

— Ma chère, va falloir t'y faire, tu en auras bien d'autres.

Ainsi, elle ne perd jamais une chance de préparer Mona mentalement à tout ce qui l'attend pendant la transplantation. Si Mona a besoin de sang, Dr Côté n'en fait pas un drame.

— C'est mieux si nous te donnons du sang Mona, tu te sentiras encore mieux.

Enjouée, mais contrôlant parfaitement la situation, elle donne toujours le meilleur d'elle-même. Mona, comprenant qu'elle n'a pas le choix, se contente de regarder Dr Côté suspendre la bouteille rouge au poteau. Agilement, elle grimpe ensuite sur la table et accroche le soluté plus haut pour augmenter la pression, et réduire l'épaisseur du sang. Nous rions de la voir faire le singe à son âge et avec sa prestance. Si elle avait besoin d'un marteau, elle le manierait très bien. C'est une femme extraordinairement grande et simple. La voir agir transforme. Elle semble la mère de tous les petits enfants, la tante de toutes les mères et la conseillère de tous les médecins qui travaillent autour d'elle. En sa présence, j'ai l'impression de recevoir beaucoup de bienfaits à travers mes épreuves. Un petit garçon joue aux cartes sur une civière avec son papa. Dr Côté a un mot gentil à dire en passant près d'eux. Jamais la moindre trace de pitié.

Une animatrice soulage l'attente obligatoire des petits patients en les amusant quand les parents n'en peuvent plus. Mona offre d'aider Felicity. L'animatrice en profite pour faire connaissance avec Mona et lui donne son numéro de téléphone en prévision des moments pénibles à venir. Les parents dans la salle d'attente me parlent de l'organisme «Candlelighter», une association anglophone de parents des enfants atteints de leucémie et de cancer. Le Dr Wu ne cache pas sa joie de constater tous les progrès accomplis depuis cinq semaines. Parfois, nous devons dormir à Montréal et nous passons au Centre comme si nous faisions partie de la famille. Une paroissienne a prêté toute la série de disques d'Elvis à Mona. Les écouteurs aux oreilles, le nez dans un livre, elle tente de poursuivre son programme scolaire ou demande au Père Yves s'il n'a pas quelques textes à lui faire taper à la machine.

Pour la fête de Pâques, Mona se coud une jupe pour porter avec son blazer neuf. Moi, je redécore notre salle de bains. J'ai besoin de me faire plaisir et surtout de voir les résultats tangibles de mes efforts. Du concret! Voir l'amélioration, de mes yeux de femme. Alors je m'occupe. Beaucoup. Plus je me démène, plus je vais vite, plus je m'étourdis, plus je réalise que quelque chose ne va pas. Du relâchement dans mon ventre ressenti dernièrement, je passe au coinçage. J'accuse d'abord la fatigue supplémentaire occasionnée par mes nombreux déplacements. Je remarque, à chaque fois que je me trouve très près de Mona, que son haleine annonce une rechute. J'ai beau me traiter d'imbécile, rien n'empêche que cette senteur ne ment pas à mes narines maternelles. Je repousse ces intuitions de mon mieux et le lundi après Pâques, Mona subit un prélèvement de la moelle. En attendant les résultats, j'appelle le Dr D., le premier médecin de Mona, celui qui nous avait prédit quelques mois de survie; il travaille maintenant à Montréal. Comme si on s'était vus la veille, il m'annonce:

— Attendez-moi, je passe vous voir toutes les deux à l'hôpital. Je peux?

Il arrive et nous avons à peine le temps d'échanger une poignée de main que Dr Wu s'avance pour nous parler. Il nous approche avec une nouvelle tactique. Il nous installe tous les trois autour du gros microscope pour nous montrer le dernier frottis de Mona. À l'aide d'une flèche, il nous indique une cellule normale. Pas besoin d'avoir fait un cours en médecine pour comprendre qu'il y en a très peu. La petite vitre déborde des autres, les cellules blastiques. Mon coeur se serre très fort. Dr D. soupire, mal à l'aise. Mona et moi, nous nous regardons tandis que le Dr Wu poursuit son explication sans que personne ne l'écoute. On ne lit que le découragement qui s'étale à la grandeur de son visage chinois.

Nos chances tombent en même temps que notre moral. Que feront-ils? Accepteront-ils de soigner Mona? L'échec semble trop probable. Dr Ribka acceptera-t-il un si gros risque qui menace de gâcher l'image de succès de son nouveau département? Mona devait être sa troisième expérience de transplantation. Personne ne parle d'avenir. Dr Wu n'arrive pas à cacher sa déception et je me dépêche de partir. Nous marchons dans la rue ensoleillée avec, sur le coeur, le poids de cette terrible nouvelle. Dr D. prend Mona amicalement par les épaules, la serre contre lui en disant:

— Écoute, Mona, rémission ou pas, tu vas réussir. Tu l'as bien fait il y a dix ans! Tu vas continuer de te battre!

Je l'embrasse sur la joue en espérant que cette fois, il a raison dans ses prédictions.

Allons-nous passer la soirée à attendre le téléphone du Dr Ribka qui a sûrement appris la nouvelle? Toute la soirée à jongler sur nos chances, si minces? Toute la soirée à douter, à me calmer, à empêcher mon coeur de palpiter, à écouter les nouvelles qui ne parlent que du oui ou du non à la souveraineté-association? Je joue avec le bouton de la télé, je tourne en rond; absolument rien ne peut calmer mon angoisse. Tout à coup je regarde ma fille: l'enjeu, la conséquence. Mon Dieu! c'est d'elle dont je dois m'occuper. Alors je souris, et je propose d'aller au cinéma. Notre choix: *Black Stallion*.

Ma chouette et moi, nous plongeons tête première dans le film comme si nous voulions nous y noyer. Mona adore les chevaux et en dépit des bouffées d'angoisse qui m'envahissent à tout moment, je réussis à m'amuser, à apprécier la beauté des images, à jouir de ses exclamations heureuses. La fureur de l'étalon noir indomptable, apprivoisé par un garçon, apprivoisé par l'amour. Je réalise que nous avons partagé les mêmes sentiments lorsqu'elle me confie, à la sortie du film:

— C'est quand même triste, mamie, de perdre sa liberté, de ne pas rester sauvage.

Le lendemain, notre sort se jouera entre quatre médecins: le spécialiste des recherches sur le «Métrotraxate», le Dr Wu, le Dr Ribka et le Dr Côté. Un ami conduit André à Montréal. Il nous rejoint juste à temps pour la réunion. Mona, assise au beau milieu de cette délégation, écoute attentivement tous les arguments avancés. Dr Wu est visiblement contre la transplantation. Il a perdu sa première femme après un trop long combat contre le cancer. Dr Côté se montre en peu plus optimiste et Dr Ribka continue de parler techniques et médicaments. Mais il me semble qu'il ne nous ferme pas toutes les portes, qu'il nous laisse le choix en définitive. C'est tout ce qui compte pour moi. Après une demi-heure de cet exposé, nous partons en disant:

— Ensemble, nous déciderons.

Intérieurement, en silence, nous menons chacun notre bataille en parcourant les rues trop ensoleillées. Au restaurant, Mona prend la parole la première:

— Mom et dad, je n'ai pas le choix, je dois y aller.

On n'en finit pas de s'exclamer, de se dire soulagés que le Dr Ribka accepte le défi. On se rappelle que la majorité des médecins avaient l'air en faveur de l'opération et surtout la phrase déterminante de Dr Côté qui résonne encore à nos oreilles:

— Nous trouvons que si quelqu'un mérite qu'on essaie, c'est bien Mona!

Dans des mains professionnelles, grâce à une excellente communication et surtout à l'information disponible auprès de l'un ou l'autre de l'équipe, nous abandonnons Mona avec foi à leur suprême tentative pour sauver sa vie. Tous les membres de nos familles nous appuient. Nos amis offrent leur aide, nos concitoyens, nos voisins, tous ont pour nous une bonne parole, un geste généreux et souhaitent nous voir réussir. À l'école d'André, ses confrères s'arrangent pour le libérer de sa tâche sans perte de salaire, grâce à une rotation où plusieurs se partagent ses cours bénévolement.

Toute la famille déménage donc chez les Clarétains. Avant de partir, Mona bien décidée à traverser cette longue épreuve avec succès, s'installe au piano et joue d'aplomb et pour une dernière fois son morceau préféré.

— Bye piano!
— Bye mon chien!
— Bye ma maison!
— À bientôt!

En montant à Montréal, mes deux grands y vont de leurs chansons favorites et Mona s'amuse à traduire simultanément les chansons en français. Elle nous fait rire avec ses bonnes trouvailles.

— T'es folle!

Oui, parfois elle fait des folies. Comme cette fois où elle a dupé tout le monde. Elle s'était foulé le pied et l'hôpital lui avait prêté une paire de béquilles pour marcher. Nous rapportions les béquilles inutiles. Mona pour s'attirer les faveurs des automobilistes et traverser la rue plus facilement se servait de ses béquilles. Comme la circulation ne modérait pas, rendue au beau milieu de la rue Saint-Denis, elle lève les béquilles au-dessus de sa tête et se met à courir à toutes jambes en criant:

— C'est un miracle! C'est un miracle!

*   *   *

Pour la première semaine, Denise, la soeur d'André, offre de prendre ses vacances pour venir nous aider et garder Mark. Elle nous attend pour les repas, cuisine pour nous, nous écoute et prend bien soin de son neveu. Nous envahissons totalement le Centre Clarétain.

André ne quitte pas le Montreal General Hospital pendant les deux nuits au cours desquelles Mona reçoit les injections extrêmement puissantes qui détruiront entre autres toutes les cellules malignes. Des nuits complètes de vomissements continuels, de diarrhées qui vous arrachent le coeur. Le matin, c'est mon tour. Je me brosse les mains, je m'habille comme pour entrer dans une salle d'opération; seuls les yeux ne sont pas couverts. Après trois jours de ce traitement, les pulsations cardiaques grimpent à un point alarmant et l'hôpital à cinq heures du matin nous appelle d'urgence. Il y a grave danger. Dr. Ribka contacte d'autres centres et espère trouver un médicament différent qui ménagerait le coeur. Je me demande dans quel état mon athlète sortira de ce traitement. Mona, branchée à un cathéter reçoit par un tube tous les médicaments, les transfusions et la nourriture nécessaires à sa survie.

Le jour désigné pour la transplantation, pendant que Mona reçoit le traitement de radiothérapie qui finira de blanchir ses os au complet et détruira toute sa moelle, Francis se fera siphonner autant de moelle que possible des os des hanches. Comme une folle, je cours d'un étage à l'autre par les escaliers; les ascenseurs prennent trop de temps. J'essaie de rassurer Francis, de l'encourager. Je sais qu'il a peur de se faire opérer.

— Je suis si fière de toi, mon fils. Je t'aime tant!

Et je veux être présente pour voir Mona sur le petit écran qu'André ne quitte pas des yeux. Je suis la première à pousser la porte dès que la petite lumière «défense d'entrer» s'éteint. Mona pleure, épuisée après cette première session; elle en recevra trois. Le médecin ordonne une injection de calmants plus puissants.

Les techniciennes masquées et gantées la réinstallent pour que d'autres parties de son corps reçoivent les rayons puissants, tandis que je lui chuchote à l'oreille: «Lâche pas ma chouette». Il est six heures trente du matin. Il fallait devancer les patients inscrits pour la même journée. Les infirmières et les techniciennes sont formidables. En dernier, quand j'entends Mona crier de douleur et d'épuisement, que je la vois sur le petit écran incapable de bouger, il n'y a pas que moi, André et le Dr Ribka qui forçons avec elle et qui comptons à haute voix les secondes, mais toute l'équipe. C'est comme si l'hôpital avait sélectionné ses meilleurs employés, ses plus dévoués, ses plus aptes à relever un défi pour nous accompagner dans notre lutte.

On roule Mona en vitesse, toute enveloppée dans des draps stériles. En dépit de son extrême sensibilité après la radiothérapie, elle doit être glissée dans un bain, pour bien la désinfecter, avant de rentrer dans la chambre stérile. Francis repose dans la salle de réveil; son sac de moelle pend au-dessus du lit de Mona et ses cellules coulent dans les os de ma fille. Le médecin qui a récupéré la moelle me signifie son contentement:

— Regardez tous ces litres! Je n'espérais pas tant d'un enfant de quinze ans.

Francis s'en tire avec de la difficulté à marcher pour quelques jours, avec des jours de congé de l'école, des félicitations, des cadeaux de ses oncles et tantes, quelques gâteries, et enfin des bottes de cow-boy offertes par grand-maman. Il marche la tête haute, comme un héros, et il en est un très grand pour nous tous.

Pendant trois semaines, la vie de Mona ne tient qu'à un fil. Mais je sens très bien ce fil de vie. Chaque matin, en ouvrant les yeux, ma fille décroche le téléphone installé spécialement pour elle et j'entends:

— Bonjour mamie!

Une voix à peine audible me réveille chaque matin. Toujours à la même heure, comme si on se préparait pour l'école. Cette petite voix me fait me lever, faire mes «exercices-prières» et me tient comme je la tiens dans sa lutte pour survivre. Les fièvres de 105, les saignements internes, externes, les hémorragies à n'en plus finir par tous les orifices du corps. Son corps meutri par la radiothérapie, ses lèvres enflées comme une saucisse, pleines de sang séché, le nez bourré de ouate pour empêcher l'hémorragie. Elle vomit le sang, a du sang dans ses selles. Le médecin explique:

— Tout l'intérieur de son corps est à vif: tube digestif, intestins...

Elle supporte tout avec un courage extraordinaire. Elle se plie avec docilité aux pommades à appliquer, à la routine des précautions. Les détails du dossier étalés dans la petite salle adjacente restent bien à la vue de tous ceux qui la soignent, y compris moi. Je les étudie attentivement avant de pénétrer dans la chambre stérile. Les courbes de la fièvre, les injections, les transfusions, les plaquettes reçues, les quantités de nourriture donnée, tout m'est communiqué au fur et à mesure. André et moi, nous nous partageons les visites à l'hôpital le matin et l'après-midi. Le soir, on y va ensemble.

Autour de nous, les gens meurent aux soins intensifs. Francis et moi, un matin, nous sommes les premiers dans la petite salle des visiteurs des soins intensifs du Montreal General Hospital à offrir nos condoléances à une vieille dame en pleurs. Son mari vient de rendre l'âme. Francis va lui chercher un café et compatit à sa douleur. Nous devenons les chanceux. Même si Mona est défigurée, enflée, sans un poil sur la tête, enfermée dans sa chambre vitrée comme dans un aquarium, au moins elle respire.

Jamais elle ne peut être complètement seule dans sa chambre. Des yeux la surveillent tout le temps. Les infirmières se relaient à tour de rôle trois fois par jour afin de ne pas trop s'épuiser. Au début dans le temps critique, on nous envoyait la crème du personnel. Nous connaissons leur nom maintenant et leur attitude excellente. Très efficaces et dynamiques, les infirmières m'initient aux précautions stériles d'une salle d'opération. Un soir, une nouvelle infirmière se présente. Sa gentillesse mielleuse m'inspire immédiatement une certaine méfiance. Je fais maintenant la toilette de Mona et l'infirmière gantée et masquée me passe de l'extérieur de la chambre les draps stériles enveloppés. Elle ouvre un coin du drap et je le prends en laissant tomber l'enveloppe à l'extérieur de la chambre où tout est absolument stérilisé. Je lui refile une bassine remplie. Elle la vide dans la toilette, la rince et me la redonne. Je proteste:

— Elle doit être contaminée.

— Mais voyons donc!

Je refuse la bassine jusqu'à ce que l'infirmière m'en donne une stérile.

Partagée entre mon désir de protéger Mona contre les microbes et les répercussions de la mauvaise humeur de l'infirmière si je rapporte sa négligence, je décide finalement de la dénoncer car un seul microbe peut tuer ma fille absolument sans défense. À quoi bon toutes ces précautions, si on ne les respecte pas toutes? Je redouble d'attention.

Un autre matin, je surprends une infirmière en train de parler à Mona sur un ton irrité:

— Mona, je t'ai dit bonjour et tu n'as pas répondu.

Mona n'a pas la force d'expliquer simplement qu'elle dormait.

— J'en ai assez d'être traitée comme ça! Mademoiselle, tu vas répondre quand on te parle!

Mona m'aperçoit dans le vestibule et m'appelle au secours en me tendant les bras, l'air désespéré. Comme je dois me stériliser, m'habiller, me ganter, me masquer et mettre un chapeau avant d'entrer, l'infirmière s'affaire entretemps à ranger et à replacer inutilement toutes sortes d'objets, l'air soucieux sous son masque. Devant rester là, elle doit se demander si j'ai entendu. Dès que j'arrive Mona s'accroche à mon cou et se met à pleurer. L'autre sort ensuite en maugréant. Ma pression et mon adrénaline grimpent à un rythme inquiétant. Je me sens tellement à la merci du personnel. Je calme Mona et la console tant bien que mal. J'appelle André. Dès qu'il arrive il trouve la première occasion pour coincer l'infirmière et l'apostrophe à son tour:

— Vous osez gueuler après un enfant dans cet état?
— Je suis désolée!
— Pour qui vous prenez-vous?
— Nous sommes humains, vous savez!

Les yeux pleins de larmes, elle regrette son emportement. André, après s'être calmé, avoue que sa fille a peut-être besoin d'améliorer ses manières, mais chaque chose à son temps. En éternelle optimiste, une partie de moi se réjouit parce que l'on traite Mona comme si elle allait recommencer une vie normale.

La température de Mona baisse et après plusieurs transfusions, on croit le pire danger écarté. André est fatigué des visites à l'hôpital, de la routine, de la garde de Mark qui exige continuellement de l'attention parce qu'il s'ennuie. C'est comme l'attente longue et monotone après l'excitation de la guerre au front. Il se fâche souvent après moi pour que je modère, que je relaxe. Bien entendu, moins il en fait et plus j'en ai sur les bras. Mona aime que je lui donne moi-même son bain le soir. André va la voir le matin, la force à rester éveillée et même à jouer un peu avec lui. Moi, au contraire, je la gâte: je la lave, la frotte, la masse. Lorsque je pars le soir après sa prière et que j'aperçois un demi-sourire sur ses lèvres enflées comme un gros saucisson, elle murmure:

— Mom, si jamais tu veux faire de l'argent, ouvre un salon de massage. Tu es formidable!

Je peux sentir mes énergies pénétrer dans le corps de mon enfant malade.

André, qui se sent à l'étroit, négligé et moins indispensable, retourne travailler et ramène Mark avec lui. Il devient en effet très turbulent, et de plus il a besoin d'air et de jeux. Les locataires qui habitent en dessous de nous, habituées à l'appartement silencieux des Clarétains se plaignent des sauts et des courses de cet enfant de quatre ans trop agité.

André et moi, loin l'un de l'autre, maintenant sans exigence ni attente l'un envers l'autre, nous ne tardons pas à nous manquer. Je deviens nécessairement plus aimable à ses yeux et il m'apprécie davantage. Il planifie avec ses copains de me faire une surprise: m'offrir le bureau que je désire et exécuter les travaux pendant que je suis à Montréal avec Mona. Il nous rend visite les fins de semaine. Il parle de ses lavages, du linge qu'il n'arrive pas à plier comme il faut. La machine à laver est en panne, pour comble. Même si ses menus s'améliorent, il s'ennuie de ma cuisine. Il n'en revient pas de son nouveau rôle de «maîtresse de maison» et comprend mieux que jamais toute l'énergie que ça exige.

— Comment faisais-tu pour avoir envie de cuisiner après une journée de travail?

Nous le taquinons, le Père Yves et moi:

— Lorsque tu sors, tu ne dois pas nous entretenir continuellement de ta popote et de tes lavages.

*   *   *

Mona promet à Francis de commencer à faire de l'exercice sur la bicyclette afin de se faire les jambes. Le dossier signale une petite amélioration de la formule blanche. Mona reçoit une forte dose de «Métrotraxate» chaque semaine, en vue d'affaiblir son système de défense pour ne pas qu'elle rejette la moelle de son frère. Ce qui a pour effet de la garder faible, très faible; aussi, des nausées continuelles l'empêchent de manger. Ses lèvres commencent pourtant à désenfler. Oncle René est venu la saluer à travers la vitre et lui montrer un beau livre sur les chevaux pour l'initier à l'équitation qu'il veut lui faire connaître lorsqu'elle sera rétablie. Il a fait un trajet de six heures aller et retour pour cette visite de cinq minutes rien que pour lui donner de quoi rêver.

Chaque soir, je reçois un appel téléphonique de l'une ou l'autre des belles-soeurs qui ne cessent de m'encourager. Chacune a une petite anecdote ou un projet à partager. À la fête des Mères, sur la suggestion d'André, Mona me dessine une toute petite fleur sur du papier stérile avec un crayon qu'elle garde près d'elle sur la table de chevet. Son écriture, si belle et ronde habituellement est saccadée, presque informe. J'imagine l'effort qu'il lui a fallu faire pour tracer sa rose et son «Je t'aime, mom» accompagné de baisers péniblement tracés. Consciente de sa maladresse, elle s'en excuse. Je m'empresse de la rassurer:

— Mo, c'est la carte la plus précieuse que j'ai jamais reçue.

Le chien, que l'on devait éloigner pendant six mois à cause des dangers de microbes, le pauvre, négligé, abattu, s'est enfui et on ne l'a jamais revu. J'ai acheté des posters montrant des chiots et Mona rêve de celui qu'elle pourra choisir dès que le docteur le permettra. J'ai tapissé sa chambre de photos de notre voyage en Californie nous montrant une Mona vigoureuse qui se balance au bout d'un câble avant de plonger dans le lac. Le plongeon a été photographié à plusieurs reprises. Je colle au mur les cartes que grand-maman envoie à chaque jour, celles aussi de ses petites amies. J'accroche les fleurs à l'extérieur de la vitre et j'ai pu lui procurer un tourne-disque que j'ai d'abord nettoyé à l'alcool. Pour mettre un peu de vie dans sa chambre-prison, j'achète des livres de chansons populaires et, couchée près d'elle, enveloppée de mon attirail stérile, je chantonne les paroles à travers mon masque. Lorsqu'elle voit que je fausse vraiment trop, elle finit par me donner le ton et ainsi, j'ai le bonheur de l'entendre chanter. Je colle des posters d'acteurs au plafond, souhaitant que Fonzie l'inspire.

Quand elle exprime le désir de s'habiller avec de vrais vêtements, je suis ravie et je magasine pour des petits chandails aux couleurs de printemps. Comme tout doit passer dans la machine à stériliser, elle les reçoit plus tard. Un matin, après sa toilette, elle me surprend. Elle a enfilé des jeans blancs et un gilet jaune soleil. Elle marche péniblement, mais c'est magnifique de la voir se déplacer dans sa petite chambre. Bientôt, elle monte sur la bicyclette installée dans un coin et essaie d'actionner les pédales.

Tous les matins, le coeur à l'endroit, je me rends à l'hôpital par le métro. Je prends plaisir à ces déplacements. C'est comme si je me rendais travailler. Hé! moi aussi j'ai un emploi à plein temps. Mère à plein temps, je ne compte pas mes heures. Tant qu'on en veut! Je ne réclame pas un sou!

Mona m'attend et je ne peux même pas me permettre un mal de gorge. Je m'interdis la maladie, la moindre faiblesse. Petit à petit, elle s'anime et échange avec les infirmières. Elle raconte les étés au lac, les steaks au charbon de bois. Mais voilà: plus elle prend des forces, plus elle s'ennuie. Je suis vite à court de moyens pour la divertir. Je passe presque mes journées entières et mes soirées à l'hôpital pour revenir tard par le métro.

Souvent, je me sens bien seule sur le chemin du retour quand je descends jusqu'à la rue Sainte-Catherine. Heureusement, en arrivant je peux échanger avec Yves en prenant un café. Il sait si bien communiquer sa foi sans jamais la prêcher.

J'essaie de me divertir davantage et de couper mes journées aux soins intensifs pour garder mon moral. L'après-midi je vais marcher, je m'attarde aux vitrines de la rue Sainte-Catherine avec le goût de profiter du beau temps. Mona regarde toujours ses repas avec dédain et après avoir fortement insisté pour qu'elle mange, je sors pour la durée de sa sieste. Plus tôt elle arrivera à avaler les aliments, plus vite on débranchera ce tube qui la nourrit par intraveineuse.

Ces temps-ci, Mona et moi nous fabriquons un coussin. Elle fait deux rangs et moi dix. À deux, nous avançons et nous nous encourageons. Dix minutes de bricolage, quinze minutes de lecture. Un programme de télé, mon café de l'avant-midi, l'heure des médicaments, une partie de «backgammon» et le dîner s'annonce.

Mona devait, pour récupérer, prendre un cours de mathématiques. Mais le professeur s'était présenté trop tôt, au début de sa convalescence. Mona avait du mal à parler; il n'était pas question de cours. Voyant Mona exténuée, je l'avais remercié en le priant de remettre les cours à plus tard. Il n'est jamais revenu. Alors, je me retrouve seule avec la tâche de l'occuper et de la divertir.

Un jour où j'ai particulièrement besoin de me remonter le moral, je me rends dans une grande pharmacie pour m'acheter des verres fumés. C'est ma fantaisie, une petite folie que j'ai envie de m'offrir: une belle paire de lunettes. J'ai avec moi un grand sac contenant un poster géant à colorier avec des crayons feutres que je viens tout juste d'acheter pour Mona. Mona et moi nous y travaillerons lorsqu'elle en aura envie. Dans la pharmacie, je coince mon grand sac entre mes jambes et j'essaie toutes sortes de lunettes, tâchant de choisir la forme qui m'ira le mieux. Je m'offre ensuite un peu de maquillage, histoire de changer, d'adopter les couleurs de l'été. Je m'offre aussi une brosse à cheveux. Je circule dans les allées, pour une fois que je me livre complètement au plaisir de penser à moi, de prendre mon temps. Je fouine dans les rayons des shampooings colorants. J'ai bien envie de raviver un peu la couleur de mes cheveux, de leur donner plus d'éclat. Je lis les instructions à l'intérieur des boîtes pour m'assurer que le produit ne contient aucun décolorant ou peroxyde. Enfin, après m'être bien amusée, les bras chargés de toutes sortes de douceurs que je ne m'achète pas en temps normal, je passe à la caisse en vérifiant l'heure à ma montre. Je paye avec ma carte de crédit et j'oublie le montant le plus vite possible. Comme je me dirige vers la sortie, une main ferme me touche l'épaule tandis qu'une voix m'ordonne:

— Videz vos sacs, madame!

— Quoi?

Mon coeur bat à toute vitesse. On me traite comme une voleuse prise en flagrant délit. J'essaie de comprendre. Est-ce que par hasard je n'aurais pas laissé tomber par mégarde une bouteille ou une paire de lunettes dans mon grand sac? La détective regarde mes mains tremblantes déballer mes paquets. Je balbutie, bégaye. Jamais je n'ai été traitée ainsi! J'ai bien envie de pleurer, mais je refuse de me donner en spectacle ici. Je me sens insultée mais en même temps j'ai très hâte de voir le fond de mon sac. La détective vérifie elle-même en plongeant sa main. Il n'y a rien! Ouf! Après avoir vérifié les articles payés, elle remet tout dans mes sacs pendant que je reste là les jambes molles, assise au bord de la vitrine du magasin où j'étais venue chercher de quoi me réconforter. Je n'ai même pas la force de monter la côte jusqu'à l'hôpital et je prends un taxi en essuyant mes larmes sous mes verres fumés neufs. Je jure de porter plainte. Mais je sens mes énergies tellement minées qu'au lieu de me révolter, je me découvre plutôt une grande compassion pour les victimes.

* * *

On attend avec impatience la remontée des globules blancs. Il en faut un minimum de 1 000 avant que Mona puisse quitter les soins intensifs pour une chambre ordinaire. Elle a commencé à faire de la bicyclette sur place et quand j'arrive de bonne heure le matin, je dois faire de grands signes de la main car elle me guette de la fenêtre du huitième, la perruque sur la tête, habillée, comme si nous allions partir. Elle renifle par la fenêtre, sent l'herbe fraîchement coupée et s'exclame:

— Mom! Ça sent si bon! Sortons, d'accord?

Prisonnières, nous attendons en jouant, en regardant la télé, en tricotant. Yves vient la visiter pour l'exhorter à la patience. Elle trouve qu'il a l'air drôle tout enveloppé dans sa jaquette et ses bottillons stériles, mais c'est le chapeau et le masque qui la font pouffer et elle se laisse alors aller à le taquiner. Il entre dans le jeu:

— Écoute, sacrifice! Je viens te visiter et tu oses rire de moi!

Le samedi où elle obtient enfin le droit de sortir de l'aquarium stérile, enveloppée sous un masque protecteur et des gants, elle est transportée sur un fauteuil roulant et peut enfin voir du «vrai monde» marcher dans l'hôpital. Et la vraie fête, c'est de prendre un bain après deux mois. Je désinfecte la baignoire avec du savon iodé et l'infirmière m'aide à installer une doublure en plastique et ajoute du désinfectant à l'eau pour une meilleure protection. Mona se glisse dans la baignoire avec précaution. En goûtant l'eau tiède, elle s'exclame:

— Mom, tu ne peux pas t'imaginer ce que ça représente, un sourire de satisfaction irradiant sa figure enflée.

Dès la première fin de semaine, elle devient intenable et demande la permission d'aller faire une promenade en voiture. Son père la sort et l'amène au parc Lafontaine s'asseoir sous un arbre, un vrai de vrai. Elle a l'air d'un enfant un peu retardé avec ses gestes lents, débalancés, et ses cris sous son masque, suivant son jeune frère et touchant le gazon.

Elle se démène passablement. Trop. Lorsqu'elle revient à l'hôpital, je dois lui donner un bain pour la désinfecter, faire son pansement stérile sur son cathéter comme me l'ont montré les infirmières des soins intensifs. Elle fait de la fièvre et reste affalée sur son lit jusqu'à ce que le médecin ne trouvant pas la cause décide d'arracher son cathéter gardé ouvert pour éviter de la piquer à chaque injection.

*   *   *

Il règne autour de nous beaucoup de tension. On est à l'époque du référendum. Le Québec veut se libérer, peu importe le prix et les conséquences pour la population. Le travailleur aussi veut se libérer, les enfants également et les femmes! Nous avons un nom français, nous parlons français et anglais et Mona est soignée dans une institution très anglaise dans ses racines. La plupart des employés s'expriment en anglais et parlent français avec difficulté. Nous vivons quant à nous une situation qui dépasse de beaucoup les allégeances politiques, bien au-delà de la langue et de la couleur de la peau. Heureusement, les gens autour de nous semblent beaucoup plus préoccupés par la vie à conserver que par la guerre à mener. L'autre jour, j'ai vu le Dr Ribka se pencher et ramasser un objet échappé par une préposée à l'entretien de race noire. Il lui a remis poliment dans les mains aussi naturellement que si sa mère avait laissé tomber un gant. Ici, chaque travailleur est très important, depuis le type qui désinfecte la chambre jusqu'à la préposée au matériel stérile, au technicien affecté aux machines utilisées, aux infirmières débrouillardes sans lesquelles Dr Ribka ne pourrait absolument pas réussir ses opérations. Il les traite tous avec dignité et révérence, peu importe leur langue maternelle, leur couleur, leurs diplômes ou leur sexe. Quand un médecin de cette trempe doit subir une grève des internes et faire des heures supplémentaires par-dessus le nombre incalculable d'heures passées à l'hôpital on crierait à l'injustice. Par contre j'ai de la sympathie pour les internes surchargés et je reste impuissante devant cette situation. Je prie pour que les hommes apprennent à se parler et oublient de ne penser qu'à dominer leur prochain.

* * *

À la maison, André aidé de ses amis, a ouvert la pièce qui me servira de bureau. Il réserve les services d'une compagnie d'entretien ménager et avec le secours de quelques amies et de ma mère, ils passent la maison au peigne fin et chaque objet est lavé, désinfecté en prévision du retour de Mona. Tout brille: les vitres, les planchers, les meubles.Une immense pancarte accueillera Mona: «WELCOME HOME». Un bouquet de fleurs venant du Père Yves garnit la table du salon. Il nous remercie d'avoir partagé cette expérience avec lui. Sa vision de la famille a changé. Toutes les taquineries que je lui faisais me reviennent à l'esprit.

— Oui, je vois ce que tu veux dire, jamais plus tu n'auras envie de te marier.

— Mais non! Ce n'est pas ce que je veux dire, répondait-il en riant.

— Tu vas être bien débarrassé; plus de femme dans tes affaires, avoue-le.

Il nous avait embrassées sur la joue Mona et moi en partant et nous ne doutons pas qu'il nous aime bien. En tous cas nous, nous l'aimons. Comme nous avons essayé de lui dire sur le seuil de sa porte:

— Merci d'avoir été là. Merci pour tout! Pour, pour... Ah! puis, Yves, ça ne s'exprime pas. Tu m'as donné foi en l'humanité!

André sourit de nous voir enfin revenues toutes les deux et sans attendre, je dois monter Mona à sa chambre, l'installer, désinfecter la plaie laissée par son cathéter, refaire le pansement stérile, toujours masquée et gantée. En somme, j'essaie de procurer à Mona les mêmes soins qu'elle recevait à l'hôpital. Toute la famille réclame aussi sa part d'attention. Les premières journées, on m'aide et on me répète comment on apprécie mes bons repas. Tout ce que j'accomplis devient une surprise et un cadeau pour mes hommes que j'ai négligés et qui se sont habitués à se débrouiller seuls.

En quelques jours, ils reprennent leurs vieilles habitudes et considèrent tout ce que je fais comme un dû. Je m'épuise vite, à ce rythme. Je dois me rendre à Montréal toutes les semaines pour l'injection et la ponction lombaire de Mona. Elle maigrit beaucoup et ne réussit pas à se nourrir normalement. Nous sommes à la mi-juin et elle régresse au lieu d'avancer. Elle bouge avec difficulté et réussit à s'asseoir un peu au soleil, masquée et protégée le plus possible des microbes. Ce n'est qu'au début de juillet qu'elle marche un peu plus allègrement. Nous allons alors au lac mais revenons toujours de bonne heure. Ne pas prendre froid, rester à l'écart des gens qui ont la grippe, souhaiter la faim sans jamais la sentir. De l'appétit, c'est ce qu'elle désire.

Et un beau matin, je la vois enfourcher sa bicyclette, protégée de son masque, son chapeau calé sur les yeux. Je la regarde rouler jusqu'au bout de la rue et revenir avec autant de joie qu'à ses premiers pas.

Quelques jours plus tard, au lever du soleil, elle me réveille et insiste pour que je fasse du jogging avec elle. Elle en a assez de tourner en rond, insiste-t-elle, et veut redevenir en forme. Bon, après m'avoir paralysée pendant des mois aux soins intensifs, elle veut maintenant me forcer à courir. Je me lève heureuse bien qu'encore endormie. Elle trottine le long de la rivière. Je dois m'arrêter plus souvent qu'elle. Elle se moque de moi et taquine tout le monde. Il n'y a que ses plaquettes qui prennent du temps à remonter; le reste de sa formule sanguine est tout à fait normal. En revenant de Montréal, elle chante à tue tête «I did what I had to do, I did it my way.» Elle se permet des excentricités incroyables. Un soir, elle lance un verre d'eau à son père qui se met à courir après elle pour se venger. Elle hurle pour se défendre:

— Dad, mes plaquettes!

Normalement, elle aurait mérité une bonne séance de tiraillage pour un coup pareil. André se contente de la menacer gentiment:

— Tu ne perds rien pour attendre. Je te remettrai ça!

Elle ricane, l'air taquin:

— Sauvée par les plaquettes!

Un jour, nous devons interrompre le jogging: Mona se plaint de maux de tête. À un point tel que nous l'amenons à l'hôpital. Après un «Scan» et beaucoup d'autres tests, on déclare que l'injection hebdomadaire visant à contrôler le rejet irrite son cerveau; en réaction, celui-ci fabrique trop de liquide rachidien. On établit alors un autre traitement: à chaque semaine, lors de la ponction lombaire, on devra retirer du liquide pour atténuer la pression au cerveau et on diminuera la dose de «Métrotraxate» injecté. D'autres solutions sont envisagées, même celle d'installer un tube qui éliminerait le trop-plein si le tout ne rentre pas dans l'ordre. En attendant, de la cortisone en grande quantité neutralisera la douleur et redonnera l'appétit à Mona. Elle déteste l'idée que son visage redeviendra rond comme une lune mais elle s'en fiche cachée derrière son masque. Les maux de tête soulagés, elle redevient gaie. À la suite de ce regain de vie, elle désire sortir, veut même aller à une surprise-party. On lui sert l'avertissement habituel: si quelqu'un tousse, tu t'éloignes. Pour cette sortie, elle porte une jolie robe soleil qu'elle s'est fabriquée, un petit foulard de même tissu, se coiffe de sa perruque et même si elle porte un masque de chirurgien sur la bouche et le nez, elle s'y rend le coeur léger.

Un jour, elle remplit un sac à dos et insiste pour aller seule à bicyclette au lac, et y passer la nuit. Après avoir calculé les risques, les maux de tête possibles, les dangers de tomber, de prendre froid, je dis non fermement. Sa réaction est tout à fait normale. Elle m'en veut énormément de ce refus, me tient tête et gueule parce que je la traite comme un bébé, que je la surprotège. Dans son journal, elle menace de s'enfuir de la maison parce que ses parents continuent de la traiter comme une malade, ce qui l'exaspère.

Elle revient vite ensuite à de meilleurs sentiments, fait la cuisine et m'aide à peindre mon bureau. Elle se baigne avec Nancy non seulement coiffée d'un chapeau mais aussi avec un masque. Elle joue au badminton tout en faisant attention: au premier signe de mal de tête, elle s'immobilise et je propose discrètement de rentrer à la maison. Elle regrette de priver toute la famille du plaisir du feu de camp en fin de soirée. Dès que disparaît la douleur, elle s'essaye au tennis ou s'en va visiter ses petites amies. Constatant sa bonne forme, je ne lui refuse à peu près rien et je la conduis où elle désire aller. On doit se rendre régulièrement à Montréal pour les traitements. Les autres jours, je trimbale les provisions et on va tous manger au lac.

*   *   *

Je cours comme une folle depuis un an. Un an bientôt que je n'ai pas eu une seule journée pour penser un peu à moi. Ce n'est pas que je devienne égoïste mais je commence à ressentir le besoin de ralentir, d'arrêter de courir comme une marionnette entre la maison, le chalet, l'hôpital, à cuisiner, laver, disputer. Je constate que je fonctionne moins bien qu'avant. Quand je me sens crevée, je laisse une petite note à André sur son oreiller le soir: «Tu es un bon père. Merci. Je sais que tu mérites une femme plus amoureuse. Un de ces jours! J'ai besoin, avant, de me sentir bien.»

Il me caresse tendrement dans mon sommeil et le lendemain, je m'efforce de retrouver la paix, le calme en moi en me retirant dans le silence de mon bureau tout neuf. Je cherche cet état d'esprit où on se sent en harmonie avec son entourage. Je veux tant le créer. Je sais bien que ça ne peut venir que de l'intérieur et je fais tout pour le trouver.

Je suis souvent irritable, mais je ne m'aime pas ainsi. Et plus je suis tendue, plus je fume. Il serait temps de poser un geste positif envers moi, de commencer par le commencement, par arrêter de respirer de la boucane. J'avertis les enfants de mes intentions et je les préviens des sautes d'humeur qu'ils subiront. Lorsque je me sentirai sortir de mes gonds, je partirai faire une marche. Ils sont d'accord et m'appuient dans mes résolutions.

Ce nouveau défi me plaît et me stimule à m'organiser un automne intéressant. Mona recevra ses cours à la maison, trois demi-journées par semaine, avec des devoirs comme si elle allait à l'école. Elle pourra mieux ainsi réintégrer le programme scolaire aussitôt que son médecin le permettra. Ce ne sera sûrement pas avant Noël. La commission scolaire nous a recommandé un excellent professeur et Mona l'aime bien. À part le masque qu'elle doit porter pendant les leçons, elle se montre très heureuse de cet arrangement. Elle adore apprendre et son prof la comble. Presque sévère, très sérieux, il s'acquitte de sa tâche très professionnellement. Sa gentillesse nous désarme lorsqu'il offre à Mona de mettre un masque à son tour pour qu'elle puisse respirer librement. Mon petit monde tourne rondement: Mark à la pré-maternelle trois demi-journées par semaine, Francis et André à leurs cours. C'est mon tour et je m'offre un cours à l'université. Mona reçoit Angie en fin de semaine. Une vraie famille normale, enfin! Tu parles! je devrais être au paradis après autant de tension. Pas tout à fait pourtant. Je m'évertue à croire que nous tenons notre victoire dans le fond du coeur. Mais je n'arrive pas à cette certitude calme, alors je me modère: on m'a prévenue que ce serait long.

Arrête tes chimères! Imagine Mona en forme! Mais Mona m'inquiète. Elle est toujours collée à moi. Un enfant qui prend du mieux ne nous talonne pas ainsi. Il vole et court et veut s'échapper. Pas elle. Les soirs d'octobre, elle me propose de faire du feu dans le petit poêle à bois de mon bureau. Elle s'étend sur le tapis près du feu et regarde danser les flammes espérant qu'elles réchaufferont ses os fragiles. De longs silences nous parlent. J'aimerais m'en aller, ne pas penser, m'étourdir. André aussi. Il se tient très occupé, s'implique plus que jamais à l'école dans une foule d'activités dont l'organisation d'un bal costumé pour l'Halloween. Moi, je me force à l'enthousiasme et je fabrique un costume pour Mark. Mona se plaint d'avoir mal aux jambes. Ce doit être les pluies, l'humidité. J'exagère sûrement. Je déforme tout, sans doute parce que nous sommes en crise son père et moi. Nous avons froid dans le coeur. André a un gouffre au fond des yeux. Il répète souvent sur un ton glacial:

— J'en ai assez!

Le soir de l'Halloween, je lui trouve un costume pour son party, je l'habille, je ris de son déguisement, je prends des photos. Mon rire me donne mal au ventre au lieu de me libérer. Mona accompagne son petit frère de maison en maison. Elle aussi s'efforce de trouver drôle les monstres, les spectres, les vampires. Elle marche péniblement sous la pluie à remplir de friandises un sac orangé. André rentre de sa soirée. Tout ce qu'il trouve à dire:

— Je suis épuisé!

*   *   *

Une grosse bosse a poussé sur la tête de Mona et con-crétise mes appréhensions. Nous devons l'hospitaliser à nouveau. Encore à Montréal. Je suis énervée comme jamais. J'attends. Quelqu'un qui fume dans les corridors de l'hôpital. Je cherche des cigarettes. À quoi bon prendre soin de sa santé, hein? Je téléphone à André entre deux cours avant de me jeter sur ma première cigarette. Je l'avertis que les nouvelles ne seront pas bonnes, que le médecin est très inquiet. Une belle dame près de moi, dans le compartiment de téléphone voisin du mien, tient son fils de huit ans au téléphone pour qu'il insiste auprès de son père divorcé pour qu'il vienne les rejoindre. L'enfant-victime se désole pour sa maman déçue, il reste planté là comme un coupable à écou-ter sa mère supplier:

— *Just once, let's try!*

Moi je dis:

— Juste une cigarette!

Il me prend des goûts de changer de téléphone avec ma voisine, de changer de croix avec elle.

— Je te rejoins après l'école, promet André qui me sent à bout de nerfs.

— Merci, je t'attends. dis-je soulagée.

Tandis que ma voisine me montre le dos de son vison et en profite pour essuyer ses larmes.

André accompagne Mona pour une analyse: on fera un prélèvement sur la bosse. Il la taquine,la fait rire, et elle rentre dans la salle pour en ressortir une demi-heure plus tard, le sourire aux lèvres. Dr Ribka nous reçoit dans un petit bureau et nous apprend l'aggravation de la maladie: la bosse est cancéreuse. Le médecin évite de le dire à Mona et lui propose des sessions de radiothérapie. L'horaire des traitements étant établi, nous retournons à la maison pour la fin de semaine.

Mona me prend par le cou pendant que je prépare le repas. En m'enlaçant, elle dit à mon oreille:

— Mom, des fois, j'ai envie de tout laisser tomber.

Mon estomac se contracte et affolée, je m'entends répliquer:

— Tu sais, ma grande, si tu abandonnes dans ton coeur, il ne reste aucune chance.

— Je sais, je sais, dit-elle, l'air épuisée.

Pendant quelques secondes, je nous vois arrêtant tout, assises bien tranquilles à attendre... Je chasse bien vite cette image et je m'empresse d'organiser notre séjour à Montréal chez le Père Yves. Les Clarétains nous accueillent encore, au presbytère cette fois où Yves a été nommé curé. Diane et Bertrand nous rejoignent avec leurs enfants pour passer le dimanche avec nous. Diane offre à Mona un nécessaire de bricolage: un beau petit chat à fabriquer pendant sa semaine de traitements.

— Tu pourras commencer tes cadeaux de Noël, propose-t-elle.

Elle ne pouvait pas viser plus juste. Mona sourit à l'idée d'occuper les longues heures d'attente à préparer ses cadeaux. Son professeur lui a remis ses travaux scolaires à exécuter et grâce à l'accueil chaleureux du Père Yves, nous tenons bien le coup. J'offre mes services à la paroisse. Je serai secrétaire au presbytère dans l'avant-midi. En me rendant utile, je pourrai mieux oublier ma douleur. Je reçois des appels de gens qui n'ont même pas de quoi manger, des cris de détresse qui m'affligent profondément et que je refile à la société Saint-Vincent-de-Paul. Une vieille dame un peu perdue est à la recherche d'un manteau d'hiver. Si le mien lui faisait, je lui aurais donné. Je travaille dans les fichiers, je donne la communion à un vieux qui vient la chercher pour son copain malade.

Yves fait ses visites de paroisse. Les gens du quartier sont pauvres, les familles désunies, sans ressources. Il médite, prie, dit sa messe et s'attaque à la tâche en aidant un à un les malheureux comme si la chaîne allait finir par s'étendre du voisin à la paroisse, à la ville, à la province, au pays tout entier. Insoumis dans l'âme, il dénonce les injustices sociales et tente d'orienter ses paroissiens vers différentes ressources. Un soir, Yves et son vicaire m'invitent à une conférence donnée par un religieux assez âgé. Je bondis lorsque j'entends le vieil homme dire:

— Les femmes, soyez patientes et attendez votre dû de tendresse, il viendra.

Mon coeur sauvage rouspète: «C'est ça bande de niaiseuses, attendez votre bonbon et s'il ne vient pas, priez!» À la pause, je me dirige vers le conférencier et lui fais part de mon désaccord. Loin de chercher à éteindre ma révolte, il continue son discours:

— Ne soyez pas amères, mes petites dames, vos enfants en souffriront.

Quand il parle des enfants, mon coeur fond. Pour moi, je n'attendrai pas la tendresse, mais j'irai la chercher, la prendre, la créer, pour la partager.

Petit à petit, je finis par m'habituer à la situation et lorsque j'attends avec ma fille dans la salle pour les traitements, je ne pleure pas, Mona non plus. Nous causons avec les gens qui viennent quêter quelques rayons miraculeux capables de faire disparaître les bosses à vue d'oeil et de supprimer la douleur jusque dans les os. Après une injection de «Vincristine», nous revenons à la maison avec un sursis, une bosse disparue, une plaque de cheveux aussi. Mona gagne la permission d'avoir un petit chiot. Heureuse, elle est la seule à ne pas savoir que précautions ou pas, ça n'a plus aucune importance. La journée même de son retour, elle va choisir son petit chiot et nous reprenons nos activités comme avant, consciencieusement, convaincues que c'est là la meilleure façon de bien vivre le temps qu'il reste.

*   *   *

Je me démène au téléphone afin d'obtenir un rendez-vous pour Mona au Montreal General Hospital. Je ne la trouve pas bien du tout depuis quelques jours. Elle traîne la patte, elle tousse et fait un peu de fièvre. La visite hebdomadaire était prévue pour demain, mais ça ne peut plus attendre. C'est plus fort que moi: je crains toujours de ne pas réagir à temps.

— Je vous en prie, docteur! N'avez-vous pas une annulation?

Il nous recevra. J'en suis soulagée et affolée à la fois. Je trépigne d'une fenêtre à l'autre, incapable de me calmer, redoutant les conditions de la route. Je me convaincs que l'autoroute sera dégagée. J'ai de bons pneus, je n'aurai qu'à prendre mon temps. Je connais bien notre vieille Pontiac. Pesante. Je la sais solide sur la neige. Nous partons, c'est décidé. Le soleil perce et c'est bon signe en ce début de décembre. J'ai fait ce voyage à Montréal des dizaines et des dizaines de fois depuis un an: un de plus ne nous tuera pas.

— Es-tu prête, Mo?

Je dépose Mark chez sa gardienne. J'organise toujours tout très rondement, sans me rendre compte finalement de tout ce que j'accomplis dans une journée. À vrai dire, je n'ai jamais le temps de faire le relevé de mon emploi du temps, sans doute parce qu'il est trop chargé. Je n'ai ni le loisir ni le besoin de faire du jogging! Je cours sans cesse d'un endroit à l'autre avec un sac plein des choses nécessaires au quotidien, je jogge en descendant et en remontant des escaliers avec des jeux pleins les bras, je jogge entre Windsor et Montréal avec une vieille bagnole qu'on a négligée d'entretenir à l'exception de l'essentiel à la sécurité de la famille: pneus, freins, moteur. Ce qui fait que nous avons une vieille auto mais qui démarre même sous zéro. Comme la portière arrière gauche n'ouvre plus et que celle du conducteur est plutôt capricieuse par temps froid, je monte habituellement du côté du passager et je me glisse jusqu'au volant, suivie de Mona. Elle ne se plaint jamais et m'imite dans mon attitude à la «puisqu'il faut y aller, allons-y!»

— Bye, Mark, écoute bien madame Dion.

Il ne rechigne pas. Il a même l'air de préférer sa gardienne à sa mère. C'est vrai qu'elle est beaucoup plus enthousiaste pour improviser des jeux, pour donner des explications et pour l'écouter que sa mère trop nerveuse ces temps-ci. Je me sens sa maman pourtant lorsque je l'embrasse et l'entoure de mes bras. J'espère seulement qu'avec son coeur d'enfant, il entend toutes mes explications jamais exprimées.

— Je t'aime, lui dis-je avant qu'il n'entre à la course rejoindre les petits amis avec qui il se fait garder.

Je fouille dans mon portefeuille pour vérifier si nous avons de quoi manger. Je touche ma carte de crédit, mon argent de plastique. Même si je n'en aime pas le principe, j'apprécie la sécurité temporaire que cela me procure. Si au moins je gagnais de l'argent en faisant garder mon fils, si au moins je pouvais arrondir le budget familial. Non, j'y puise à deux mains. Un jour, je me jure que ce sera mon tour et alors j'apporterai au lieu de piger et de gruger. À peine arrivée sur l'autoroute, le pare-brise est déjà tout sali de la boue mélangée de neige projetée par les gros camions. Si la neige domine j'en profite alors pour actionner les essuie-glace. Le petit moteur de la pompe du lave-vitre refuse de fonctionner. J'ai beau presser le petit bouton, rien à faire.

— Damnée auto! Encore un truc de brisé. J'en ai assez! Ce soir, je la rentre au garage.

Lorsque je ne vois vraiment plus rien, j'arrête pour nettoyer le pare-brise avec des poignées de neige. Je me jure que c'est le dernier voyage que je fais avec cette ruine qui a déjà roulé plus de 100 000 milles.

— Mona, fais partir les essuie-glace!

Et je lance encore de la neige entre le va-et-vient des balais. Mona réagit comme si je lui flanquais la neige sur le visage et je souris. La vitre enfin propre, je réussis à ouvrir la portière côté conducteur qui a décidé d'obéir, la serrure ayant eu le temps de dégeler grâce à la chaleur. La radio joue; il y a au moins ça qui fonctionne et aussi la chaufferette, qui n'a jamais flanché. Bon, ce n'est quand même pas si mal. Allons-y! La route est mauvaise et l'auto s'agrippe en mordant parfois dans la neige, revient sur l'asphalte ou encore glisse sur une plaque de glace. Près de Drummondville, je devine que la 20 sera mieux dégagée puisque la circulation est plus dense. L'idée de rebrousser chemin me paraît pire que de continuer. De temps en temps j'essaie mes freins et ils répondent assez bien, si je n'appuie pas trop brusquement.

— Que ferons-nous ce soir?

Je pense parfois à haute voix et Mona me répond:

— On peut toujours rester chez Yves, mom!
— Heureusement qu'on l'a lui, hein?

Enfin le panneau qui annonce la 20. Je tourne le rond-point, soulagée: la route est moins enneigée. J'appuie donc un peu plus sur l'accélérateur en évitant le plus possible de me faire éclabousser par les gros camions. Bientôt, nous nous arrêtons à un restaurant pour boire un café et faire le plein. D'un coup, ma carte de crédit vient de grimper de 40$. Franchement, par esprit d'économie, nous devrions changer de voiture pour une plus compacte. Avant de reprendre la route, je bouge un peu mon dos pour faire disparaître la douleur tenace qui me darde entre les omoplates. Je respire profondément et nous repartons vers Montréal. Les joyeux animateurs de Radio-Canada commentent les films et les pièces de théatre à l'affiche dans la métropole. Mona me parle de son petit chien avec un sourire heureux. On a appris à apprécier pleinement nos petits bonheurs, elle et moi. Il suffit parfois d'une boucle d'oreille qui s'harmonise bien avec les couleurs d'un gilet et nous voilà sourires. Plus nous avons besoin de renfort et de soutien, mieux nous soignons notre tenue, inconsciemment sans doute. Aujourd'hui, Mona a mis le paquet: son pantalon neuf acheté pour les Fêtes avec son chandail déniché dans une boutique de Montréal. Un gros col montant camoufle un peu son visage gonflé. Nous sommes habituées à ses joues rondes, nous les oublions presque et nous nous attardons plutôt sur ses beaux yeux toujours aussi foncés et brillants. On dirait qu'elle les maquille, tellement ses cils sont longs. Je lui dis très souvent et elle sourit en ripostant:

— Je suis chanceuse. Toi, tu dois te barbouiller.

Rendue au pont Champlain, Mona sort la monnaie pour le péage, comme elle le fait chaque fois. Elle en profite pour mettre de l'ordre dans mes cartes et mes papiers.

— Mom, je t'ai offert un beau portefeuille et tu le bourres encore!

Je connais ses recommandations par coeur ainsi que les indications et nos points de repère pour tourner sur la bonne rue. Vu du pont, le fleuve semble rapetissé sous la neige, il paraît plus étroit; c'est moins impressionnant de regarder en bas. Quand j'étais plus jeune, j'avais toujours la peur stupide que le pont s'effondre. Chaque fois que j'y passais, je sentais un petit pincement au coeur. Maintenant, rien! Je me sens comme une roche, sèche, insensible. C'est bien, ce contrôle, non? Ou est-ce l'âge? L'endurcissement? Habilement, je me faufile sur le boulevard Dorchester, me méfiant des autobus et des manoeuvres brusques des chauffeurs de taxis. Près de l'hôpital, je cherche un endroit pour me garer où je ne récolterai pas de contravention. La pancarte au bord de la rue indique qu'il est interdit de stationner de ce côté après trois heures. Si on n'a pas terminé à ce moment-là, il me faudra me souvenir de venir la déplacer. Je m'amuse à penser que peut-être tout se passera très vite même si je sais pertinemment que ce sera long, que c'est toujours long l'attente.

Le département d'oncologie avec ses patients au visage jauni par la chimiothérapie ne m'effraie plus. Je crains encore une fois de devenir insensible comme une roche. Il y a un an, je rentrais dans cette boîte à reculons, voulant ignorer ces pauvres gens alignés le long des murs. Le sourire toujours accueillant de la réceptionniste, sa grande gentillesse m'incitaient à la politesse. Je ne voulais qu'être polie; sans plus, envers les gens discrets, résignés qui comme moi attendaient en silence. J'en avais assez apprivoisé des départements, je ne voulais pas recommencer ici. Je me disais alors: Nous recevrons la transplantation ici mais aussitôt après, nous retournerons à notre hôpital habituel. C'est ce que je me proposais. Ils m'ont bien eue! Ils ont finalement gagné: je suis maintenant une des leurs. Je ne peux pas rester indifférente lorsque j'apprends que telle jeune fille que je voyais souvent a été hospitalisée au seizième étage et que même si on me le cache, je devine qu'elle va mourir. Et je ne suis pas indifférente non plus quand l'infirmière nous raconte sa maternité et qu'elle annonce une deuxième grossesse.

— Vous allez garder votre emploi?
— J'essaierai.
— *It's an ego trip a kid. I just love him so.*

Je m'assois pendant que ma chouette reçoit une ponction de la moelle osseuse. Jamais je n'aurais cru être capable de m'asseoir pendant ce rituel et même d'écouter le bavardage joyeux d'une infirmière heureuse. Mona relance la conversation en lui parlant de son chien. Elle dit, en s'allongeant sur la table blanche:

— J'ai le plus mignon petit chien…

Le docteur s'informe du chiot tout en perçant l'os anesthésié de ma fille.

— Est-ce que je te fais mal?
— Hum, hum.

Ne sachant si c'est un oui ou un non, il continue agilement, espérant que c'est un non. Je fais la réflexion tout haut que rien ne sort quand il aspire avec la seringue.

— Vous êtes sûr que vous avez obtenu de la moelle, docteur?

Le liquide est si clair. Je reconnais l'absence de petites graines rugueuses sur le frottis. La technicienne allait ouvrir la bouche mais le médecin la devance brusquement et il me baragouine une explication qu'il veut rendre incompréhensible. Je devine qu'il vaut mieux ne pas poursuivre, devant Mona. Dr Ribka est pressé tout à coup. Il n'affiche pas la nonchalance, la décontraction habituelle dans ses mouvements. L'homme de six pieds se presse à grands pas. Il a l'air déterminé. Il a examiné ma fille attentivement: les glandes sous la mâchoire, la rate. Par intuition, je n'ai rien demandé. Le thermomètre indique une faible fièvre. 5. Je nous sens expédiées, comme s'il n'avait plus rien à faire ici.

— Nous allons surveiller ça de près!
— Pas de médication aujourd'hui, docteur?
— Non, pas aujourd'hui.

Quelque chose d'étrange flotte dans l'air du département d'oncologie. Personne n'ose nous parler. Nous partons et Mona continue de parler de son chien. Plusieurs patients attendent encore pour des traitements. Comment les infirmières réussissent-elles à rire et à trouver un mot gentil pour tout ce monde? Une dame reçoit de l'«Elasparagynas»; je reconnais la couleur injectée dans le soluté. Dans le corridor, la pancarte du département de radiothérapie me rappelle qu'au moins nous marchons toutes les deux et sur nos deux jambes.

— Nous allons arriver assez tôt, Mona.

Je ne sais pas pourquoi j'ai dit ça. Assez tôt pourquoi, au juste? Il est passé quatre heures. J'ai encore oublié le stationnement. Je presse le pas espérant arriver à temps. Mona me suit avec difficulté et je ralentis. À quoi bon courir? Dehors je repère notre voiture de loin: le coin d'une contravention dépasse de l'essuie-glace.

— Maudit! Les policiers n'ont rien d'autre à faire?

J'arrache le billet et j'en déchire un coin en jurant entre mes dents. Puis j'ose quelque chose que je n'ai encore jamais fait: je lance le billet au bout de mes bras en hurlant des grossièretés, puis je dégage les vitres, furieuse. Je réchauffe l'auto et je fais signe à Mona qu'elle peut sortir maintenant. Elle marche bizarrement. Je regarde le ciel couvert. Est-ce que c'est bien prudent de s'engager pour une si longue route? Je décide que oui parce que je suis écoeurée, fatiguée. André devra s'organiser pour le souper, je n'ai rien planifié. En marchant à la rencontre de Mona, j'examine mon pantalon et mon foulard de même couleur, pour essayer de m'égayer, mais le truc ne fonctionne pas.

— Viens, ma chouette. Allons, dépêche un peu.

Je la tiens par le bras parce que le trottoir est glissant.

— D'accord Mo, on s'en retourne chez nous. On sera bien dans notre maison. Si tu es fatiguée, tu pourras dormir à l'arrière de la voiture. Je te passerai mon manteau comme oreiller.

Je conduis avec aisance dans les rues de Montréal en cette fin d'après-midi enneigé. Je passe le pont et à nous l'autoroute. J'hésite rarement devant les sorties et les changements de routes. Je joue avec le bouton de la radio: j'ai envie d'entendre Tex Lecor. Qui sait? Peut-être réussira-t-il à me faire rire. En sortant de l'hôpital, comme ça, avec ma douleur qui me coince les tripes, s'il me faisait rire aux larmes avec ses imitations d'Italiens, ou de vieilles femmes frustrées je pourrais du moins me détendre un peu. Même si parfois je ris trop et que mes larmes coulent, ce n'est pas grave; je suis plus habile à m'arrêter de rire que de pleurer.

Mona, silencieuse, assise près de moi, m'écoute gueuler contre un conducteur qui me suit de trop près ou contre un autre qui roule comme une tortue. En une heure et demie, par beau temps, je fais le trajet. Selon les panneaux et les enseignes des restaurants qui défilent sous mes yeux, je calcule la distance qu'il me reste.

J'ai chaud et mon visage brûle. Ma tête bout lorsque je suis fatiguée. Je m'efforce de ne pas penser. Seulement conduire. Lorsque j'arrive à la 55, je suis découragée de l'état de la route pire, bien pire que ce matin. Je me reproche de ne pas avoir rebroussé chemin. Pourquoi n'avoir pas attendu une journée de plus? Qu'est-ce qui me pousse à aller si vite? Bon, je m'interdis de poursuivre sur cette lancée.

— Tu sais t'y prendre avec ton petit chien, Mona. C'est bon les trucs que tu apprends dans ce livre sur le dressage.

Et la route enneigée sur fond de glace me force à conduire très lentement. Je n'y arriverai jamais. Déjà six heures! J'espère qu'André a préparé à manger pour les enfants. Je ramène l'auto vivement sur la chaussée après que l'arrière ait dérapé. Je me range le plus près possible de la bordure de la route lorsque je rencontre d'autres véhicules. Ainsi, en cas d'urgence, je n'aurai qu'à me laisser glisser dans le fossé. De toute façon, personne ne peut se blesser à la vitesse où j'avance.

Je repousse continuellement une pensée qui m'assaille depuis Drummondville, lorsque je regarde Mona fatiguée, défaite, qui ne se plaint presque jamais. J'ai des crampes dans le dos et j'essaie de me décontracter quelques secondes. Je pense à un soulagement éternel. Si on en finissait toutes les deux? D'un coup! Net! Inutile de souffrir plus longtemps. Je secoue soudain ma tête pour me ressaisir. LÂCHE! Je pèse sur le bouton de la radio: je veux entendre de la musique, n'importe laquelle mais de la musique! Assez des nouvelles de six heures! Plus de maudites mauvaises nouvelles. Je l'éteins brutalement, en arrachant presque le bouton. La même pensée me revient: si on en finissait toutes les deux? La neige, la boue, ÉCOEURANT! Je murmure soudain: «ARRÊTE!» Je suis bon conducteur, je maîtrise bien la voiture. Rouler tranquillement. J'aperçois le panneau de Richmond, on y indique les kilomètres avant la sortie. Je me sens comme si je devais les courir au lieu de conduire. Mona se montre inquiète et moi je me montre si calme sur le champ de bataille que c'est comme si on se tenait par la main toutes les deux sur la banquette avant, faisant face au spectacle de la tempête. Sans ceinture attachée. J'ai déjà eu très peur, coincée sous ma ceinture à une voie ferrée avec un train qui arrivait et ma ceinture qui refusait de se déboucler. Depuis, pas un policier ne va me contraindre à m'attacher. Je me sens emprisonnée derrière une ceinture. J'aimerais que Mona s'attache pourtant. Question de protéger ses petits. La poudrerie et les camions que je rencontre nous éclaboussent. Mes essuie-glace fonctionnent à fond de train depuis Drummondville et le pare-brise est propre. Il tombe une neige folle qui recouvre la glace de ce matin. Danger! Non, je ne vais pas m'énerver, nous arrivons. Je peux voir les lumières de la ville de Richmond. Tiens! Une voiture de police. Je ralentis. J'entrevois l'auto-patrouille au bord de la route: il y a eu une collision frontale. Je passe très lentement. Un camion sort soudain d'une courbe. Lorsqu'il aperçoit les lumières clignotantes, il freine et l'arrière du camion est projeté de mon côté. J'ai beau me ranger au bord de la route, avec la queue de sa longue remorque, il accroche tout le côté de ma voiture. La vitre du pare-brise n'aura plus jamais à être nettoyée. Elle vient de se fracasser en mille miettes. Le camionneur file sans s'arrêter. On dirait qu'il n'a rien vu. Ma voiture est coincée contre un poteau de ciment. Je ne le réalise pas encore ce qui vient de se passer. Ma porte est toute enfoncée.

— Mona! pousse ta porte.

Je suis penchée au-dessus d'elle. J'ai agi ainsi par pur réflexe, pour la protéger lorsque j'ai vu que le camion nous fonçait dessus...

— Voyons, pousse!

Elle ne me répond pas.

— MONA!

— Sortons... tout à coup ça prendrait feu!

Elle s'est évanouie et je lui frappe le visage. Mon coeur veut sortir de ma poitrine. Ca y est! Je voulais la fin, eh bien! je l'ai. Mona reprend conscience, puis repart. Je passe par-dessus elle pour la tirer à l'extérieur, redoutant l'explosion. Je veux courir vers le policier que j'ai vu stationné avant la courbe. Je crie. C'est ça, je vais crier et ils viendront à notre secours... Je ne réussis qu'à apeurer Mona qui s'effondre à nouveau. Je l'assois sur la banquette.

— Attends-moi. Il n'y a pas de danger. J'éteins le moteur.

Je glisse sur la route glacée. Je cours un peu et je me laisse glisser ensuite comme si je jouais.

Enfin, le policier aperçoit mes bras qui font des signes dans le noir. Je reconnais mon cousin. C'est tout juste si je ne lui saute pas au cou.

— Mona et moi venons d'avoir un accident.

Il vient avec moi la chercher. Et je lui défile d'un trait, à toute vitesse, qu'il ne faut pas qu'elle attrape froid, qu'elle ne va pas bien. Il me promet:

— On vous installera dans une des voitures accidentées, qui est chauffée. Dès que je peux, je m'occupe de vous.

— Peut-être peux-tu retrouver le type? Il ne s'est pas arrêté.

Je décris son camion. Lorsqu'elle en prend conscience, Mona me chuchote:

— Mom, c'est arrivé si vite. On aurait pu mourir toutes les deux... Mom, on aurait pu mourir si vite...

Une fois mon cousin reparti vers sa voiture, je prends Mona par le cou. Nous tremblons très fort. Je cherche des cigarettes.

— Mona, il faudrait arrêter de trembler toutes les deux.

— Maman, c'est si vite arrivé...

Je sors demander des cigarettes au policier: il ne fume pas. Je reviens en courant, pressée de retrouver ma fille qui tremble encore.

— Dad va être inquiet.

S'il peut en finir avec ce rapport d'accident... Il y a du sang sur le manteau neuf de Mona. Quelques gouttes.

— Es-tu coupée?

— Sais pas.

Je crains beaucoup plus que le choc n'ait déclenché une hémorragie interne. Comme elle est pâle. Mon manteau neuf est déchiré; je regarde l'accroc et je m'en fous éperdument. J'ai même envie de le déchirer au complet.

— T'as encore froid?

— Non, mais je tremble continuellement.

— Viens, je vais te serrer.

À deux, on tremble encore plus. Aucune chaleur à donner. Mère vide. Je me secoue en me répétant: on n'est pas mortes. On est encore en vie. Envie de fumer. Vaut mieux avoir envie de fumer que de se demander si on est déçue d'être en vie. Je crie:

— Vous avez des cigarettes, quelqu'un? Je sais, personne n'en a, dis-je en me répondant.

Enfin, le policier nous fait monter dans sa voiture et le conducteur de l'auto où on était assises explique qu'il a toujours avec lui une tuque et des gants en hiver, en cas d'accident:

— Ça y est, je m'en serai servi!

Mon cousin Jules nous ramène à la maison et je me demande si cela fait partie de sa tâche. Son coéquipier parle et je le remarque pour la première fois. Je n'en reviens pas, je n'avais pas vu qu'ils étaient deux. Tu parles. Est-ce que j'ai perdu conscience? Je revois la scène au ralenti dans ma tête. Non, je n'ai pas perdu conscience. Seulement distraite, sans doute. Jules se dirige vers Richmond.

— Pourquoi vers Richmond? dis-je en tenant Mona par les épaules.

— Des cigarettes!

— Merci. T'es gentil pour un non-fumeur.

En déposant son collègue, Jules lui demande d'avertir sa femme qu'il sera en retard.

— Elle en a l'habitude. Pas un soir cette semaine je n'ai été à la maison.

— Je ne sais pas comment André prendra la chose, je déteste annoncer des mauvaises nouvelles.

— Je vais entrer avec vous.

Lorsque je commence à m'inquiéter des réactions des autres, c'est que je contrôle les miennes.

— Mona, on s'en est tirées toutes les deux, je lui chuchote dans l'oreille.

Elle me tapote la main délicatement, faiblement.

En arrivant à la maison, Jules s'empresse de prendre la parole.

— Je te ramène tes deux femmes. Un petit accrochage sur l'autoroute. On va tenter de retracer le camion.

Mona se précipite dans les bras de son père et éclate en sanglots. Ses jambes deviennent toutes molles et j'ai peur qu'elle retombe encore dans les pommes. Son père la console en m'interrogeant du regard.

— Ça va bien, maintenant. Ce n'est pas grave. Mona, ne pleure pas, nous aurons enfin une auto neuve. Le policier l'interrompt:

— Elle a eu très peur.

Le même soir, nos amis Luc et Lina viennent nous visiter. Affalée dans mon fauteuil, leur présence me soulage pendant que je relate par bribes les événements terribles de la journée. Je me sens incapable de continuer, au bout de mon rouleau, ravagée, épuisée. Maintenant que les enfants sont couchés, je me plains de la malchance qui s'acharne sur moi. Je constate subitement que dans mon affolement, je n'ai pas encore demandé de nouvelles de la maisonnée.

Je demande à André:

— Qui t'a aidé? Francis?

— Il a été parfait.

— Mark, c'est toi qui es allé le chercher?

— Ne t'inquiète pas, on s'arrange quand tu n'es pas là.

— On devrait se faire un verre, pour se ramollir les nerfs...

— Mona a eu très peur. J'espère qu'elle pourra dormir.

— Que prends-tu?

— Un rye!

Je bois, avec l'intention de détendre mon estomac. C'est douloureux, à la longue, cette tension dans le dos. On cherche à faire dévier la conversation, mais on revient obstinément sur le même sujet.

— Allons-nous finir par parler d'autre chose?

Le téléphone sonne. Qui ça peut bien être à dix heures? Le policier, sans doute... J'accours décrocher l'appareil.

— Dr Ribka? Vous! Mon Dieu! Savez-vous que Mona et moi avons eu un accident?

Idiote! tu sais très bien que le médecin ne le sait pas. Réfléchis un peu. Il t'appelle à dix heures, c'est important. Mon esprit expéditif fait des bonds. Si je l'assomme en premier, je ne lui laisserai pas le temps...

— Va-t-elle bien? demande le docteur.

— J'espère que oui, dis-je tremblante.

— Les malheurs arrivent toujours en double, dit-il très sérieusement.

— Que voulez-vous dire?

J'ai le souffle coupé net.

— Ah! NON! NON!

Je ne sais pas si j'ai vraiment crié quand il m'a dit que la leucémie avait envahi tout le corps de Mona. Voilà pourquoi il ne pouvait pas tirer la moelle cet après-midi. Il y en a plein dans les os, partout, des cellules malignes. La «Vincristine» a activé le processus de la maladie au lieu de la contrôler.

J'ouvre la bouche pour dire: «Interféron». J'ouvre la bouche pour crier: «Mexique». J'ouvre la bouche pour un miracle. Le médecin n'entend pas parce que ça ne sort pas.

— Vous le saviez, n'est-ce pas?

— Oui et non.

— Désolé!

— Au revoir, docteur.

— Nous resterons en contact.

— À quoi bon? Au revoir, docteur.

J'essaie mes jambes pour me rendre au salon rejoindre ceux qui savent ou ne savent pas. Mona crie:

— Mamie, viens ici!

Non, non, je fais signe à ceux qui me regardent revenir comme une momie. Allez-y, la voir. Moi, je ne peux pas.

Lina comprend mon langage des yeux et monte rejoindre Mona.

Je ne réussis pas à crier. Je voudrais seulement respirer normalement. Il me faut réussir à rendre l'air à mes poumons. J'ouvre la porte pour trouver de l'air. J'ai froid au coeur. J'étouffe. Je vais en mourir si je n'arrive pas à passer de l'air dans mes poumons. Cette douleur, il me faut la prendre. Je me rassois en espérant que ça se passe, cet étouffement... Ça finit toujours par passer, me disait mon père. Non, je me relève pour respirer encore dehors. Lina redescend. Elle fait signe que tout va bien. Personne ne parle. C'est la mort.

— C'est foutu. Partout... Il y en a partout.

Ça y est, j'ai réussi à passer ces paroles. Donc, je respire. J'avale mon verre d'un trait comme les durs à cuire. Mon coeur bat à toute allure. Ça y est. Mon coeur bat. Je suis en vie.

Après je ne sais combien d'heures, peut-être très peu, je m'endors. Un sommeil échappatoire, soulagement temporaire quand on n'en peut plus de mettre au monde, qu'on n'en peut plus de donner la vie. Un repos essoufflant, un assommoir...

Le lendemain, en écervelée, je me lance à la poursuite d'une voiture d'occasion. Il m'en faut une! Ainsi, je n'aurai pas besoin de passer la journée dans la maison en face de Mona à me demander quoi lui dire. Comment agir avec elle? Je trouverai bien. Elle se sent mieux ce matin. Elle s'est habillée, bien emmitouflée pour aller jouer dans la neige fraîche, blanche, pure, inoffensive. Avec son petit frère et son chiot, elle me crie pour que je la regarde se laisser tomber dans la neige accumulée près de la porte arrière.

— Regarde, mamie!

Elle se roule dans la neige comme si elle avait quatre ans, pour la goûter bien. Ses membres bougent au ralenti, bizarrement. Son petit chien lui mordille la tuque et Mark rit comme s'il y avait plein de bonheurs. Mon coeur fond. Je ne peux pas rester ici à avoir le coeur en lambeaux devant

ma fille qui rit. Je fais la pressée, la très occupée. Je m'habille à la hâte, et je pars magasiner, je prends rendez-vous
avec des vendeurs. Notre voiture est une perte totale. J'arrive à me concentrer sur les voitures, les kilomètres au litre,
les forces de moteur comme une pro. J'arrive à paraître pla-
ner au-dessus de mes problèmes. Le vendeur me demande:

— Ça va bien, votre fille?

— Non, pas tellement, justement.

J'ai bien envie de lui emprunter sa voiture.

— Vous voulez que je l'essaie jusqu'à Sherbrooke?

Je veux avertir ma mère. Personne ne sait encore dans
la famille. Je confie Mark à Mona et je dis que je vais essayer l'auto empruntée, ce qui est vrai d'ailleurs. À dix heures du matin en ce lendemain d'accident, en ce lendemain
d'une nouvelle qui ne me laisse plus aucun espoir, je me retrouve bien maquillée, toute pimpante dans mes nouveaux
vêtements, chez ma mère, comme si j'étais venue bavarder
avec elle de tout et de rien autour d'une tasse de café. En la
voyant, je fonds en larmes, je l'embrasse et je répète:

— C'est fini. Plus rien à faire.

Elle pleure aussi et nous nous ressaisissons, pleurons
encore un peu et nous ressaisissons encore jusqu'à ce que
l'une d'entre nous se souvienne que les enfants sont seuls à
la maison. Nous contactons mon amie qui promet d'envoyer
sa grande fille préparer le dîner avec Mona.

— Élaine, va acheter ce qu'il te plaît de cuisiner. Tu te
débrouilles, O.K.? Ça ne va pas bien. Je te parlerai.

Pendant ces heures de sursis, je me casse la tête, le
coeur, pour trouver une façon de penser, de fonctionner,
d'agir pour vivre ce qu'il me reste à vivre avec Mona, tout
en la protégeant, sans la blesser inutilement. Comment?
Comment on meurt? Le soleil est radieux comme au printemps, la neige fond, on vient de fêter l'Halloween, Noël
s'en vient, et je dois préparer la mort. Comment affronter
Noël avec ma chouette? Ma petite fille. Je navigue entre
mes responsabilités et ma douleur. Élaine préparera le
dîner. André rentrera manger bientôt. La voiture que je

dois ramener. En chercher une autre. Francis est à l'école comme si de rien n'était. André continue d'enseigner comme si tout était absolument normal. Nous sommes le 13 décembre. Noël est au coin de la rue. Je sais ce que Mona aimerait! Qu'on le vive le plus normalement possible. J'oublie de manger, j'ai atteint mon poids idéal, mon chapeau calé au-dessus des yeux, je fais la jeune, et je monte dans la voiture, laquelle j'ai décidé, dans ma peine, ne nous convenait pas tellement. Elle ne pourra pas traîner notre petite roulotte. Faut quand même magasiner une voiture pour cinq passagers.

À la maison, Élaine a cuisiné avec sa jeunesse enjouée, Mona a mangé, André est venu et est reparti donner ses cours, Mark s'amuse dehors. Les joues toutes rougies, le nez qui coule, il m'embrasse et Mona cherche mon regard fuyant. Soutenue par Jacqueline qui vient jaser, par maman qui est là aussi, la maison se remplit. Au milieu de l'après-midi, nous allons tous faire une marche et nous rentrons dans un restaurant pour s'adoucir la vie. Mona porte son petit chiot dans son manteau en ouvrant son fermoir juste assez pour laisser dépasser le museau. Les passants s'arrêtent pour admirer sa belle petite bête et lui caresser les oreilles. Mona sourit de bonheur comme si on la félicitait pour son bébé. Comme un chien-enfant, blotti dans la chaleur de ses seins sous-développés à cause de la cortisone.

Je canalise mes énergies, ma révolte où je peux. Je m'occupe des assurances, je me démène auprès de la police. Le téléphone ne dérougit pas. Un de plus: celui du médecin de Mona.

— Dr Ribka? dis-je surprise. Je croyais que l'on s'était tout dit.

Par courtoisie, il s'informe de notre réaction et m'offre son aide. Je ne retiens que l'important: il n'a rien à nous offrir.

— Je sais que nous avons touché le fond du panier avec la transplantation, dis-je le plus calmement possible.

Comme pour me stimuler, il ajoute:

— Vous savez, parfois, les traitements non reconnus par la médecine traditionnelle peuvent être utiles...

— Quoi?

— On ne sait jamais...

Je me demande ce qu'il me veut au juste. Me redonner le goût de me battre? Me garder un peu d'espoir? Peu importe, je ne peux plus courir. Je veux simplement passer Noël dans le calme avec ma famille. Me faire croire qu'il y a une forme de paix sur la terre. La recevoir. La vivre, cette paix. Une trêve pendant la guerre, pour la survie. Suspendre les attaques. Relâche. Paix rêvée! Irréaliste. Je m'assure tout de même qu'il n'y a rien à faire dans l'immédiat, une opération d'urgence qui retarderait, améliorerait, repousserait l'échéance. J'oublie alors qu'il y en a une... Et je signifie tant bien que mal cette décision — ou indécision — au médecin.

— Merci d'avoir appelé.

Mona, aux aguets pendant le téléphone de son docteur, voulait tout saisir ce qui se disait, se sachant l'enjeu de cette conversation. Sous prétexte de mieux entendre, je me suis faufilée dans la pièce voisine avec mon long fil téléphonique. En replaçant l'appareil dans la cuisine, je devais trouver le temps de camoufler mes sentiments, me bâtir une protection quelconque. Mona sait très bien qu'après une ponction vient le résultat. Ne pas mentir. Ne pas faire mal. Le médecin m'a avertie hier pour que j'aie le temps de me préparer. Je suis capable.

— Mom, qu'est-ce qu'il a dit, le docteur?

— Que nous n'avons pas besoin de retourner à l'hôpital avant les Fêtes.

*   *   *

André et moi, sans qu'on échange verbalement sur la façon de fonctionner, comme un attelage bien balancé nous chevauchons les événements côte à côte, en tirant notre charge. Il s'ajuste à mon pas ou je m'ajuste au sien, mais forcément nous avançons ensemble suivant un guide invisible. Ce soir, nous allons voir cette nouvelle voiture que nous a recommandée un de ses copains. Avec les trois enfants, nous examinons la petite merveille, presque neuve, à l'allure sportive. Les enfants essayent leur place à l'arrière. Une transmission au plancher. Francis se pâme:

— Wow! Dad, c'est celle-ci que tu prends.

— Je ne saurai jamais conduire cette sorte d'auto, se plaint Mona d'une petite voix triste.

C'est moi qui m'imagine qu'elle a une voix triste et je dis, décidée:

— Ne t'en fais pas, on te montrera. Tu l'aimes, hein?

— Oui, oui. Laisse-moi prendre ta place en avant, ma-mie.

Nous changeons de place, rien que pour voir si c'est plus confortable à la place de l'autre. André fait une petite balade avec l'auto, étudiant la question de l'achat. Le prix raisonnable, comparé à celles qu'on a vu ailleurs, emporte la décision. Nous concluons vite le marché en y mettant nos conditions: pneus neufs, vidange d'huile et mise au point avec garantie de trois mois. En se concentrant bien sur chaque chose à faire, deux jours se sont ainsi écoulés sans que j'aie trop de difficultés à avaler ma nourriture et les événements.

J'apprends, au cours de mes démarches visant à récupérer un peu d'argent pour notre vieille voiture, que je suis une «victime innocente». Si on doit ajouter «innocente» est-ce parce que les victimes ne le sont pas toujours? On me donne des renseignements sur l'Office de protection des «victimes innocentes» de la route. Je consacre toute mon attention à cette affaire. Si j'arrive à bien m'appliquer à chaque tâche à accomplir, à chaque repas à préparer, à chaque brassée de linge à laver, je tiendrai le coup.

Les frères d'André téléphonent de Californie et je les convaincs de venir célébrer Noël avec nous. Je leur arrache une promesse, une réservation de billets d'avion.

— Comment va Mona? demande enfin l'un d'eux.
— Pas très bien.
— Qu'est-ce que tu veux dire?
— Pas bien.

Ils me promettent d'essayer d'être là pour la nuit de Noël. Denise sera là, grand-maman aussi et je m'affaire à la planification d'un gros réveillon, l'organisation pour coucher tous mes invités, l'achat des cadeaux. Ma foi, ce sera un vrai Noël. Il faut que ce soit un vrai Noël. Je fais la popote avec acharnement. Avec soulagement. Comme si, en préparant beaucoup de nourriture, cela signifie que personne ne mourra.

De nombreuses activités s'annoncent: à la maternelle, les tout-petits fêteront Noël. Les parents sont priés d'y participer et d'apporter leur part de gâteries. Au secondaire, il y aura le concert de Noël et Mona désire s'y rendre. Le professeur qui lui donne des cours privés nous annonce au beau milieu de tout ce branle-bas qu'il a trouvé un emploi à plein temps et qu'il doit s'absenter. Je me retrouve avec une tâche de moins: je devais l'avertir d'interrompre les cours parce que Mona ne va pas bien. C'est un heureux hasard car dernièrement, j'avais remarqué sa lassitude après ses cours, sa difficulté à se concentrer longtemps sur un problème. Sa grande déception de n'avoir pas réussi un test me blessait; je regrettais alors de ne pas avoir renvoyé le prof. Il nous offre de continuer les cours par les soirs si nous ne trouvons pas de remplaçant. Nous reportons toute décision après Noël. Mona insiste pour avoir sa dernière composition corrigée et notée. L'histoire inspirée par l'Halloween raconte un voyage à travers un cimetière, les bruits étranges, les frousses terribles décrites clairement par Mona en utilisant le «Je». Cette rédaction a un caractère prémonitoire. J'ai des frissons quand je lis son texte. Elle s'écrie:

— J'ai réussi à te faire peur! hein mom? C'est qu'elle est bonne ma composition!

Le soir du concert à son école, nous nous rendons pour voir et entendre ses petites amies et ses professeurs qu'elle n'a pas revus depuis la transplantation. Son prof préféré vient l'embrasser à l'entracte.

— Comment ça va, Mona?
— Assez bien. Je devrais être en forme pour retourner en classe après Noël.
— Vraiment?

Il la regarde, me regarde. Je baisse les yeux. La plaque laissée par la radiothérapie bien camouflée par son chapeau de lapin blanc sur le coin de sa tête, elle répète:

— Vraiment! avec un grand sourire.

Si mes yeux rencontrent ceux du prof, j'essaie de cacher mes mauvaises nouvelles. Je retourne un sourire vide. Un trou. Les sourcils pleins de points d'interrogation et de «on ne sait jamais». Je n'ai pas l'habitude de mentir. Mentir, c'est de la faiblesse ou de la force? Je m'imagine annonçant la vérité et mes jambes se ramollissent à tout coup devant ma fille fière, déterminée à retourner à l'école. Non! Ça n'a pas de sens. J'avais des lignes de conduite bien tracées qui guidaient ma vie. Ces temps-ci, je traverse continuellement les lignes en zigzag, barbouillage vital. J'apprécie ce type qui lui serre la main et lui démontre sa joie de la revoir. C'est tout ce qui compte. Je souris à ses petites amies se groupant autour d'elle et la saluant amicalement. Ma conscience a chaud. J'admire les chants de Noël, tralala, je ne pleure pas, «Silent Night», Mona s'amuse, Mona est heureuse, «Jingle bells», c'est l'important. Nous tiendrons le coup jusqu'au «White Christmas».

Nous retournons à nos places pour la deuxième partie du concert. Francis arrive en coup de vent, repart aussi vite avec les copains et les copines, les cigarettes fumées à la dérobée, l'excitation, la socialisation. Mona, assise sagement près de moi, et Francis qui rebondit et que je ne retiens même pas. Je sens le coeur de Mona se pincer. Comme il était bon le temps où ensemble, ils se frayaient un chemin dans la voie des adolescents-adultes. Je dis avec autorité:

— Tu reviens avec nous, Francis. Nous partons immédiatement après le concert.

— T'en fait pas, *mother*! lance-t-il du haut de son indépendance.

Le lendemain, c'est dans le monde des tout-petits que nous célébrons la fête de Noël. Mona, malgré sa fatigue, rentre dans la classe de pré-maternelle avec son frère Mark. Elle jette un regard heureux sur ce monde enchanté de l'enfance. Les mini-chaises, le carré de sable, la glissade de plastique rouge mettent un sourire et des étoiles dans les yeux de Mona. Ce métier l'attirait beaucoup et elle cause avec la jardinière des projets réalisés avec les tout-petits, des moyens d'enseignement. Avec aisance, elle s'assoit à la table basse avec les enfants et entre en communication avec eux. L'institutrice, devinant son intérêt, l'implique dans les jeux à organiser avec les petits écoliers. Voyant Mona ravie et Mark heureux que sa grande soeur joue à la maîtresse d'école avec lui et ses amis, je me mêle aux parents: au père fraîchement divorcé, à la dame de 45 ans qui garde les petits enfants des jeunes mamans qui travaillent, et au couple avec leur nouveau bébé, qui partage également les tâches.

— Tu veux que je tienne ton bébé un moment?

— C'est le sommeil qui me manque le plus, se plaint-elle.

Une petite fille de quatre ans, malade, se démène au milieu des autres. La condition de la petite Nathalie a empiré; bientôt, elle ne marchera plus, selon les médecins qui ont investigué son manque de coordination. Elle tombe souvent et sa lèvre inférieure bave continuellement. Ses deux parents se débattent pour lui rendre la vie normale. Par mes gestes envers leur enfant, et ma façon de les regarder, je leur signifie le plus clairement possible: Vous faites du beau travail.

— Viens, Nathalie, je te pousserai moi.

C'est donc bête qu'il n'y ait pas de salaire, pas de prix Nobel pour des recherches sur le bien-être de l'enfant. On travaille tant pour y arriver. Et quand on réussit, on doit s'en séparer avec satisfaction, le donner et être contente d'avoir façonné un être indépendant. PASSE LA VIE. On joue à «passe-la-vie» sur la terre.

En attrapant Nathalie au bas de la glissade, je surveille Mona du coin de l'oeil. Elle se frotte les deux jambes et ses yeux montrent beaucoup de fatigue. Je passe discrètement près d'elle et chuchote:

— Est-ce que tu aimerais partir?
— Oui, dès que Mark aura reçu son bas de Noël.

Affaissée au fond de la classe, les joues rougies, Mona a tout dépensé son énergie. Je m'énerve en dedans. Je cherche son manteau et le mien. J'habille Mark, réticent, et je pense qu'il serait plus sage d'appeler un taxi même si on n'habite pas loin. Sinon, qui nous ramènera? Je ne mentionnerai pas que ma fille a de la difficulté à marcher, qu'elle a... J'élève la voix.

— Hé, il y a quelqu'un ici qui descend la côte?
— Vous pouvez monter avec nous, me lance un père heureux qui enculotte son rejeton agité.

Mona semble d'accord et soulagée. Nous attendons patiemment qu'il en finisse avec son petit qui s'obstine à jouer en s'habillant. J'ai peur que Mona s'évanouisse. J'hésite à aller chercher une petite chaise et l'apporter dans le vestibule. Elle m'en voudra de la mettre en évidence avec ses malaises.

— Tu veux t'asseoir dans l'escalier avec moi, Mona? J'en peux plus d'être debout.

Elle me suit avec ses yeux si fatigués. Lorsque le monsieur a terminé, je la prends par le bras comme pour la taquiner et nous sortons de l'école surchauffée dans le vent violent de décembre. Je me braque en bouclier devant elle pour couper le froid et la protéger en descendant les marches bien lentement afin d'éviter une chute. Mark nous suit en rouspétant.

* * *

Nous sommes le 18 décembre. Demain, Denise arrivera avec belle-maman. J'ai hâte qu'elles soient ici pour planifier ensemble, pour amuser Mona et l'aimer encore un peu. Il me semble qu'à six, ce sera plus facile. Denise est comme une soeur et sans se dire quoi que soit, nous échangeons beaucoup. Elle est comme une soeur pour Mona aussi, et fait le trait d'union entre nos deux générations. André va les accueillir à l'autobus avec les enfants. Ils me reviennent à la maison en riant. Je leur ouvre les bras en ravalant ma peine. Mes larmes sont des larmes de joie. Mona et André rient encore des blagues faites sur le chemin du retour. J'avais oublié qu'André pouvait rire aussi fort. Quand je serre Denise dans mes bras, je la remercie.

— Mais pourquoi donc?

Comme une brise fraîche, elle branche les membres de la famille sur ses longueurs d'ondes et à coeur joie, elle fait éclater de rire son auditoire. En magicienne, Denise rend Mark heureux avec un petit camion. Mona la suit quand elle se maquille, quand elle s'habille, quand elle sèche ses cheveux, quand elle vernit ses ongles. Ensemble, elles envahissent la salle de bains et elles chuchotent, complices, à propos du fameux cadeau que Mona me fabrique. Se terrant dans sa chambre, elle tient à garder la surprise jusqu'à la fin. Si Mark s'approche sans cogner à sa porte, elle se fâche vraiment, lui crie après. Son irritabilité m'inquiète. Parfois, il tente de la taquiner en faisant semblant qu'il dévoilera la surprise; alors, elle le menace, si impatiente. Je prie Dieu de ne jamais découvrir mon cadeau, de ne jamais briser la joie de ma fille.

Exprimer la surprise à tout prix. J'ai presque deviné. Surprise! Ma vie est une surprise. Je n'ai pas vu. J'ai deviné pourtant! Je ferai la surprise. Je ne mens pas. JE N'AI PAS VU. J'ai comme les antennes trop longues, je capte des messages. Rentrer mes antennes maternelles et ainsi ne pas deviner et être SURPRISE! André est maintenant en congé et nous terminons les derniers préparatifs. L'arbre de Nöel est décoré par tous et chacun tandis que je cuisine.

Ils se rendent tous au centre commercial cet après-midi, chercher un petit cadeau pour chacun. Mona, qui est de la partie, s'anime et je suis contente de la voir ravigotée devant nos visiteurs. Denise et elle excellent dans les suggestions de cadeaux. D'une boutique à l'autre, Denise croit que Mark est avec André tandis que lui le croit avec Denise... Lorsqu'ils se rencontrent, malheur! Avec le microphone et l'aide du personnel, le petit est finalement retrouvé en pleurs. En arrivant, on me cache les détails de l'incident et, chargés de leurs cadeaux, tous se faufilent dans les chambres avec le papier et les rubans de couleurs. Bientôt, la plupart des boîtes se trouvent placées comme par magie sous l'arbre de Noël. La montagne de cadeaux cache au complet la petite crèche et les enfants se tapent dans les mains. C'est la fête. Ils s'amusent à éteindre toutes les lumières de la maison à l'exception de celles de l'arbre et chacun médite et rêve à ce précieux moment d'échange: la joie qu'il réussira à donner, le sourire anticipé quand la personne aimée déballera la boîte. Prévoir le bonheur fait briller les yeux des enfants, c'est l'important.

Les joueurs de hockey de l'école ont loué l'aréna et une scéance de patinage est prévue pour les familles pendant les Fêtes. Après, pour permettre aux enfants de faire connaissance, nous mangerons chez McDonald. Mona désire y aller et cherche des patins pour Denise. Elle joue du piano et ça me met le coeur en fête. Notre ami médecin a téléphoné ce matin, m'avertit-elle. Je le rappelle immédiatement. Il m'avoue avoir été surpris de la bonne voix de Mona.

— Vous avez quelque traitement à nous offrir, docteur?

— Nous avons des traitements expérimentaux, si vous êtes intéressés. Vous en connaissez les chances et les conséquences.

— Plus tard, on verra.

Sa disponibilité me pousse à cacher mon désespoir. Une excuse pour me taire, ne pas tout dire. Si jamais on offrait un traitement laissant place à un peu d'espoir? S'il tombait du ciel un miracle de dernière minute? Cette vision me stimule à contenir ma panique, à me pardonner mon silence. Encore une fois je m'efforce, je m'ordonne de ne pas devancer le temps. Chaque jour qui s'amène, je le prends par les cornes et je le guide par une sorte d'intuition maternelle. Plus rien ne s'explique.

Nous nous préparons à nous élancer sur la glace en taquinant Denise, la New-Yorkaise qui a rarement chaussé des patins. Le seul fait de marcher sur des lames lui demande un effort. Mona, au contraire, a grandi avec des patins dans les pieds, a pris des cours et même si elle n'en a pas fait depuis un an, elle y va avec assurance.

En mettant le pied sur la glace, elle chambranle et je dois l'attraper avant qu'elle ne tombe sur le dos. À son tour de faire rire de sa mauvaise manoeuvre. Après un demi-tour, se trouvant rassurée, elle tourne de reculons et se retrouve à plat ventre, le chapeau qui cachait si bien la plaque de radiothérapie dix pas plus loin. Je me précipite pour la remettre sur pied avant que quelqu'un ne la heurte avec un patin. Je saisis son chapeau d'une main pour lui remettre sur la tête. Ses yeux blessés en disent long et je crois bien que sa fierté lui fait plus mal que sa chute.

— Mom, qu'est-ce que j'ai, je ne peux même plus patiner?

Denise nous rejoint et finement, suggère:

— Mo, tu veux, on va boire un «coke» toutes les deux?

Avec tact, en accusant sa propre incapacité, Denise l'amène à enlever ses patins et à aller s'asseoir dans les estrades regarder le spectacle des autres patineurs. J'envoie la main aux deux inséparables en haut des gradins. Je souris, le coeur en compote. Mona, décidée à bien s'amuser, gruge son «Big Mac» avec appétit. Les frites, les paroles, les histoires drôles se mélangent au ketchup rouge, toujours très abondant. Les yeux rieurs, la tante et la nièce marchent épaule contre épaule.

— Et moi, qu'est-ce que je fais, les filles?

Elles s'écartent pour me faire une petite place, me prennent chacune par un bras et nous avançons vers l'auto sous les gros flocons de neige qui tombent comme de la ouate du ciel clément. Mark et André font équipe avec d'autres pères et fils s'amusent bien. Les trois femmes, nous nous entassons à l'arrière de l'auto neuve. Mark crie son ravissement:

— Ah! Youpi! Les femmes en arrière et les hommes en avant.

Le nez en l'air, il jette un regard à son père complice. En caressant le cou d'André je dis:

— Ce fut très agréable.

En arrivant, nous tentons très fort de prolonger cette paix et d'adoucir les frictions habituelles à propos des courses à la salle de bains, de la préparation du coucher de Mark, du rangement de l'équipement, des manteaux, des mitaines, des bottes. Francis a soupé à la maison après sa partie de hockey.

— Tu ne pourrais pas te ramasser? dis-je en voyant le comptoir de cuisine.

Il discute en adulte avec Denise et ignore parfaitement ma remarque.

— Hé! je te parle! Ramasse tes traîneries.

Le ton monte. Mark me crie:

— Mom, viens me lire une petite histoire.
— Pas ce soir, Mark.
— Je t'en prie, mom...

Denise se lève et va raviver les merveilles des contes d'enfants. Mona, allongée en face de la télé, se plie tout à coup en deux et lance une grande plainte. Son estomac lui fait très mal. Elle gémit tellement que nous décidons de nous rendre à l'hôpital malgré l'accumulation de la neige sur les routes. Nous craignons que la chute sur la glace n'en soit la cause... Ou peut-être le «Big Mac»? Nous la dardons de questions.

— Où as-tu mal au juste?

Je réalise soudain que je n'ai pas demandé au médecin comment ça se passe quand la leucémie envahit tout le corps. À mi-chemin, alors que l'auto a du mal à tenir la route, Mona nous annonce que sa douleur se calme un peu.

— C'est ça Mo, reste détendue, conseille son père.

Nous nous rendons à l'hôpital dans l'espoir insensé de nous faire dire qu'il s'agit d'une simple indigestion. D'habitude, André se croit obligé de trouver une raison ou une explication: «Si tu ne mangeais pas si vite aussi», ou encore: «Il faut se calmer avant les repas.» Ou encore... n'importe quoi.

Pas ce soir. Il songe, silencieux. Je préférerais ses solutions imposées. Sa façon de prendre les choses en mains. De maîtriser la situation. Je regrette qu'il ne fasse plus son invincible. Je ne peux même pas rouspéter contre ses choix ou ses recommandations fermes. Ce soir il doute, il ne le cache même pas. Nous avançons comme trois enfants dans la salle d'urgence. L'anarchie! L'égalité, on la tient et c'est triste. Quelqu'un de nous doit gueuler, chialer, piocher. Non? Je dis tout et rien à l'interne en l'abordant:

— Vous connaissez le cas de Mona?

Son regard chaleureux me met en confiance. Les radiographies devant vérifier s'il y a saignement interne me confirment que les spécialistes en hémato ont été contactés. L'intensité plutôt égale dans les tons incolores du film de l'estomac sur la lumière crue laisse croire qu'il n'y a pas de sang répandu. Nous retournons à la maison avec des pilules puissantes pour calmer la douleur. Mona en prend une et se couche. Son père l'avertit:

— Si jamais ça recommençait, tu viens nous réveiller.

— Bonne nuit!

Nous l'embrassons sans trop nous attarder. Demain il y a la visite, la veille de Noël, le réveillon à préparer. Il y a que j'ai eu peur et que je me sens très vide. Francis rentre de dehors les joues rougies, le bâton de hockey en main. Il claque les portes un peu fort. Il ne sait rien de ce qui se passe et nous n'insistons pas pour lui apprendre. Il garde donc sa bonne humeur, excité comme toujours, taquinant son frère ou le chien, jusqu'à ce qu'on intervienne:

— Francis, pour l'amour du ciel, ARRÊTE ce bruit!

Son père renchérit:

— Tu n'es pas capable de voir que tu n'es pas seul dans cette maison? Il faut toujours t'avertir comme un bébé. Quel âge as-tu, bon Dieu?

Penaud, — blessé ou furieux —, il enjambe les marches de l'escalier et se retire dans sa chambre. Si par malheur sa porte claque, alors on crie de nouveau. En voulant l'épargner, on lui fait mal. Je suis à une croisée et peu importe le chemin que je choisis, je fais mal. Un sentiment de culpabilité me remplit. Arriver à se comprendre un peu mieux. Si je m'en plains tristement, André reprend sa position ferme et crie:

— Cet enfant doit apprendre à ne pas être si égoïste. Bon!

Voilà! je voulais qu'il maîtrise la situation, bien là c'est fait! Je voudrais rouspéter: «Maudit! Donne-lui une chance». Mais je n'en ai même pas la force. Ni le goût. Soutenir une bagarre, ça demande de l'énergie. Je suis à la ration. Me coucher, dormir. Perdre conscience, le temps d'un sommeil profond. Sans rancune, je dis à André:

— Bonne nuit. À demain.

Une petite caresse sur la cuisse lui signifie: on va passer à travers. Son regard réticent me demande: non, mais tu te payes ma tête? Mais non, répondent mes yeux fatigués. Je le laisse avec Denise et je monte à l'étage me coucher, me sentant un peu anormale dans ma mollesse, mon refus de rouspéter. J'embrasse chacun de mes enfants sur la joue. Francis hurle dès que son tour approche:

— Sors d'ici!

J'ignore son cri comme il sait bien ignorer les miens. Je m'approche de son lit et lui caresse sa tête rebelle toute bouclée. Pendant qu'il maugrée, je tourne les talons, certaine qu'il a compris mon langage des mains: Je ne peux pas toujours te défendre vis-à-vis de ton père, il a bien raison parfois, même souvent. Alors, essaie de te rappeler qu'on t'aime, mon fils. En fermant la porte de sa chambre j'entends:

— Laisse-moi tranquille! Pourquoi personne ne me fiche la paix?

Je m'endors en répétant: croire qu'on est aimé quand c'est incroyable... se croire aimée quand...

Au matin du 24 décembre, la dinde rôtit déjà au four et l'odeur embaume la maison. J'attends fébrilement les beaux-frères de la Californie. Pas de nouvelles, bonnes nouvelles. Ils seront présents à la fête. Mes frères et leurs femmes ont confirmé leur présence à notre réveillon. À la toute dernière minute, je me suis laissée aller à une dépense exagérée pour Mona. Elle désirait une montre digitale pour Noël, une avec tous les trucs: date, secondes, lumière pour la nuit. Comme je n'ai pas le temps de les magasiner, je choisis la plus belle, trop chère bien sûr, chez le bijoutier. J'ai caché la petite boîte pour ne pas qu'elle devine. Je prépare mes salades, les lève-tard ont fini de déjeuner. Mona n'a rien mangé. Elle n'a plus de douleur mais ne se sent pas bien. Vers dix heures trente, elle risque quelques bouchées de toasts trempées dans son chocolat chaud. Une demi-heure plus tard, elle se plie encore en deux de douleur et son père la ramène à l'hôpital. Afin de terminer mes préparatifs, je reste à la maison. Je l'embrasse en lui garantissant qu'elle sera là pour la fête.

— Ne t'inquiète pas, on t'attend.

Elle a l'air de me croire tout en continuant de gémir. Moi, je me force à penser qu'il s'agit d'un spasme et je réussis à continuer ma besogne: rangement, nettoyage, cuisine. Denise me donne un coup de main et la fête aura lieu, c'est garanti, c'est une obligation sacrée. Je mets toute ma foi dans cette célébration. Toute, pas à moitié; sinon, mon autre moitié courrait les rues en hurlant. Je m'interdis le déchirement, je me recouds ensemble toute la journée en me consacrant à une chose à la fois.

Après examen, Mona est calmée par une injection et s'endort tandis que son père attend patiemment en lisant, en fumant et en buvant du café. Quand il rentre à quatre heures, il est épuisé. Malgré que j'aie couru une partie de la journée, je préfère mes corvées à son attente interminable. Nos yeux échangent sur nos misères et nos coeurs décident que chacun de nous avait choisi le bon rôle. Mona monte se coucher immédiatement.

— Mom, promets-moi de me réveiller pour le réveillon.

— Oui, oui, dis-je en l'aidant à se glisser sous les draps.

Elle fait une dernière demande, avant de fermer les yeux:

— Mom, peu importe dans quel état je serai, je veux être là.

Je jure solennellement.

— Après la messe de minuit. PROMIS. Dors bien...

Assommée à cause de la drogue, elle dort ferme malgré les bruits du souper, le coucher de Mark qui refuse de croire que le Père Noël ne visite que les maisons où les enfants dorment sagement.

Je m'affaire à garnir la table pour le buffet. Je sors les chandeliers, les plats de service des grandes occasions. Mes invités commencent à arriver. Mes belles-soeurs se présentent les mains pleines de desserts, une salade de fruits frais, des vins. Chaque don vient directement du coeur et la chaleur que chacune d'elles me communique à sa manière fait se renforcer mon admiration pour ls femmes de notre famille. Le cadeau qui me touche le plus: leur présence avec leurs enfants emmitouflés et mes frères heureux.

Ceux et celles qui le désirent se préparent pour la messe de Minuit. Moi, je veux m'y rendre à pied. Le temps s'y prête et j'ai besoin de marcher, de respirer l'air frais. Grand-maman monte en voiture. Ceux qui restent gardent la maison en sirotant un verre et en écoutant les blagues de l'oncle Bertrand qui s'anime. Seule, finalement, je marche vers l'église en ressassant mes convictions, les yeux tournés vers les étoiles. Qu'est-ce que c'est que la foi? La croyance en quoi? Je suis en vie et je crois en la vie. Des images mythiques traversent mon esprit: un oeil géant dans un triangle et le Fils de l'homme dans des nuages qui montent et qui montent. Est-ce que ça s'épuise, la foi? J'ai la foi usée à la corde.

Les carillons sonnent, la neige tombe, les chants de Noël résonnent dans le clocher de l'église. Une vraie carte de souhaits. Mon réveillon est prêt. Ma famille est venue. Mes beaux-frères seront-ils arrivés? En enjambant le perron de l'église, mon esprit s'attarde à l'idée de miracle. La naissance de Jésus, admettons que c'est un miracle. Celle d'un enfant quelconque est un miracle aussi. Là, aujourd'hui, j'ai besoin d'un vrai miracle. Un vrai de vrai. Un miracle invraisemblable, aussi puissant que de marcher sur les eaux. Les vraies eaux du lac, pas de la neige tassée. Pas de métaphore. 25 décembre 1980. Où j'en suis? À rêver de vrais miracles.

En entrant dans l'église, j'ai complètement oublié de quoi j'ai l'air, comment je suis habillée. Tout ça n'a aucune importance pour la nouvelle moi, ou la vieille moi plutôt. Je suis comme toute nue devant la foule. C'est bien, cette nudité? J'imagine l'église comme un camp de nudistes où tout le monde partage. Tous nus comme des enfants de Dieu, demandant humblement le pain béni. BORDEL! que ce serait beau! Toutes ces vieilles mains tordues, fatiguées, qui se caressent autour d'une crèche faite d'humains. Incidemment la crèche vivante a un vrai bébé dans les bras de la maman-Marie. Il pleure tout le temps que monsieur le curé tente d'expliquer le mystère de l'amour de Dieu. Les cris du bébé enterrent les explications savantes du curé. Ah! Ah! Je célèbre dans mon coeur, le vrai amour, c'est ça monsieur le curé. Les cris du bébé, les chants de la chorale, les cris du monde entier à la quête du bonheur. Toujours essayer. C'est le miracle! C'est le désir! C'est la foi!

Comme nous arrivons à la maison, les gars de la Californie stationnent leur voiture louée à l'aéroport. En costume léger, sans manteau, l'un arbore une tuque de Père Noël et l'autre porte un gros cadeau.

— Ho! Ho! Ho!

— C'est incroyable! Cet après-midi encore, j'étais à San Francisco et me voilà avec de la neige au-dessus des chevilles!

— Vous êtes parfaits, les gars!

Tout le monde s'embrasse et se tape dans les mains.

— Allez, entrez!

Pendant que tous s'épanchent et se déshabillent, je monte à l'étage réveiller Mona pour qu'elle participe à la fête.

— Il est l'heure du réveillon, ma chouette. Ils sont tous arrivés.

Elle ouvre les yeux comme si je venais tout juste de la laisser. Elle n'a pas bougé dans son sommeil. En vitesse, je sors ses vêtements neufs qu'elle réservait pour Noël. Denise nous rejoint.

— Comment te sens-tu, Mo?

Mona est très abasourdie et je la bouscule un peu trop. Elle se laisse manipuler comme une petite fille. Elle tient tellement à être en bas avec tout le monde lorsque la distribution des cadeaux commencera.

— Tu veux un peu de maquillage, Mona, sur tes joues?

Je pense à la surprise de ceux qui ne l'ont pas vue depuis longtemps. Bien avant la transplantation.

— Non, mom...

— Juste un peu, dis-je en appliquant de la crème sur son visage fraîchement lavé.

Denise peigne ses cheveux de façon à camoufler la plaque en arrière. Moi, je brosse un peu de mascara sur ses cils pour rendre ses yeux plus brillants, j'applique du rouge sur ses joues blêmes et un soupçon de couleur sur ses lèvres.

— Regarde Mo, t'es bien, hein?

Elle s'examine une seconde dans le miroir. Je descends avant elle dans l'escalier et Denise la suit comme s'il s'agissait d'une mariée que l'on va présenter à son futur. Son père l'attend au bas des marches et il la soutient par la taille. Il chuchote:

— Ça va?

Tous, en faisant attention de ne pas y aller trop raide, s'approchent et lui souhaitent un joyeux Noël. On ment à pleine bouche en répondant «Oui ça va bien» et on ravale les sanglots au plus vite.

Mona se réfugie sur le divan, supportée par les mains qui la touchent amicalement. Elle n'osera pas se relever. Bien assise pour tout voir et ne manquer aucune des expressions heureuses des enfants ouvrant leurs cadeaux, elle se tient le plus dignement possible sans bouger. Denise la prend par les épaules et le petit chiot couché sur sa cuisse profite avec sa maîtresse des bons moments. Celui qui fait le Père Noël prend la grosse boîte qui m'est destinée. Sur la petite carte «À mamie de ta fille», il y a tout plein de baisers et de «je t'aime beaucoup». Mes yeux passent du papier que je déchire aux yeux émerveillés de ma fille sur le divan. Elle a tout mis! les efforts, les dernières énergies contenues dans cet emballage multicolore. Mon précieux cadeau! Une lampe fabriquée avec beaucoup de minutie et la fierté habituelle de Mona.

— Pour ton bureau, mamie!
— ... Hum, hum.
— T'es contente?

Je touche la frange, étire les brins placés avec soin, chaque fil me touche. Enfin, je cesse de caresser la lampe pour embrasser Mona. Le Père Noël continue ses «ho! ho! ho!» aussi gaiement que possible et finalement présente à Mona une petite boîte rectangulaire. Elle a deviné, elle aussi. Ses yeux s'arondissent lorsqu'elle entend:

— À Mona, avec amour, de mom et dad.

La somptuosité de la montre la surprend. Je vais la rejoindre avec son père sur le divan pour ne pas qu'elle se lève. Elle met la montre, fait la fière et me demande d'un air taquin:

— T'es pas un peu jalouse, mamie? en plaçant son bijou doré près de ma vieille montre ternie.

Mona adore les bijoux et prend bien soin de ses chaînes et de ses bracelets. Elle me dépanne quand j'ai besoin d'un colifichet pour une soirée. Il me faut toujours promettre de le rapporter intact ou d'en acheter un identique si jamais je le perdais. Ce soir, elle me lance avec un clin d'oeil:

— Viens pas me l'emprunter, mom!

Je souris en souhaitant qu'elle tienne à sa montre encore longtemps, qu'elle refuse de la prêter avec détermination, qu'elle se batte encore et encore et qu'elle ne meure pas avant moi... Je fixe un peu trop l'objet brillant sur son bras blanc. Elle répète:

— T'es jalouse, hein, mom?
— Et comment!

Un oncle tente d'égayer la soirée en jouant des airs de Noël sur le piano et les chants entonnés par quelques courageux s'éteignent bien avant le dernier couplet. Des disques fournissent une musique de fond et nous goûtons au buffet coloré avant même d'avoir faim. Mona se retire sans attirer l'attention et ne remercie que ceux qui sont tout près d'elle. Sa participation, son partage de la joie, le fait de l'absorber et de la donner a sapé toutes ses énergies. Denise la suit de près et l'accompagne dans sa chambre. Elle l'aide à enfiler sa jaquette neuve en bavardant et en nouant les attaches comme s'il était tout à fait normal de déshabiller une grande fille de quatorze ans. Les autres petits enfants sont mis au lit dans les chambres avoisinantes et leurs voix gaies donnent à

Mona l'impression qu'elle a participé jusqu'à la fin à ce beau Noël taillé sur mesure, ses mesures à elle.

Au matin, le va-et-vient des visiteurs relance l'activité. Les cafés, les déjeuners, les restes de la veille, tout circule devant les yeux fatigués de Mona. Les beaux-frères sont invités ailleurs pour la fin de semaine. Ils se cherchent une cravate ou un manteau en riant encore de leurs blagues de la veille. J'ai hâte qu'ils partent pour faire le ménage dans mes pensées et dans ma maison, qu'on se retrouve. J'ai eu tellement hâte qu'ils arrivent que je me garde bien de montrer mon impatience. Je me sens comme s'ils étaient venus me sauver et me perdre en même temps. Ce n'est pas leur faute si j'ai la division dans l'âme, je me calme en ralentissant le pas.

— Ça va, Mona?

— Hum, hum.

Elle n'a pas dîné, ne s'est pas habillée et dans l'après-midi, après avoir tenté de jouer à quelques jeux «vidéo», elle s'affaisse sur le divan avec un mal de bras à la faire crier. Le bras? Mais pourquoi le bras? Je communique avec le médecin de garde en hémato.

— Écoutez, madame, ça se présente de différentes façons.

— Mais je ne veux pas qu'elle ait mal.

J'avais entendu parler des différents cocktails-tue-douleurs-tue-monde. Quand on commence à administrer ces médicaments, ça va vite et le malade s'éteint, sans reprendre connaissance.

— Elle crie, docteur.

Il prescrit un médicament que le pharmacien me refuse parce que l'ordonnance a été faite par téléphone. Comme une perdue, je cours à l'urgence me faire donner un papier. Je défoncerais des portes quand je l'entends gémir ainsi. L'adrénaline ouverte à plein robinet, je me rends à la pharmacie et le paquet est déjà prêt. Mona se tord, et je lui fais avaler un comprimé qui l'assomme en moins de quinze minutes sur le divan. On ne peut pas la bouger de là. Je la couvre et elle s'endort ainsi. Je me mets à donner des explications à ceux qui sont présents mais je ne les vois pas, je ne vois que Mona qui ne pleure plus sur le divan.

— Francis, Mona est bien malade. Tu sais que sa maladie est revenue?

— Je l'ai deviné.

— Qu'est-ce que tu lui as donné pour qu'elle dorme comme ça?

— Une drogue très forte.

Abasourdi, il devient beaucoup plus calme dans la maison, plus conciliant. En plus d'être terrifié, il veut aider.

Je m'installe un coussin sous la tête et dans la pénombre du salon, je dors près de Mona après lui avoir fait boire un peu d'eau et avaler une autre pilule. Elle a toujours très mal et il ne faut ni effleurer son bras ni la retourner. Elle ne fait que soulever le cou pour faire passer le comprimé calmant.

Nos invités me trouvent roulée en boule sur le plancher et André vient au-devant d'eux pour les avertir. Autour de la table de la cuisine, il leur explique. Son jeune frère fringant lui reproche son attitude de résignation. Il réplique, blâme:

— Faut pas abandonner si facilement!

— Facilement? hurle André. On a tout essayé!

George, en patron dynamique, est un spécialiste du «pep talk», un adepte de la pensée positive, des vertus de l'autosuggestion.

— Il existe d'autres traitements. Vous devriez essayer. N'abandonnez pas, ordonne-t-il à son frère.

Mais rien ne peut plus convaincre André et il en a honte. Vidé de son espérance, de sa foi, il repense aux mille sermons donnés à sa petite fille sur les pouvoirs insoupçonnés de l'esprit, à toutes ses tentatives d'avant. Il l'a aidée à travers les pires fièvres, il a cru à l'incroyable, se tenant près d'elle avec une foi inébranlable pendant toutes ces années. Il voudrait continuer, il voudrait recommencer à croire. Sentir son ressort intérieur rebondir. Finalement, il hurle:

— *Shit man!* Tu ne sais pas de quoi tu parles!

Et au lieu de pleurer, il se fâche.

— Fiston, nomme-les tous, je les ai tous essayés tes trucs!

J'entends son «Ne me blâme pas, t'entends!» et je leur demande de baisser le ton. Comme par magie, il orientent peu à peu la conversation sur un autre sujet.

— Pourquoi ne viens-tu pas en Californie avec nous?

À trois, ils rêvent de lancer une compagnie d'ordinateurs. Roger pour la réparation, Georges à la vente et André en serait le gérant. Ils ouvrent une petite porte ensoleillée, pleine d'évasion douce pour les prochaines vacances. Ils se réuniront pour définir les plans. Ainsi, ils planifient au lieu de pleurer et au petit matin, ils montent se coucher et me laissent en bas avec ma chouette et je ne trouve rien à redire à la situation. Je voudrais bien savoir quoi faire et ce qui m'attend. Affaissée sur mon coussin, j'essaie de perdre contact avec la réalité, de ne plus penser.

Après le départ des visiteurs, les adieux en larmes, je réalise que je ne peux pas laisser Mona à demi consciente, bourrée de médicaments sur le divan tout trempé. Bon, j'organise l'hospitalisation de Mona qui partira en ambulance. Elle accepte et les ambulanciers la transportent avec le coussin du divan parce que ses membres lui font trop mal. Exténués, manquant de sommeil, effrayés par l'inconnu nous nous présentons au cinquième, dans une aile presque vide, à l'exception des cas très graves. Nous en sommes un. Mona est installée dans une salle de six lits. L'hématologiste, le pédiatre et quelques autres réunis autour du lit décident que le bras bleu, enflé ressemble drôlement à une phlébite. L'inflammation d'une veine, explique l'un d'eux. Au galop, ma mémoire fait le tour des gestes posés récemment, voir si j'aurais aggravé l'état de ma fille par mon manque d'organisation, mon espèce d'inertie, ma certitude que la fin approchait. Bon, ma conscience fait la paix avec la nouvelle situation. Un soluté branché à une veine aidera à libérer le chemin aux petits vaisseaux qui se formeront autour de la veine bloquée. Je m'affale sur une chaise, les bras pendants, comme si j'étais soulagée, mais je ne sais pas de quoi au juste. AH! SOULAGÉE! Je respire mieux et je peux voir autour de moi. Tranquillement, en diminuant la pression, je peux penser aux autres laissés chez nous. En leur donnant des nouvelles, je planifie un peu le fonctionnement de la maisonnée encore une fois abandonnée.

Après le repas du Jour de l'An, mes frères se rendent serrer la pince à leur petite nièce hospitalisée. Elle s'anime pour quelques secondes et ses yeux brillent, touchée par cette délicate attention. Une dame suggère des traitements au «Lytril». Je m'informe auprès de médecins non impliqués, et leur réponse formelle me met en garde contre des dépenses exorbitantes et inutiles.

Un médecin s'apprête à faire une ponction lombaire à Mona pour vérifier à quel point le cerveau est envahi par les cellules leucémiques. On me fait sentir sans détour qu'on nous accommode, qu'on soulage Mona, mais rien de plus. D'ailleurs, le médecin, en piquant le dos de Mona, m'avertit:

— Ça ne changera pas vraiment grand-chose.

Tous les soirs, quelqu'un couche avec Mona depuis qu'un père qui veille son enfant a averti que Mona sonnait souvent et qu'on la faisait attendre. Lui passe ses nuits auprès de son enfant de sept ans qui en paraît cinq sous la tente à oxygène, branché sur les machines qui l'aident à respirer. Il me parle comme un spécialiste de la fibrose kystique. Je ne veux pas apprendre les termes d'une autre maladie, monsieur.

— Ma femme a abandonné, elle ne peut plus se battre. Moi, je travaille le jour mais le soir, je viens coucher avec mon petit gars. Je le cajole entre ses quintes de toux.

Monsieur, je ne veux pas savoir.

— Je sais que je peux quelque chose pour le soulager.

Il regarde tendrement son enfant. Je me demande ce qu'il voit. D'une main, il caresse son front; de l'autre, il tient un livre: *Les Miracles de la pensée*.

— Ma femme ne veut plus rien savoir. Elle n'en peut plus. Hier soir, j'ai bien pensé qu'il passerait. Mais j'ai senti comme une grande paix me relier à lui et m'imprégner. Et le petit s'est remis à souffler et le pouls s'est stabilisé.

Monsieur, j'en sais trop.

Nous nous serrons la main. Je lui souhaite bonne chance.

Le lendemain, je lui serre la main à nouveau. Il tient dans ses mains un grand sac avec toutes les choses de son petit gars.

— J'étais là quand c'est arrivé, me murmure-t-il avec un reste de fierté.

Moi, je viens d'apprendre que ma fille n'a pas de cellules malignes au cerveau. J'ai comme un regain d'énergie. Comme si maintenant, je pouvais planifier quelque chose. On m'amène dans un petit bureau. Trois médecins m'entourent. Hé, pourquoi vous vous y mettez à trois les gars? Les trois «manteaux blancs» soufflent fort. Je veux m'enfuir. Le grand patron prend la parole. Il me défile de grands mots entrecoupés de trois qui eux, sont clairs comme de l'eau de roche: Elle se meurt.

— Madame, vous devez, ou bien elle devrait choisir où elle veut mourir.

Pas un mot ne sort de ma bouche paralysée. Ils se regardent en se demandant si j'ai compris quelque chose. Finalement, je dis:

— Vous ne ferez plus rien pour elle ici?

— Non, dans des centres de recherches, peut-être sont-ils intéressés. Nous avons tout fait.

Je me lève d'un bond. Je n'ai plus rien à faire ici. Puisque personne ne veut plus m'aider. Je me précipite dans le corridor. Je dois marcher. Marcher longtemps. Je passe devant la chambre de Mona sans la regarder. Un médecin me poursuit:

— Elle est assez grande. Elle doit choisir: la maison ou ici pour mourir.

Je marche en l'ignorant. C'est bête, j'avais toujours imaginé les hôpitaux comme un endroit pour guérir les gens. Pas pour mourir. En effet, je n'ai jamais bien pensé à la mort. Surtout pas à celle d'un enfant. La mort, c'est seulement quand il n'y a plus rien à faire. Mona me regarde par la fenêtre arpenter le corridor comme un lion rugissant.

— Mom, viens ici!

— Attends, Mona, je téléphone.

Enfermée dans une cabine téléphonique, je rejoins un spécialiste en recherches sur le cancer des enfants. Il me parle avec beaucoup de patience, de détails. Il regrette; demain il sera hospitalisé pour une opération des yeux. J'écoute l'histoire de sa maladie à mon tour. C'est le monde à l'envers. Il reste disposé à nous aider et promet de me remettre entre les mains de certains chercheurs. Il me démontre beaucoup de compassion et entre les mots, je lis clairement les limites de la médecine.

*   *   *

Bien sûr, je laisserai Mona choisir, mais ce n'est pas le moment, je le devine. On parle de la laisser sortir bientôt et c'est tout ce qui l'intéresse. Elle n'a plus mal au bras et elle sourit. C'est tout ce qui compte pour le moment. Elle verra son petit chien, elle mangera de ma nourriture, elle se pourlèche rien qu'à y penser. Non, ce n'est pas le temps.

La première nuit, je l'installe dans son lit avec la boîte de son chiot tout près. Au beau milieu de la nuit, j'entends un vacarme: Mona vient de tomber de tout son long sur le bois franc du parquet si dur. J'accours dans le noir. Je peux voir ses yeux en panique. Je refoule la mienne et ma douleur et mon regret et ma stupidité et ma culpabilité, ma rage de ne pas avoir prévu, de ne pas être restée couchée tout près d'elle pour l'aider en cas de besoin. Doser mes soins avec tact. Jamais plus nous ne la laisserons seule. André la veille d'abord. Chacun son tour. Quand j'entends un bruit, je sursaute et je cours vers la chambre comme une écervelée.

— Si on est pour ne pas dormir tous les deux...

Au bout de deux ou trois fois de ce manège, je couche près d'elle sur un matelas de mousse. L'hôpital m'envoie une infirmière à domicile. Elle arrive avec des piqués de plastique, elle prend la température et la pression pour la forme, tout un rituel trop évident pour ma Mona qui se sent faiblir. Le matin je la baigne, André la descend pour l'installer sur le divan où elle peut regarder la télé et caresser son chien.

Je dois prendre soin de le mettre dehors à heures fixes comme l'indique son petit livre sur le dressage. La cuisine, les lessives énormes, les soins à donner à ma chouette. Surtout, assumer cette incapacité de l'aider, dormir peu. Je me demande où je prends mes forces. Elles m'arrivent sûrement charriées par des hormones au moment requis comme lorsqu'un nouveau-né arrive. Le CLSC m'offre les services d'une personne d'expérience pour les soins des malades et pour aider au ménage: deux demi-journées par semaine. Un vrai cadeau envoyé du ciel! Elle passe l'aspirateur et époussette avec une dignité simple, une sympathie discrète. Avec dynamisme, sans jamais se dépêcher, elle accomplit tout ce qu'elle a à faire à la perfection. Elle parle peu mais ce qu'elle dit vient de la bonne place et ça touche à la bonne place. Un jour, je lui demande:

— Où as-tu appris ce que tu sais? Je ne veux pas dire comment travailler mais ton attitude.

— Il y a six ans, j'ai suivi deux traitements de chimiothérapie pour un cancer avancé. Je sais exactement ce dont nous avons besoin.

Un baume! Une perle!

Le soleil de la mi-janvier a beau percer à travers les vitres et réchauffer Mona, elle se voit se détériorer et marche de moins en moins. Dans un suprême effort, un après-midi que nous sommes seules toutes les deux et que je m'occupe les mains avec n'importe quoi, elle me pousse un:

— MOM! GUÉRIS-MOI! FAIS QUELQUE CHOSE! JE DÉPÉRIS!

Et moi qui pensais détenir des pouvoirs extraordinaires! Faire un tout petit miracle pour sa petite fille.

— MOM! GUÉRIS-MOI!

Je peux entendre ce qu'elle tait: Tu m'avais dit de croire, mom! Tu m'avais dit d'avoir confiance, mom, ne m'abandonne pas.

Je sens ses cris. Je murmure des paroles douces parce que je n'ai plus une once de violence.

— Abandonne-toi en confiance. Mo, laisse-toi aller. Si quelque chose peut être fait, je le ferai mon amour. Imagine-toi comme un foetus qui a tout ce dont il a besoin.

Maudite folle de parler comme ça à une fille de quatorze ans!

— MOM! FAIS QUELQUE CHOSE!

— Veux-tu que j'appelle Dr Ribka? Il nous avait promis qu'il prendrait soin de toi lorsque tu le voudrais.

— Oui, mom, appelle-le.

— Tu te sens en confiance avec lui, hein?

Elle fait signe que oui. J'insiste cependant pour savoir une chose bien importante:

— Mona, ça ne te fait rien d'être hospitalisée?

*   *   *

Je lui donne une bonne dose de médicament contre la douleur avant de la laisser monter dans l'ambulance. Très calme au début du voyage, elle passe à mi-chemin à une sensibilité extrême qui lui arrache un cri de douleur à chaque soubresaut du véhicule. Et Dieu sait si la route est mauvaise!

Dr Ribka nous rejoint dans la chambre de Mona. Il est fatigué et moi, je n'en peux plus de l'entendre gémir. Il se montre déçu par son état, il ne croyait pas qu'elle était comateuse. Il examine ses pupilles avec des gestes précis. Il a tout ce qu'il faut pour installer un soluté. Il cherche une veine qui se gonflera assez pour piquer une aiguille dedans. Il cherche dans les mains, les bras. Ses veines fuient. Il explique en piquant, pour couvrir les gémissements de Mona:

— Avec un soluté, on peut donner des plaquettes. Ainsi elle ne se verra pas saigner. C'est très angoissant, se voir saigner.

— C'est ça, docteur.

Je l'aide en tenant un bras ou une jambe. L'empêcher de souffrir, c'est tout. Ma chouette arrête de gémir. Je serre pour obtenir de la pression d'une veine. Rien qu'une! Je présente les aiguilles au docteur, les cotons, les tubes, prévoyant tout ce dont il a besoin. Je prépare les rubans gommés. Je pourrais installer un soluté moi-même si j'étais obligée. Il le remarque et me taquine:

— Nous allons vous remettre votre diplôme bientôt.

— J'en veux pas de...

Je regrette mon ton arrogant. Je voulais seulement lui signifier que j'admire bien le personnel des milieux hospitaliers mais que jamais je ne pourrais. Enfin, le soluté est piqué dans le pied. Le médecin pousse un soupir de soulagement et espère tout haut pouvoir rentrer chez lui avant sept heure. Il prescrit une liste de médicaments. Il coule dans les veines de ma fille du liquide pour qu'elle n'ait pas soif, des analgésiques, des antibiotiques. Elle ne gémit plus et c'est mon tour de pleurer tranquillement dans un grand fauteuil près d'une petite lampe allumée et de la grande vitrine montrant Montréal la nuit. Dès que je me sens mieux, j'appelle à la maison et je m'informe de Mark, s'il est chez sa gardienne. Pauvre enfant, il aura fait sa valise des centaines de fois. Et Francis? Je m'inquiète de ses rapports avec son père:

— Vous vous parlez?...

Bon, je réalise que je néglige encore tous ceux que j'aime et je finis par me faire pleurer à nouveau:

— Je ferais ça pour chacun d'entre vous... Je vous en prie, pardonnez-moi.

André me calme et me défend de me culpabiliser:

— Hé, on comprend! Quant tu es là, tu ne peux pas t'en faire pour nous.

— Tu vas parler aux enfants, hein?

Je reviens dans la chambre et je m'installe un lit sur les coussins de la salle de séjour. Je m'enroule dans un drap et je dors par terre. Un homme d'entretien, me voyant là depuis quelques jours, me déniche un petit lit et me le monte fièrement. Mona n'a plus la fièvre, elle a recommencé à manger et à demander un traitement à son médecin favori.

— Pas maintenant, tu n'es pas assez bien.

Elle attend patiemment, pourvu que je reste près d'elle. Si je m'éloigne trop longtemps, elle réclame des calmants. Ses os lui font mal. Elle garde le moral jusqu'à son anniversaire: elle veut retourner à la maison. Son père et moi refusons d'alimenter ce rêve irréalisable et deux grosses larmes coulent.

— J'ai passé le Jour de l'An à l'hôpital et vous allez me laisser ici pour ma fête?

Le docteur, touché, avait dit: «S'il n'y a pas de fièvre». Nous sommes à la veille de son anniversaire! Yves vient dire une messe spécialement pour elle. Elle porte sa meilleure jaquette. Elle m'a poussée toute la journée à réserver l'ambulance au cas où le médecin donnerait la permission.

Pendant la messe, derrière ses paupières fermées, j'entends ses prières. Et quelle foi apparaît sur son visage heureux!

Surprise! Sa grand-mère, son père, ses frères, tante Jacqueline, Élaine, le chien dans une boîte arrivent avec un gâteau. Ils commandent du poulet frit. Le médecin attendu depuis deux jours arrive, pressé. Avant même que l'on parle, Mona prend la parole fermement:

— Dr Ribka, c'est ma fête aujourd'hui. Vous aviez dit que je pourrais sortir. Je n'ai pas de fièvre.

Sans nous consulter, voyant son sourire et son désir si fort, il répond:

— Tu veux enlever ton soluté? Voilà!

Il sort l'aiguille, donne des médicaments en comprimés et signe un congé. Bon anniversaire, Mona! Je commande l'ambulance. Mona jubile, elle a eu son cadeau! Les autres mangent leur poulet et oublient de lui en servir une assiette.

— Hé, c'est ma fête et vous ne m'en donnez pas.

Tous s'excusent en choeur et pour leur faire plaisir, elle mange une cuisse et quelques frites. Pendant qu'ils repartent à Windsor, j'attends l'ambulance. La fièvre a fait un petit bond, toute cette tension a épuisé Mona.

Mais elle réussit à tenir les deux heures que dure le trajet pour se rendre à la maison. En arrivant, je cuisine son plat favori, depuis une semaine qu'elle en parle: des côtelettes de veau au parmesan. Elle réussit à se rendre à la table en marchant, aidée de son père. Elle déballe quelques cadeaux, les mains tremblantes. Nous prenons des photos en évitant de capter la plaque bleue sur sa joue. Après quelques bouchées, en quelques minutes, elle est épuisée. Elle accepte d'être transportée par son père sur le divan. Elle a tout donné pour célébrer la journée de sa naissance une dernière fois. Quinze fois, elle l'aura célébré, cette journée merveilleuse de sa naissance!

J'ai monté toute une pharmacie portative, depuis un an. Toutes les fioles traînées partout où je passe avec Mona. Je donne pilules, sirop, je prends le pouls, je connais les signes des hémorragies internes et les selles noires.

J'ai cru, à un moment donné, qu'elle était venue pour mourir chez elle. Elle demande à retourner à l'hôpital le lendemain. Elle arrive encore comateuse après un épuisant voyage. Elle reparle, remange, redemande des traitements.

— Pas encore!

J'en prends soin, donne le bain. Je sais tous les coins, je connais tous les placards du seizième. Je ne dérange pas les infirmières très occupées.

— À quoi penses-tu, Mo?
— À l'école.
— T'as hâte d'y retourner?

Des petits signes affirmatifs dans son demi-sommeil. Je fais ma toilette dans sa chambre, je couche avec elle, je lave mes cheveux. Je ne sais plus si le temps est très long ou très court. Je sors pour manger à la cafétéria et pour fumer. Avec mon café chaque matin, je me rends dans le solarium, j'appelle les bienfaits du soleil, je laisse ses rayons m'envahir, je prie pour avoir la bonne parole, le bon geste, la bonne pensée. Avoir l'instinct maternel comme à une naissance. Bébé, j'avais compris ses besoins, son langage. Je saurai encore, ma chouette. Il me reste cette foi.

André passe les fins de semaine avec nous, retourne travailler pour revenir au bout de deux jours parce que je n'en peux plus. Son arrivée nous redonne un élan. Un restaurateur où Mona allait manger sa tarte au sucre lui en envoie une entière. Elle en mange un petit morceau. Fonzie ne la fait plus sourire, elle oublie ses programmes favoris et son attention diminue.

Après sa toilette, le samedi, j'installe la télé aux dessins animés comme à la maison. Elle les regarde sans les voir. Alors son père propose de jouer aux cartes avec moi tout près d'elle, pour la divertir. Il me taquine:

— Regarde bien ta mère perdre, Mo!

Je proteste:

— Mo, tu prends pour mom, hein?

Incapable de répondre, elle me fait signe en me regardant droit dans les yeux: Je prends pour toi, mom! Son père s'exclame:

— Quoi? Tu ne vas pas prendre pour ton père?

Pendant qu'il brasse les cartes, elle prononce, en articulant bien avec ses lèvres ulcérées sans qu'il sorte un son: JE T'AIME MAMIE. Je lui réponds de la même manière, rien que des lèvres: MOI AUSSI, JE T'AIME BEAUCOUP.

Ce fut notre dernier échange d'amour. Tu t'es endormie pas longtemps après et tu te plaignais dans ton sommeil, comme si tu avais toujours mal. Le médecin a cru bon d'augmenter la dose de médicaments pour ne pas risquer que tu souffres. Nous avons couché tous les deux à côté de toi, ton père et moi. La fièvre avait augmenté et j'ai placé de la glace près de toi pour te soulager. J'ai prévenu l'infirmière de me réveiller avant chaque injection.

À deux heures, nous changions ton lit. À trois heures, l'infirmière nous a réveillés pour tenir la main à ton dernier souffle. J'ai eu une envie irrésistible de te donner le bouche à bouche quand tu as essayé une dernière respiration. Je te revois petite, quand, revenant de l'école en hiver, tu tenais contre toi un petit chat mort, gelé. Tu voulais que je le mette au four pour le dégeler et lui redonner la vie. Tu ne voulais pas croire que je n'étais pas capable. JE NE SUIS PAS CAPABLE! PAS CAPABLE!

Nous sommes partis de l'hôpital, ton dad et moi, sachant que tu étais sortie avant nous. J'ai téléphoné à tous nos proches:

— Ma petite Mo est partie!

Ton dad t'a préparé une belle cérémonie avec Yves. Et ils sont venus en très grand nombre. Si généreux, si chaleureux, te réciter des poèmes, te chanter des chansons, te jouer des morceaux de musique, prier, nous tenir, nous soutenir, nous offrir de la nourriture, des sous, des baisers, des étreintes, de l'amour. Ils étaient nombreux ce matin-là, guidés par Yves. Ils racontaient des anecdotes vécues avec toi, ils assistaient à ton dernier party en écoutant ton disque préféré: I DID IT MY WAY! Avec nous, ils jouaient à PASSE LA VIE.

Fièrement, tes quatre oncles t'ont portée sur leurs épaules comme quand ils jouaient avec toi, petite. Si personne n'avait parlé d'un ciel, je l'inventerais parce que je ne peux que t'imaginer dans cette plénitude.

MERCI MA PLEINE DE VIE
POUR TOUTES LES JOIES
QUE TU NOUS A DONNÉES.

Francis, Mark,
Dad & Mom t'embrassent